DARK
ダークデータ
隠れたデータこそが最強の武器になる

デイヴィッド・J・ハンド DAVID J. HAND 黒輪篤嗣 訳

河出書房新社

WHY WHAT YOU DON'T KNOW MATTERS

DATA

ダークデータ　目次

ダークデータ——隠れたデータこそが最強の武器になる

シェリーへ

まえがき

この本はよくあるデータの本とは一線を画している。データの本というと、ふつう、ビッグデータやオープンデータやデータサイエンスの一般書であれ、データの分析方法を説いた統計学の専門書であれ、得られているデータのことが論じられる。そこで取り上げられるのは、パソコン内のフォルダなり、机の上のファイルなり、ノートの記録なりに収められているデータだ。ひるがえって、本書では、得られていないデータを問題にする。つまりわたしたちが手に入れたいとか、手に入れようとか、またはすでに手に入れているとか思っていても、実際には得ていないデータだ。そのような欠けたデータがじつは、得ているデータと同じか、もしくはそれ以上に重要であるというのが、わたしの主張だ。本書ではそのことを数多くの例によって説明したい。目に見えるデータと同じように、目に見えないデータによっても、わたしたちは判断を誤りうる。ときにはそれが破滅的な結果にもつながる。なぜそのようなことが起こるのか、どのように起こるのかを明らかにするとともに、そういう事態を避ける方法についても紹介するつもりだ。悲惨な結果を招かないためには、いったい何に気をつければいいのか。それから、おそらく驚かれるだろうが、その目に見えない「ダークデータ」がどのように生まれ、どのように問題を引き起こすのかを理解すれば、ダークデータの観点から、従来のデータ分析の考え方を逆さにできることも示したい。つまり隠れたデータは、問題の理解を深め、より正しい判断を下し、より妥当な行動を選ぶのに役に立つという話もする。

ダークデータについてのわたし自身の理解は、長い研究生活の中で徐々に育まれてきたものだ。のちにダークデータの問題であることがしだいにわかってきた数々の課題にわたしの目を向けさせ、いっしょにそれらの課題への対処方法を考えてくれたおおぜいのかたがたに、多大な恩義を蒙《こうむ》っている。ダークデータの問題は医学研究から、製薬産業、公共政策や社会政策、金融部門、製造業をはじめ、あらゆる領域に及ぶ。ダークデータの危険を免れている領域はひとつもない。

寛大にも貴重な時間を割いて、本書の原稿を読んでくれたのは、クリストフォロス・アナグノストポロス、ニール・シャノン、ナイアル・アダムズの3氏と、出版社の3人の匿名の校閲者である。彼らのおかげで、恥ずかしい間違いを減らせた。エージェントのピーター・タラックは労を惜しまず、本書の刊行に理想的な出版社を見つけるのを手伝ってくれるとともに、親切な助言によって本書の論点と方向が揺れないようにしてくれた。プリンストン大学出版局の編集者、イングリッド・グナリッチは頼りになる明敏な指南役として、草稿を一冊の本に仕上げるのを助けてくれた。最後に、草稿を読んで、懇切な批評を聞かせてくれた妻、シェリー・シャノン教授に心より感謝の意を表したい。その指摘のおかげで、本書は格段によくなった。

ロンドン、インペリアル・カレッジにて

第Ⅰ部　ダークデータ――その原因と結果

第1章　ダークデータ――見えないものによって築かれている世界

データの幽霊

まずは、ジョークをひとつ。

あるとき、道を歩いていると、1・5メートルぐらいおきに路上に小さな粉の山を築いている老人を見かけた。何をしているのかと尋ねたら、「これはゾウよけの粉じゃよ」と老人はいう。「やつらはこの粉が大の苦手でな。だから、近寄ってこられん」

「でも、このあたりにゾウはいないじゃないですか」と、わたしはいった。

「そうじゃろ！」とご老人。「抜群の効き目なんじゃ」

では、次に、もっとまじめな話に移ろう。

はしかで死ぬ人は世界で毎年10万人近くいる。罹患《りかん》者の500人に1人が合併症で亡くなるいっぽう、聴覚や脳に後遺症が残るケースもある。幸い、米国ではまれにしかかかる人はいない。例えば、1999年に報告された患者数はわずか99人だった。ところが2019年1月、ワシントン州ではしかが大流行して、非常事態宣言が発され、他州でも患者の報告数が急増した(1)。ほかの国々でも似たような報告が相次いだ。ウクライナでは、２０１９年２月の時点で、はしかの患者数が２万１０００人を超えた[2]。ヨーロッパでは、２０１７年に２万５８６３人だった患者数が、２０１８年には８万２０００人以上にまで増えた[3]。２０１６年１月１日から２０１７年３月31日までのあいだに、ルーマニアでは４０００人以上の患者と18人の死者が報告された。

はしかのおそろしさは、感染から発症までに数週間の時間差があって、気づかないうちに広まってしまうところにある。レーダーで捕捉できず、わかったときにはすでに世の中に蔓延《まんえん》している。

とはいえ、はしかは予防できる病気でもある。ワクチンを接種すれば、体に免疫ができて、かかりにくくなる。実際、その種の予防接種制度は米国ですばらしい効果を上げている。どれほどワクチンの効果が高いかといえば、予防接種制度を実施している国々では、はしかのような予防可能な病気の悲劇を目にしたり、経験したりしている親がほとんどいないほどだ。

だから親たちは当然、自分の周りでかかったという話を聞いたことがない病気の予防接種を勧められても、あまりぴんと来ない。米国疾病予防管理センターが根絶を宣言している病気であれば、なおさらだ。存在しない病気の予防接種をなんのために受けるのか。まるでゾウよけの粉のようではないか。

しかしゾウよけの場合とは違って、感染のリスクは現実にある。脅威は厳として存在している。正しい判断を下すのに必要な情報やデータがないせいで、リスクが見えなくなっているにすぎない。

そのような欠けているデータにはさまざまなものがあり、わたしはそれらのデータをまとめて「ダークデータ」と呼んでいる。ダークデータはわたしたちから隠されたデータだ。データが隠されているということは、そのぶんだけ状況を正しく理解できなかったり、誤った結論を導き出したり、愚かな決定を下したりするリスクが高いことを意味する。知らないことがあれば、それだけ間違える危険が増すのは当然だろう。

ダークデータという言葉は、物理学用語のダークマターになぞらえたものだ。宇宙の約27％は謎の物質ダークマターで占められている。ダークマターは、光や電波などの電磁波と相互作用せず、目には見えない。見えないので、長らく、天文学者もその存在に気づいていなかった。しかしやがて銀河の回転が観測されると、銀河の中心から遠い星の動きが近い星の動きと比べ、遅くないことがわかった。これは重力の法則から予測されることとは矛盾する現象だった。このふしぎな現象は、銀河には見かけより多くの物質があると仮定すれば説明がつく。この新たに見つかった物質は目には見えないことから、ダークマター（暗黒物質）と名づけられた。わたしたちが暮らす銀河系には、ふつうの物質のおよそ10倍もの量のダークマターがあると推定されている。ダークマターは宇宙に大きな影響を及ぼしている可能性がある。

ダークデータとダークマターは似ている。ダークデータも目には見えず、記録されていないが、わたしたちの結論や決定や行動を大きく左右しうる。のちほど数々の例を紹介するように、知られていないことが潜んでいるという可能性を無視すると、不幸な結果や取り返しのつかない事態を招くことがある。

ダークデータがどのように生じるのか、なぜ生じるのかを探るのが、本書の目的だ。さまざまな種類のダークデータを取り上げて、それらの発生の原因を掘り下げていきたい。また、ダークデータの発生を防ぐにはどうすればいいかや、ダークデータがあることがわかったときにどういう対策を講じたらいいかも検討する。最後には、知恵を働かせれば、ダークデータを有効活用できることについても話したい。奇妙なパラドクスのようだが、無知やダークデータの視点を取り入れることで、よりよい判断やよりよい行動が可能になる。つまり、具体的にいうなら、不明なことをうまく使うことで、もっと健康的な生活を送ったり、もっと収入を増やしたり、もっとリスクを減らしたりできるのだ。これは他人に情報を明かすべきではないという話ではない（ただし、あとで見るように、意図的に隠されたデータはよくあるダークデータのひとつではある）。もっとはるかに奥深い話であり、そこではみんなが恩恵にあずかれる。

ダークデータはさまざまな形で、さまざまな原因から生じる。本書ではそれらの原因を分類して、「DDタイプX」（「DD」は「ダークデータ Dark Data」の略）と表している。DDタイプは全部で15種類ある。この分類は網羅的なものではない。ダークデータの原因は無数にあるので、すべてを網羅するのはきっと不可能だろう。また、ダークデータのひとつの事例に複数のDDタイプが関わっていることもめずらしくない。DDタイプは組み合わさったり、不幸な相乗効果をもたらしたりすることがある。それでもふだんからDDタイプを意識し、事例によってダークデータの発生の仕組みを知っておけば、問題が起こったときに気づけるし、それらの危険から身を守れる。本章の最後に、DDタイプの一覧をまとめるとともに（おおよそ似た順になっている）、第10章であらためてひとつずつ取り上げて、詳しく説明したい。ほかの章でも事例を紹介するときには、それがどのDDタイプに当てはまるかも適宜記しているが、煩わしくならないよう、すべてにはそうしていない。

では本題に入ることにし、また別の例を見てみよう。

医療分野の例だ。人間はトラウマ（心的外傷）を経験すると、長期にわたってその深刻な影響に苦しむことがある。トラウマは早世や障害による「健康寿命」の損失の大きな原因のひとつであるほか、40歳未満の死因のトップにもなっている。ヨーロッパ最大の心的外傷のデータベースは、英国の団体「心的外傷監査・調査ネットワーク（TARN）」によるものだ。TARNは200以上の病院（イングランドとウェールズの病院の93％に加え、アイルランド、オランダ、スイスの病院）から心的外傷のデータを得ている。心的外傷の予後や治療効果を研究するためのまさにデータの宝庫だといえる。

英レスター大学のエフゲニー・マークス博士たちのグループは、このデータベースのデータの一部を検証した(4)。それによると16万5559件のトラウマの症例のうち、「転帰不明」の症例が1万9289件あったという。「転帰」とは、治療の結果のことで、このトラウマの調査においては、患者が心的外傷を負ってから30日以上、生存していたかどうかを意味する。したがってこのデータには、30日後の生死がわからない症例が11％以上含まれていた。これは典型的なダークデータだ。本書の分類では、DDタイプ1「欠けていることがわかっているデータ」になる。それらの患者にはなんらかの「転帰」があったことはわかるが、それが何かはわからない。

それでも問題はないじゃないか、とあなたは思うかもしれない。「転帰」がわかっている14万6270人の症例を分析して、それを理解や予後の見通しの土台にすればいい。14万6270件というのは膨大なデータ量だ。医療分野のデータとしては「ビッグデータ」と呼べる量ではないか。それだけあれば、自信を持って、どんな結論でも出せるだろう、と。

しかし、はたしてそうだろうか。データが欠けている1万9289件の症例は、ほかの症例とはだいぶ違っている可能性がある。そもそも「転帰」がわからないという点で違っているのだから、なんらかの違いがあると考えるほうが妥当だろう。そうだとすると、「転帰」がわかっている14万6270件の症例のいかなる分析からも、トラウマの患者全体に関して、誤った考えが生まれる恐れがある。そのような分析にもとづけば、見当違いの対処をしてしまいかねない。病状の見通しを間違えたり、誤診したり、不適切な治療計画を立てたりして、病気を悪化させるかもしれないし、最悪の事態すら招くかもしれない。

非現実的な極端な想定だが、仮に、「転帰」がわかっている14万6270件の患者全員が治療を受けずに回復し、「転帰」がわからない1万9289件の患者全員が2日以内に死亡していたとしよう。その場合、もし「転帰」がわからない患者のデータを無視すれば、当然、まったく心配は要らないという結論が下されるだろう。患者全員が治療を受けずに回復しているのだから。医者はこの結論にもとづいて、トラウマの患者には治療を施さず、自然に治るのを待つ。そしてあとになって、患者の11％以上が死んだという事実を突きつけられ、愕然《がくぜん》とすることになる。

この想定をさらに進める前に、ひとつ断っておきたい。この極端な想定は、もちろん、最悪のシナリオだ。常識では、現実にはこんなことはまず起こらないと考えられる。またマークス博士たちは、欠けたデータの分析の専門家でもある。そういう危険にはじゅうぶんに配慮し、それに対処する統計学的な手法も考案している。本書でも、のちほどそれに似た手法をいくつか紹介したい。とはいえ、この仮の話の最大のポイントは、真実は見かけとは違うかもしれないということにある。実際、本書でいちばん伝えたいことも、その点に尽きる。つまり、「ビッグデータ」と呼ばれるようなたくさんのデータを集めることは無駄ではないが、データの規模がすべてではない、ということだ。現状を正しく理解するためには、あなたが知っていることよりも、あなたが知らないことのほうが、すなわち集計されていないデータのほうが重要な場合もある。いずれにしても、これから見ていくように、ダークデータの問題は単なるビッグデータだけの問題ではなく、「スモールデータ」からも発生する。ダークデータはどこにでも顔を出す問題だ。

このTARNのデータベースに関する想定はかなり極端だが、注意を喚起することができる。1万9289件の患者の「転帰」が記録されていないのは、もしかしたら、全員が30日以内に死亡したからではないのか。初診から30日後に患者に連絡を取って、ようすを尋ねることで「転帰」が調べられるのだとしたら、すでに死んでいる患者は調査に応じようがない。そのような可能性を考慮しなければ、患者が死亡したという記録は残されないだろう。

いくらか荒唐無稽な話に聞こえるかもしれないが、じつはこういうことはしばしば起こっている。例えば、特定の治療について、その予後の予想モデルを作ろうとすると、それは以前その治療を受けた患者の「転帰」のデータにもとづくことになる。しかし治療の効果が現れるのに必要な日数が経っていない患者がいたら、どうすればいいのか。それらの患者の「転帰」は不明とせざるをえない。しかし「転帰」が判明している患者のデータだけにもとづいた予測モデルでは、心もとないのではないか。

同じような現象は、「無回答」が不正確さの原因になる調査でも生じる。研究者はふつう、調査に先立って、こういう人たちから回答を得られれば理想的だという人たちの完全なリストを用意しているが、たいてい、その全員からは回答を得られない。もし回答した人たちがなんらかの点で、回答しなかった人たちと違っていたら、その調査から得られる統計データは、母集団全体の特徴をよく表したものだとはいいきれなくなる。それは次のような場合を考えればわかるだろう。ある雑誌が購読者に対し、「雑誌のアンケートに回答しますか?」という1問のみを尋ねるアンケートを実施したとする。回答者の答えがすべて「はい」だったからといって、それをもって購読者全員から回答があったとは結論づけられない。

これらの例には、ダークデータの第1のタイプが描かれている。TARNの患者全員のデータがあることはわかっているが、すべての値が記録されているわけではない。調査対象者の全員にそれぞれの「答え」があることはわかっているが、その答えを得られていない。要するに、データに値があることはわかっているが、その値がなんであるかがわからないのが、DDタイプ1だ。

では次に、またそれとは違う種類のダークデータ(DDタイプ2「欠けていることがわかっていないデータ」)を見てみよう。

多くの都市で、路面にできる穴(ポットホール)が問題になっている。冬、路面の小さな割れ目に水が流れ込んで、凍り、膨張することで生じる穴だ。いったんできた穴は、自動車の通行でさらに広がっていく。そのような悪循環が進むと、やがて自動車のタイヤや車軸を破損させるほどの穴になってしまう。ボストン市は最新テクノロジーを使って、この問題の解決を図ろうと考え、スマートフォンのアプリを配布した。それはスマートフォンの加速度センサーで、ポットホールの上を走行したときの振動を検知すると同時に、ＧＰＳで自動的に市当局にポットホールの位置情報を送信できるアプリだった。

すばらしい！　おかげで道路管理者たちは、どこに行って道路の穴を修繕すればいいかがわかることになった。

これも現実の問題を解決するための、美しくてなおかつ安価な解決策に見える。最新のデータ分析技術が取り入れられてもいる。ただし盲点がひとつある。自動車や高価なスマートフォンの所有者は、富裕な地区に集中しやすいということだ。したがって、貧しい地区ほど、ポットホールが検知されず、肝心の位置情報が上がってこない恐れがある。ポットホールが完全に放置されてしまう地区も出てくるだろう。これではポットホールの問題を解決するどころか、むしろ社会の不平等を促進してしまう。ここに見られるのは、ＴＡＲＮの例とは違う状況だ。ＴＡＲＮの例では、あるデータが欠けていることはわかっていた。しかしこの例では、欠けているデータがあることがわかっていない。

もうひとつ、このタイプのダークデータの例を紹介しよう。２０１２年10月末、米国の東海岸が巨大ハリケーン「サンディ」に襲われた。「スーパーストーム」[5]とも呼ばれた「サンディ」は、米国にそれまでで2番めに大きな災害をもたらした。記録に残る中では、大西洋で発生した過去最大のハリケーンだった。被害総額は７５０億ドルと推定され、８カ国で２００人以上が死んだ。フロリダ州から、メイン州、ミシガン州、ウィスコンシン州まで、米国の24州に影響が及んだほか、大規模な停電の発生により、金融市場は取引停止に追い込まれた。9カ月後には、その間接的な影響として、出生率の急増という現象も引き起こした。

また、現代的なメディアの勝利でもあった。「サンディ」という物理的なハリケーンの嵐に伴って、ネット上では、その状況を伝えるツイートの嵐が吹き荒れた。ツイッターの最大の特徴は、どこで、何が、誰に起こっているかを、現場から逐一報告できることにある。ソーシャルメディアとは、リアルタイムで状況を追う手段といえよう。「サンディ」のときにはまさにそういう手段として、ソーシャルメディアが使われた。2012年10月27日から2012年11月1日までの6日間で、ハリケーン絡みのツイートは2000万件以上にのぼった。刻々と変わる嵐のようすをたえず把握し、深刻な被害を受けている地域や救援物資を必要としている地域を突き止めるうえで、これ以上の情報源はないだろうと思える。

ところが、のちの分析で、「サンディ」に関するツイートの大多数はマンハッタンから投稿されていて、ロックアウェーやコニーアイランドなどの地域からの投稿はほとんどなかったことが判明した。これはロックアウェーやコニーアイランドの被害が少なかったことを物語っているのだろうか。確かに、マンハッタンでも地下鉄や道路の浸水は発生したが、マンハッタンは全米どころか、ニューヨーク州内ですら、最も深刻な被害を受けた地域ではなかった。いうまでもなく、ある地域でツイートが少なかったのは、被害を受けなかったからではなく、単純に、スマートフォンを所有するツイッターのユーザーが少ないせいだった。

ここでも極端な状況を想像してみるとわかりやすい。もし「サンディ」によって完全に壊滅した地域があったら、その地域からのツイートは1件もないだろう。その場合、表面上、その地域は無傷だという印象を与える。まさにダークデータだ。

DDタイプ1同様、データに欠けがあることがわかっていないこのDDタイプ2の例も、あらゆるところで見られる。詐欺が気づかれていない場合や、被害者が見つからず、殺人行為があったことが見逃されている場合などがそうだ。

この2種類のダークデータの話を聞いて、昔どこかで似たような話を聞いたことがあるぞと思われた読者もいるかもしれない。そう、ドナルド・ラムズフェルドだ。有名な記者会見で、当時米国の国務長官だったラムズフェルドがこのようなダークデータを次のように簡潔にいい表した場面が、ニュース映像で繰り返し流されたのをご記憶のかたも多いだろう。「『既知の未知』というものがあります。つまり、自分たちが知らない何かがあるということは、わかっているということです。ですが、『未知の未知』というものもあります。つまり、知らないことすら知らないことがあるということです」[6]〔二〇〇二年、イラクにおける大量破壊兵器の証拠について問われたときの発言〕。この発言はメディアで詭弁《きべん》として取り上げられ、さんざん叩かれたが、批判は不当だった。ラムズフェルドがいったことは理にかなっていたし、現に事実でもあった。

とはいえ、これらの2種類はまだ序の口にすぎない。次節でさらにほかのダークデータを見ていきたい。それらをはじめ、これから紹介する数々のダークデータが本書の肝になる。これからご覧に入れるように、ダークデータにはさまざまな形態がある。データが不完全かもしれないこと、観察をしてもすべてを観察しているわけではないこと、調査の手法が不正確かもしれないこと、調査する対象そのものが間違っているかもしれないことに留意しなければ、現状に対して見当外れの印象を抱いてしまいかねない。誰もいない森の奥深くで木が倒れても、誰ひとりその音を耳にすることはないだろうが、だからといって、木が音を立てずに倒れるわけではない。

すべてのデータが揃っていると思っていいのか

スーパーマーケットでは客がカートに商品を積んで、レジにやってくると、そこで商品のバーコードがひとつずつ、ピッという電子音とともに読み取られ、金額が次々と加算されていく。最後に、総額が算出され、代金の支払いが行われる。が、レジで行われることはじつはこれで終わりではない。買われた商品に関するデータがそのつどデータベースに送られてもいる。データベースに蓄積されたデータはやがて、統計やデータサイエンスの専門家の手で分析され、どういう商品がいっしょに買われているかや、どういう顧客が買っているかなどのデータをもとに、顧客の行動の特徴が抽出される。こういうデータ集計であれば、データが欠ける心配はなさそうだ。少なくとも、停電とか、機械の故障とか、あるいは不正行為でもない限りは。店が商品の値段を検討するときには、このようなデータの集計がぜひとも必要になる。

ここではすべてのデータが隈なく集計されているように見える。販売データの一部とか、特定の商品の詳しいデータとかではなく、すべての商品、すべての客、すべての購入についての全データが集められているように。ときどきいわれる表現を使うなら、まさに「データ＝すべて」だ。

しかしほんとうにそうだろうか。そもそも、それらのデータは先週や先月に起こったことのデータだ。役には立つが、店を営むうえでいちばん知りたいのは、明日や来週や来月に何が起こるかだろう。今後、誰が、いつ、何を、どれぐらい買ってくれるかを何より知りたいはずだ。補充しておかないと、売り切れてしまいそうな商品は何か。客はどのブランドの商品を選ぶか。つまり店が最も必要とするのは、まだ計測されていないデータだといえる。このダークデータ、すなわちDDタイプ7「ときの経過とともに変化する」では、データを不明瞭にする時間の性質が問題になる。

さらに、そのような複雑な要因は別にして、もし違う商品を置いていたら、もし別の棚に商品を置いていたら、または開店時間を変えていたら、客の購買行動はどう変わっていたかも、店は知りたいだろう。このような仮定は「反事実」と呼ばれる。実際には起こったことが起こらなかった場合、どういうことが起こるか、だ。この反事実が第6のダークデータ、DDタイプ6「あったかもしれないデータ」になる。

もちろん、反事実に関心があるのはスーパーの店長だけではない。あなたがある薬を服用していたとしよう。あなたは薬を処方した医師を信じていた。その薬は当然、治験によって効果の確かめられている薬だとばかり思っていた。ところが、じつはまだ臨床試験の行われていない、開発途中の薬だったことがあとになってわかった。あなたはどう感じるだろうか。効き目に関するデータがなかったとしたら？　病気が悪化する可能性すらある薬だったら？　臨床試験が行われ、治療効果は確かめられていたとしても、治療をしなかった場合との比較がなされていなかったら？　自然治癒よりも早く治るかどうかが確かめられていなかったら？　一般的な薬と比べて、治療効果が高いかどうかがわかっていなかったら？　ゾウよけの粉の場合、何もしないときとの比較を行えば、粉を置いても置かなくても、まったく結果が同じであることがたちどころにわかるだろう（加えて、追い払わなくてはいけないゾウがいないという事実も、明らかになるだろう）。

先ほど「データ＝すべて」という考え方に触れたが、データを「すべて」持っているという考えは、別の状況では明らかにナンセンスだ。体重を例に取ろう。体重はいたって簡単に計測できる。体重計にひょいと乗るだけでいい。しかし、計測を繰り返したら、あまり間をあけなくとも、毎回、結果はいくらか違うだろう。グラム単位で測ろうとすれば、なおさらぴったり同じにはならないはずだ。いかなる身体測定にも必ず、そのような不正確さが伴いうる。原因は計測器のエラーのせいのことも、状況のわずかな変化による不規則変動のせいのこともある（ＤＤタイプ10「測定誤差と不確かさ」）。科学者たちはこの問題を避けるため、なんらかの現象の規模――例えば、光の速さや、電子の電荷の大きさ――を計測するときには、計測を複数回行って、平均値を算出する。回数は10回のこともあれば、１００回のこともある。しかし「すべて」を計測することは絶対にできない。なぜなら、そのような計測には「すべて」なるものがそもそもないからだ。

ロンドンの二階建てバスが教えてくれるタイプのダークデータもある。二階建てバスといえば、いつでも混んでいるバスとして有名だ。ところがデータには、平均乗客数はわずか17人であることが示されている。この矛盾は何に由来するのか。データが改竄《かいざん》されているのだろうか。

ちょっと考えるとわかるように、答えは単純だ。これは満員のときにバスに乗る人のほうが多いことによる。つまり、すいているバスに乗ったことがある人と、混んだバスに乗ったことがある人の数を比べれば、当然、後者の人のほうが多い。だから「二階建てバスは混んでいる」といわれることのほうが多くなる。乗客がひとりもいなかったら、運転手を勘定に入れなければ、そのバスのことを報告する人はひとりもいない。このようなタイプのダークデータが、ＤＤタイプ３「一部の例だけを選ぶ」になる。さらに、データの集計から必然的にそのようなダークデータが生まれることもあり、それがＤＤタイプ４「自己選別」だ。以下に硬軟両極のわたしの好きな例を２つ紹介しよう。

ひとつめは、漫画だ。駅の付近などによく設置されている周辺案内の地図を、ひとりの男が眺めている。地図の中央に「あなたは今、ここにいます」と記された赤い印がある。男はびっくりする。「なんで、おれがここにいるって、わかったんだ？」。もちろんそれが「わかった」のは、この赤い印を見る人は全員、地図の前に立っていることが想定されているからだ。ここではサンプルの選別に極端なバイアスがかかっていて、必然的に、そこに立っていない者は全員除外される。

要するに、データが集計されるのが、そこに人がいるときだけ、または計測機械などがあるときだけということだ。もうひとつの極端な例は、「人間原理」による。人間原理とは、ひと言でいえば、宇宙が現在のような姿をしているのは、人間がここに存在し、それを観察しているからだという考え方だ。その考え方にもとづけば、わたしたちは今とは違う宇宙からはデータを得ることができない。なぜならそのような宇宙にわたしたちは存在できないからだ。これはつまり、人間の考えがどんな結論に達しようとも、それらはすべてこの宇宙に限定されたものであることを物語っている。ポットホールの場合と同じように、わたしたちの知らないところでさまざまな知らないことが起こっている可能性がある。

これは科学に対する大事な戒めにもなる。ある理論がそのもとになったデータから判断する限り完璧に見えても、データは必ずしも完璧ではない。例えば、温度が高すぎる、時間が長すぎる、距離が遠すぎるなどの理由で、ある限度以上については、データが計測されていないことがある。そういう場合、計測されたデータの範囲外に関しては、同じ理論が通用しないことがある。例えば、立派な経済理論でも、景気のいいときに集計されたデータにもとづくものであれば、おそらく不況時にはほとんど役に立たないだろう。ニュートンの法則も、極端に小さいものとか、極端に動きの速いものとかには当てはまらない。このような理由で生じるダークデータが、DDタイプ15「データ外の外挿」だ。

わたしが持っているウェブ漫画ｘｋｃｄのＴシャツに、ふたりのキャラクターが次のような会話を交わす場面が描かれている。ひとりが「今まで、相関関係と因果関係って、同じことだと思ってた」と切り出し、次のコマで続けていう。「この前、統計学の講座を受けたんだ。それが同じじゃないって、わかった」。

もうひとりが「講座を受けたおかげだね」というと、最初の人物は次のように返す。「それは、どうかな」[7]

相関関係とは、いっぽうが変化すると、もういっぽうも変化するという関係だ。例えば、正の相関関係であれば、いっぽうが増えるとき、もういっぽうも増え、いっぽうが減るとき、もういっぽうも減る。これは因果関係とは違う。何かが何かの原因であるといえるのは、いっぽうの変化がもういっぽうの変化を引き起こしているときだ。厄介なことに、いっぽうがもういっぽうの原因ではないときにも、2つのものが同時に変化することはある。例えば、小学校の低学年では、語彙が豊かな児童ほど、身長が高いという傾向が見られる。しかし、だからといって、子どもの背を伸ばすため、家庭教師を雇って、子どもの語彙を増やそうとする親はいないだろう。計測されていないなんらかのダークデータがある、相関関係を説明する第3の要因がある（児童の年齢など）と考えるほうが妥当だ。上述のｘｋｃｄのキャラクターは「それは、どうかな」とあいまいな返事をした。統計学の講義のおかげで理解が深まった可能性もあるが、原因はほかにもありうるからだ。このようなダークデータはＤＤタイプ５「重要なことを見落とす」に分類される。のちほど、印象的な例をいくつか紹介したい。

以上、数種類のダークデータを見てきたが、ほかにもいろいろなダークデータがある。本書では、どういうダークデータがあるかを示すとともに、それらを見きわめるにはどうすればいいか、それらはどんな影響をもたらすか、そこから生じる問題にどう対処すればいいか、さらにはダークデータをどう有効に活用できるかまで、論じていきたい。本章の章末に一覧を記すほか、第10章ではそれぞれの特徴を簡単にまとめるつもりだ。

何も起こらなかった、だから無視した

最後に、ダークデータが大惨事にもつながることを示す例を紹介しよう。データの規模の大きさばかりがその原因になるわけではない。

今からおよそ30年前の１９８６年1月28日、スペースシャトル、チャレンジャー号が打ち上げから73秒後、高度約15キロの上空で、2基のロケットブースターのうちの1基の故障により、巨大な火の玉に包まれ、分解した。乗員室はその後も軌道に沿って飛び続け、高度約19キロまで達してから、大西洋へ落ちた。5人の宇宙飛行士と2人のペイロード〔搭載物〕の専門家からなる7人の乗員は全員死亡した。

のちに行われた大統領委員会による調査で、NASA（米航空宇宙局）のミドルマネジャーが安全規則に従わず、指揮系統の上層部に伝えるべきデータを伝えていなかったことがわかった。その原因は打ち上げの実施を最優先に考えさせる経済的なプレッシャーにあったとされた。当初、チャレンジャー号の打ち上げは1月22日に予定されていた。それが23日に延期されたあと、25日に再延期され、さらに26日に再々延期された。26日も、気温の低い日になることが予想されたことから、実施が見送られた。翌27日には、発射のカウントダウンまで順調に進んだところで、ハッチが完全に閉じていないことが計器に表示された。不具合を修復できたときには風が強まっていて、この日も、発射を延期せざるをえなかった。

1月27日の夜、ロケットブースターを製造したモートン・サイオコール社と、マーシャル宇宙飛行センター（NASA）、それにケネディ宇宙センターの三者のあいだで電話会議が開かれた。マーシャル宇宙飛行センターのラリー・ウェアがモートン・サイオコール社に、固体ロケットブースターへの低温の影響を尋ねると、モートン・サイオコール社のチームは、低温環境ではO《オー》リングの弾性が失われると答えた。

Oリングはものを密閉するためのゴム製の部品だ。件《くだん》のものは直径約6ミリで、ロケットブースターの数カ所のつなぎ目に使われていた。ロケットブースターの大きさは、高さが約45メートル、円周が約12メートルあった。Oリングで密閉されているつなぎ目の隙間は0・1ミリ。この隙間が打ち上げ時には通常、0・6秒間、最大1・5ミリまで広がる。

モートン・サイオコール社の技術者ロバート・エベリングは、低温環境ではOリングが硬化して、その0・6秒間、最大1・5ミリの隙間をじゅうぶんに密閉できないのではないかと懸念していた。電話会議でモートン・サイオコール社の技術部長ロバート・ランドは、気温が過去の打ち上げの最低気温12℃を上回らなければ、打ち上げを行うべきではないと述べた。その後、会議でも、オフラインの私的な話し合いでも、幅広い議論が繰り広げられた。ときに言葉が激することもあった。最終的にはモートン・サイオコール社が考えをあらためて、打ち上げの実施を支持した。

打ち上げから58・79秒後、右側の固形ロケットブースターの接合部付近から炎が出た。炎はたちまち勢いを増して、固体ロケットブースターと外部燃料タンクをつなぐ支柱を焼き切った。するとブースターが回転し出して、まず翼にぶつかり、さらに外部燃料タンクに衝突した。その結果、液体水素と液体酸素の入った外部燃料タンクが、ブースターから噴出している炎に吹きつけられる状態に陥った。64・66秒後、外部燃料タンクの表面が裂け、その9秒後、チャレンジャー号は火の玉に包まれ、数個の大きなセクションに分解した。(8)

宇宙飛行がつねに危険と隣り合わせの挑戦であることを忘れてはならない。リスクのないミッションはない。最高の条件が整ったとしても、リスクはゼロにはならない。たえず矛盾した要求をつきつけられるのが宇宙飛行だ。

加えて、このような事故では、何を「原因」と考えるかはむずかしい。安全規則の違反のせいなのか、経済的な理由によってマネジャーたちが過度に追い詰められたせいなのか、予算の縮小のせいなのか、あるいはメディアによるプレッシャーのせいなのか。かつて前代のスペースシャトル、コロンビア号の打ち上げが7回延期されたとき、そのたびにメディアに叩かれるということがあった。今回も、1月27日月曜日の夜の報道番組で、ダン・ラザーがチャレンジャー号の4回めの打ち上げの延期を、次のように批判した。「またもや莫大《ばくだい》な費用をむだにする延期で、赤っ恥をかくことになりました。今回の延期は、ハッチのボルトの不具合と、突然の悪天候によるものだそうです」。あるいは、政治的なプレッシャーのせいなのか。実際、初の「一般人」として高校教師クリスタ・マコーリフがスペースシャトルに搭乗することになっていた今回の打ち上げは、それまでの打ち上げよりもはるかに世の耳目を集めていたうえ、ちょうど1月28日の夜に、大統領の一般教書演説が予定されていた。

このような状況では、複数の要素が絡まり合っているのがふつうだ。複雑で微妙な相互作用から思いもよらぬ結果が生まれる。しかしこのケースには、それとは別の要素も関わっていた。ダークデータだ。

事故後、元国務長官ウィリアム・ロジャースを長とする調査委員会がある事実を指摘した。それは電話会議で議論された図には、Oリングの不具合が生じていない飛行のことは記されていないことだった（DDタイプ3「一部の例だけを選ぶ」及びDDタイプ2「欠けていることがわかっていないデータ」に当たる）。委員会の報告書には次のように書かれている。「マネジャーたちが温度の関数として比較対照したのは、全飛行における不具合の発生率ではなく、Oリングの不具合が確認された飛行だった[9]」。つまりこれは、一部の飛行のデータが分析に含まれていなかったことを明らかにしている。データの一部を除外することでどういう問題が起こるかは、前に紹介した事例で見たとおりだ。

報告書はさらに次のように続く。「そうした比較対照では「つまり、限られたデータを使った場合には」、接合部の温度が12℃（53℉）から24℃（75℉）までの範囲の打ち上げにおいては、Oリングの不具合の分布に不規則さは見られない」。これはいい換えるなら、温度と、Oリングの不具合の発生数とのあいだに相関は見られないということだ。しかし、「過去の全飛行を振り返り、〝正常な〟飛行のデータも含めるなら、比較対照は大きく異なる」。要するに、すべてのデータを含めたら、描き出される全体像は大きく違ってくるという意味だ。実際、気温が高いときほど、飛行中に問題が発生しにくく、そこにダークデータが隠されていた。気温が高いほど、問題の発生が少ないのなら、逆にいえば、気温が低いほど、問題は発生しやすくなる。当日の予想気温は、マイナス0・6℃だった。

委員会は報告書のこの部分を次のように結論づけている。「過去のすべての打ち上げの温度の記録を考慮するなら、接合部の温度が18℃（65℉）未満では、ほぼ確実にOリングに不具合が生じる可能性は高まるといえる」（傍点は引用者）

図1の2つの図にはこれらのことが視覚的に表されている。図1（a）は、電話会議で議論された図だ。横軸が打ち上げ時の気温、縦軸が不具合の発生したOリングの数を示している。したがって、例えば、いちばん気温が低かったとき（12℃／53℉）の打ち上げでは、3個のOリングに不具合が発生し、いちばん気温が高かったとき（24℃／75℉）の打ち上げでは、2個のOリングに不具合が発生したことがこの図からわかる。ここには打ち上げ時の気温とOリングの発生数のあいだに明らかな相関関係はない。

しかし、欠けているデータ、すなわちOリングに不具合が発生しなかった打ち上げのデータを加えると、（b）の図になる。そこから読み取れる傾向は明白だろう。気温18℃（65℉）未満で実施されたすべての打ち上げで、何個かのOリングに不具合が発生しているいっぽう、それよりも高い気温で行われた21回の打ち上げでは、不具合が発生したOリングは合計でわずか4個しかない。この図には、気温が低いほど、

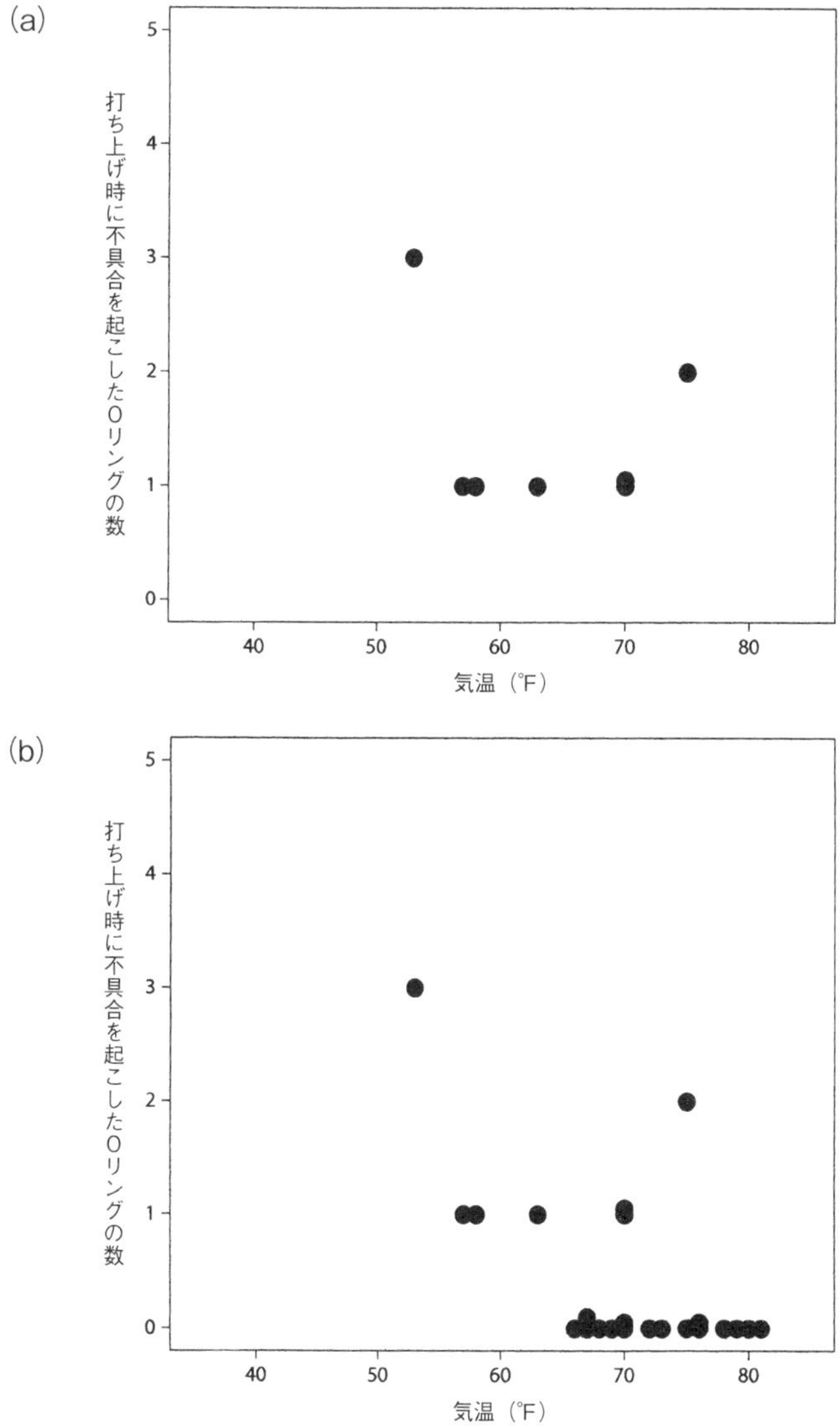

図1　(a) チャレンジャー号打ち上げ前の電話会議で検討されたデータと (b) 完全なデータ

リスクが大きいことが示されている。しかも今回の打ち上げ予定日の予想気温は、過去の最低気温を下回る低さだった（DDタイプ15「データ外の外挿」）。

状況を正しく把握するうえで、欠けているデータがこのように決定的に重要になることがある。

この事例からはある興味深い推測もできる。調査委員会による調査の結果が出たのは事故から数カ月後のことだったが、モートン・サイオコール社の株価は事故の当日に11・86％下落した。モートン・サイオコール社の株価の過去の値動きからは、4％以上の変動は考えられないことだった。もちろんスペースシャトルの製造に関わった企業の株価は軒並み下がったが、値下がり幅はそれよりはるかに小さかった。これはまるで市場が事故の原因を知っていたかのように見える。ここにもダークデータが隠されているのだろうか。

ダークデータの力

この最後の事例には、ダークデータを無視すると、いかに悲惨な結果が待っているかが示されている。ダークデータはまさにすぐそこにある脅威のように思える。しかし、実際には暗い話ばかりではない。どういうものかを理解さえすれば、ダークデータを積極的に活用することができる。いわばデータサイエンスの柔術だ。その方法はいくつかあり、第Ⅱ部で詳しく論じる。いくつか先取りしてみよう。

いわゆる「無作為《ランダム》化比較試験」というものがある。これについては第2章で取り上げ、第9章であらためて別の角度から掘り下げたいと思っている。医療分野でいうと、ある治療法をあるグループに施し、別の治療法を別のグループに施すことで、2つの治療法を比較するのが、最も単純な無作為化比較試験だ。しかしそこにはリスクが潜んでいる。もし研究者がどちらの治療法をどちらのグループに施すかを知っていたら、その認識が実験に影響を及ぼす可能性がある。研究者はどうしてもいっぽうのグループをもういっぽうのグループよりも注意深く扱いたくなる。例えば、未承認の新しい治療法と従来の標準的な治療法を比べる実験であれば、前者のグループに副作用が見られないかどうかをより入念に確かめようとしたり（おそらく無意識のうちに）、結果の考察をより慎重に行ったりしようとする。このようなバイアスが生まれるのを避けるため、こういう実験ではどちらのグループにどちらの治療法が施されているかは研究者に知らされない（DDタイプ13「意図的なダークデータ化」）。このような方法は「盲検法」と呼ばれる。

サンプル調査も、ダークデータを活用している代表的な手法のひとつだ。例えば、町民の意見とか、ある商品の購入者の感想とかを知りたいとき、その全員に聞き取り調査をするのは、費用がかかりすぎて、不可能かもしれない。少なくとも長い時間を要するのは間違いないし、時間が経てば意見や感想は変わってしまう。ならば、全員に尋ねる代わりに、一部の人に尋ねればいい。それ以外の人の意見や感想、つまり尋ねなかった人の意見や感想はダークデータになる。これはリスクの高いやり方のように思えるかもしれない。確かに、TARNの例とまったく同じように見える。しかしじつはそうではない。しかるべき抽出方法で人を選べば、正確で信頼できる答えを得ることができる。しかも全員に聞き取りを行うよりもはるかに速く、安く、だ。

しかしダークデータにはいわゆるデータの平滑化を用いた第三の使い方もある。これは第9章で見るように、観察されていないか、あるいは観察できないダークデータ（DDタイプ14「データの捏造または合成」）の正体を明らかにすることに等しく、推定や予測の精度を高められる。

第9章では、いろいろなダークデータの活用の仕方を取り上げる。それらの中には風変わりに響く呼び名のものも多いだろう。また機械学習や人工知能などの分野で広く取り入れられているものもある。

遍在するダークデータ

これまで見てきたように、ダークデータはあらゆるところにある。それはどこにでも生じうるものだ。その最大の危険は、データがないことに自分たちが気づいていない点にある。だから、わたしたちはたえず注意を怠らず、「欠けているデータはないか」と問わなくてはいけない。

愚かな犯罪者を検挙するいっぽうで、巧妙な犯罪に気づかないせいで、大量の詐欺犯を見逃していないか。バーナード・L・マドフが証券会社バーナード・L・マドフ証券を設立したのは、1960年だ。マドフは2008年まで逮捕されず、2009年に有罪判決を受けて、150年の禁固刑を科されたときにはすでに71歳になっていた。これではまんまと逃げおおせたのとほとんど変わらない。

深刻な病状の患者に気を取られるいっぽうで、症状の軽い患者に目が向かないせいで、治療可能な患者を見逃していないか。

ソーシャルメディアの世界は危険ではないか。そこでは自分がすでに知っていることや、信じていることにしか触れず、自分に都合の悪い事実や出来事を突きつけられることがない。

そのうえ、ソーシャルメディア上に投稿される文章はえてして嬉々としていて、世の中の誰もがすばらしい生活を送っているという誤った印象を与える。そんな投稿を読んでいると、数々の問題をかかえた自分の生活がみじめに感じられてくる。

データというと、わたしたちはまっさきに数値を思い浮かべる。しかし単なる数値だけがデータではない。したがって、数値ではないダークデータもある。次に紹介するのは、欠落していた重大な情報が、1

個の文字だった例だ。

1852年、57年、75年の北極探検の際、「オールソップ北極エール」というビールがビール会社サミュエル・オールソップから探検隊に提供された。酷寒の地で飲めるよう、氷点を特別に低くされたビールだった。1889年、そのビールを試飲したジャーナリスト、アルフレッド・バーナードは次のように評した。「色は美しいブラウン。味はワインのようでありながら、ナッツのような風味も感じられる。しかもまるで醸造したばかりであるかのような新鮮さだ［……］。豊富な未発酵エキスを含んだこのビールは、究極の栄養食と呼んでしかるべきであろう」[10]。過酷な北極探検にはぜひとも欠かせない飲み物だ。

この「オールソップ北極エール」の1852年ものの1本が、2007年、イーベイで落札最低価格299ドルで出品された。少なくとも、出品者はそのつもりだった。ところが50年間、大事にそのビールを保管してきた出品者は、それをオークションに出すにあたって、ビールの名称の綴りを1文字間違えた。Allsopp（オールソップ）の最後のpの字を落としてしまったのだ。その結果、そのビールを探していたヴィンテージビールの愛好家たちの検索結果には表示されず、入札はわずか2件に終わった。結局、ダニエル・P・ウッダルという25歳の若者に、304ドルで落札されることになった。ウッダルはそのビールのほんとうの価値を知りたいと思い、すぐにイーベイにあらためて出品した。ただし、綴りは正しく直しておいた。すると、157件の入札があり、なんと50万3300ドルで落札された。

この欠けたpに大きな意味があったのは明らかだろう。50万ドルもの差を生んだのだから。* この事例からは、欠けた情報が重大な結果をもたらすことがわかる。実際、これから見るように、50万ドルの損失が些《さ》細《さい》に思えるほどの損失も、欠けたデータからは起こっている。欠けたデータのせいで、生活が破綻したり、企業が倒産したり、あるいは（チャレンジャー号の悲劇のように）命が奪われたりすることがある。

要するに、欠けたデータをゆるがせにはできないということだ。「オールソップ北極エール」のようなケースなら、ちょっと慎重になれば、問題を避けられるだろう。しかし、軽率さがダークデータの主な原因であるいっぽう、そのほかにも原因はたくさんある。これから本書でいくつも紹介していくように、じつにさまざまな理由でダークデータが発生するというのが、この世の悲しい現実だ。

ともするとダークデータとは単に、なんらかの理由で見落とされたデータと同じことだと考えてしまいやすい。確かに、いちばんわかりやすいのは、そのようなダークデータだろう。例えば、給与水準の調査で、一部の人々が給与の額を明かすのを拒むことがあれば、それはダークデータになる。しかし、そもそも働いておらず、明かす給与額がない人の給与水準もダークデータと化す。計測ミスによってほんとうの値が得られないこともあれば、データの要約（平均値など）によって具体的な実態が隠されることもあるし、不正確な定義のせいで、自分が知りたいことと調べたことのあいだにずれが生じることもある。さらにもっと一般的なこととしては、ある集団の未知の特徴もダークデータと見なされうる（統計学者たちはそのような特徴をしばしば「パラメータ」と呼ぶ）。

ダークデータが生まれる原因は無数にあるので、肝心なのは、どういう「タイプ」に注意すれば、誤りやミスを避けられるかを知っておくことだ。本書で紹介する「DDタイプ」の意義もまさにそこにある。それらは具体的な原因を示すものではない（例えば、一部の患者の調査期間が短すぎ、治療の最終的な結果についてのデータが含まれていないとか）。そうではなく、もっと一般的な分類を示したものになっている（例えば、欠けていることがわかっているデータと、欠けていることがわかっていないデータの区別など）。DDタイプを頭に入れておけば、自分が知らないことに気づいていないせいで生じる誤解や、過失や、失敗を避けやすくなるだろう。以下が本書で紹介する15種類のDDタイプだ。それぞれの内容については、第10章であらためてまとめる。

DDタイプ1「欠けていることがわかっているデータ」
DDタイプ2「欠けていることがわかっていないデータ」
DDタイプ3「一部の例だけを選ぶ」
DDタイプ4「自己選別」
DDタイプ5「重要なことを見落とす」
DDタイプ6「あったかもしれないデータ」
DDタイプ7「ときの経過とともに変化する」
DDタイプ8「データの定義」
DDタイプ9「データの要約」
DDタイプ10「測定誤差と不確かさ」
DDタイプ11「フィードバックループとつけ入り」
DDタイプ12「情報の非対称性」
DDタイプ13「意図的なダークデータ化」
DDタイプ14「データの捏造または合成」
DDタイプ15「データ外の外挿」

＊のちにこの落札（本書35頁）は悪ふざけだったことがわかった。落札者には初めから代金を支払うつもりがなかった。とはいえウッダルがいずれ手にする儲けがかなり大きいことは間違いないだろう。先日も、スコットランドの蒐集家がオークションで１８７５年ものの「オールソップ北極エール」を４３００ドルで競売にかけたところだ。

第2章　ダークデータを見つける——何を集め、何を集めていないか

ダークデータの収集

データは初めからあるわけではない。世界の始まりからどこかにあって、誰かの手で発見され、分析されるのを待っているわけではない。そうではなく、まずは集めなくてはならない。集めたものがデータになる。だから、当然、データの集め方が異なれば、そこから生じるダークデータの種類も異なってくる。

本章では、3通りの基本的なデータの収集方法と、それぞれにどういうダークデータが伴うかを見ていく。そのうえで次章で、ダークデータの複雑さを掘り下げたい。

データを収集する基本的な方法には次の3つがある。

1．調べたいことに関するすべての人またはものやことのデータを集める。

例えば、人口全体を調査対象にする国勢調査がそうだ。また棚卸しの作業でも同じように、倉庫などにある手持ちの品のすべてが調べられる。ロンドン動物園では年1回、1週間かけて、いわば動物の棚卸しが行われており、2018年には、フィリピンワニからリスザルやフンボルトペンギン、フ

タコブラクダ（アリやハチなど社会性昆虫はコロニー単位でカウント）までさまざまな種類の動物が1万9289頭いることがわかった。第1章で論じたとおり、スーパーマーケットでは顧客の「すべて」の購入のデータが収集されている。同じことは納税や、クレジットカードの決済、会社の従業員の情報にも当てはまる。スポーツの記録、図書館の書架の本、小売り店の商品の値段などについても、情報をすべて収集することができる。これらの例では、あらゆるものやこと、人の情報が集められて、データセットが形成される。

2．一部の人だけからデータを集める。

国勢調査の代わりに、母集団の一部だけからデータが集められることもある。標本調査と呼ばれる手法だ。標本の抜き取りは本書のテーマにも深く関わる。あとであらためて取り上げ、どういうダークデータの問題があるかを考えてみたい。またもっと日常的な場面でいうと、たまたまその日に来店した客を観察することで、客のだいたいの傾向をつかもうとしたり、1カ月ほど、毎日、通勤時間を記録することで、通勤にかかる時間を調べようとしたりすることもそうだ。状況によっては、すべてを計測するのが非現実的な場合もあるだろう。食料品の価格が一定の期間にどの程度変化するかを調べたいとき、すべての人が買ったすべての食料品のデータを集めることはできないし、砂のひと粒の平均的な重さを知りたいとき、砂の重さをひと粒ずつすべて量ることはできない。あるいは、第1章で見たように、「すべて」を計測しようとすることがナンセンスな場合もある。体重や身長の計測がそうだ。記録できるのはあくまで計測した結果だけであり、計測可能なすべての結果を記録することはできない。

何年か前、まだビッグデータが今ほど簡単に入手できなかった時代、わたしは同僚たちとともに、510の小さなデータセットを収集したことがある。統計学の教師たちに、統計の概念や手法を説明するときの教材に使ってもらおうという意図からだった（『スモールデータセットの手引き（*A Handbook of Small Data Sets*）』のタイトルで出版された[1]）。それらのデータセットの中には母集団すべてのデータを集めたものはほとんどない。サイコロを2万回振った場合の結果とか、妊娠期間の長さとか、角膜の厚さとか、神経インパルスの持続時間とかのデータも、このときに集めたデータセットには含まれている。

3．条件を変える。

以上の2つのデータの収集方法は、「観察法」と呼ばれる。対象となるものの値を単純に観察する方法だ。対象となるものの条件を変えず、そのままの値を計測する。薬を投与して、反応を見るとか、作業を行わせて、処理時間を計るとかいうことはしない。肥料を変えると、作物の育ち具合がどう変わるかとか、紅茶をいれるときのお湯の温度を変えると、味がどう変わるかというようなことを調べたりはしない。それらとは逆に、条件を変えてデータを集める方法――データの収集に「介入」する方法――は、「実験法」と呼ばれる。実験法による収集がとりわけ重要になるのは、第1章で触れた反事実に関する情報を得たいときだ。

これら3つの方法に共通するダークデータの問題も多いが、それぞれの方法からは特有の問題も引き起こされる。まずは網羅的なデータを集める場合から見ていこう。

データの排出、選別、自己選別

コンピュータはわたしたちの生活をあらゆる面で劇的に変えた。コンピュータが使われていることがひと目でわかるものもあれば（わたしがこの原稿の執筆に使っているワープロソフトもそうだし、飛行機のチケットの購入に使われるオンライン予約のシステムもそうだ）、表には見えないものもある（例えば、自動車のブレーキやエンジンの制御に使われているものや、高性能プリンタやコピー機に内蔵されているものなど）。

しかしコンピュータの役割が目に見えるものであってもなくても、機械がデータを取り入れて（計測や、信号や、コマンドなどの形で）、それを処理し、なんらかの計算をしたり、作業を実行したりすることは、すべての場合に共通する。いったん目的の作業が完了すれば、そこでデータの処理は終えてもいい。しかしたいていはそれで終わりにされない。取り入れられたデータは、さらにデータベースに送られて、蓄えられる。それらデータの副産物ないし排出されたデータ（使用済みのデータ）は、あとであらためて分析し、理解を深めたり、システムを改善したり、問題発生時に原因を究明したりするのに役立てられる。航空機に搭載されているブラックボックスは、その典型例だ。

このようなデータは人間の行動を描き出すのに使われることがあり、その際には「業務データ[2]〔administrative data〕」とも呼ばれる。業務データの最大の長所は、（聞き取り調査などで）人々がしていると申告していることではなく、人々がしていることがわかる点だ。何を買ったか、どこで買ったか、何を食べたか、ウェブで何を検索したかなどが、そのデータには示されている。人々に何をしたかを尋ねる調査よりも、社会の実相を明らかにできるのが業務データだといわれる。そのような考えにもとづいて、政府や企業、そのほかの組織で、人間の行動に関する巨大なデータベースが日々、積み上げられている。それらのデータベースが貴重な情報源になることは間違いない。紛れもない金鉱であり、人間の行動に関するさまざまな洞察をもたらす可能性がそこには秘められている。それらの洞察にもとづいて、わたしたちは意思決定を向上させたり、経営効率を高めたり、公共政策を改善したりできる。ただし、そのためにはその洞察が正しいものであって、ダークデータによって損なわれていないという条件がつくことはいうまでもない。加えて、口外無用のデータが流出したときには、プライバシー侵害のリスクも生じる。プライバシーの問題には本節の最後でまた戻りたいが、まずは見落とされやすいダークデータについて見てみよう。

業務データによって人々が何を実際にしているかが明らかになることは確かだ。しかしそういうデータが役に立つのは、ほんとうに探りたいのが、人々が何を考え、何を感じているかではない場合に限られる。ある企業の従業員が職場に不満を持っていることを明らかにすることは、事細かな指示を与えられ、四六時中、上司の監視下に置かれた従業員がどのように行動しているかを知ることと同じぐらい重要だろう。人々がどのように感じているかを明らかにするためには、聞き取り調査などによって、能動的に人々からデータを引き出さなくてはならない。問いの種類が違えば、その問いに答えるのにふさわしいデータの収集方法も違い、ひいては付随するダークデータの問題も違ってくる。

わたしが初めてダークデータと真剣に向き合ったのは、消費者向けの金融業（クレジットカードやデビットカード、個人ローン、自動車ローン、不動産ローンなど）の分野においてだった。クレジットカードのトランザクション〔入出金処理〕データの量は膨大だ。毎年、世界じゅうで何十億枚ものプラスチックのカードによって決済が行われている。例えば、２０１４年６月から２０１５年６月までの期間におけるV

ISAカードのトランザクションは350億件にのぼった[3]。クレジットカードを使って商品が購入されるたび、金額や、通貨や、販売店名や、日時をはじめ、数多くの情報が記録される（情報の項目数は70から80にも達する）。それらの情報の多くは、売買の成立や代金の正しい請求のために記録されている。つまり取引に欠かせない情報であり、したがって省くことはふつうはありえない。例えば、誰にいくら代金を請求するという情報がなかったら、売買は成立しないだろう。しかしデータの項目によっては、取引そのものに不可欠ではなく、したがって記録されない可能性があるものもある。例えば、注文番号とか、詳しい製品コードとか、単価とかの情報はなくても、取引に支障は来《きた》さない。これは明らかに本書の第1のダークデータ、すなわちDDタイプ1「欠けていることがわかっているデータ」に当てはまる例だ。

少なくともダークデータの観点から見る限り、さらに問題なのは、世の中にはクレジットカードではなく、現金で買い物をする人もいる点だ。これはつまり、「すべて」の購入の記録としては、クレジットカードのデータベースにはかなり大きなダークデータが存在することを意味している。本書の分類でいえば、DDタイプ4「自己選別」によって生じるダークデータだ。加えて、クレジットカード会社は複数ある。1社のデータベースにすべてのクレジットカード所有者のデータが記録されているわけではないだろう。ましてやすべての人のデータは網羅されていない。このように、業務データは信頼できるデータのように見えるいっぽうで、ダークデータを抱えている可能性もある。

わたしが向き合ったダークデータの問題とは、具体的にいうと、銀行の融資審査に使える「クレジットスコア」、つまり融資申請者が借金を完済できるかどうかを予測するための統計モデルを作ってほしいという依頼だった。わたしはそのための資料として、過去の顧客の申請内容とその融資の結果（完済されたかどうか）が記されたデータをどっさりと渡された。

そのような統計モデルを作ること自体はむずかしくなかった。完済できた顧客とできなかった顧客のデータにどういう違いがあるかを見つければいい。そうすれば、新規の融資申請者の審査は、完済できた人の特徴とできなかった人の特徴のどちらに近いかを基準に行える。

問題は、銀行が新規のすべての申請者について、返済できるかどうかを予測したいと考えていたことだった。わたしが銀行から渡されたデータが、新規の申請者のものとは違っていることははっきりしていた。なぜならそれらはどれもすでに審査を通過した顧客のデータだったのだから。過去の顧客はおそらく当時のなんらかの基準――統計モデルかもしれないし、支店長の主観的な経験則かもしれない――にもとづいて、債務不履行のリスクが少ないと判定されたからこそ、融資を受けたのだろう。そこでリスクが大きいと見なされた人たちは融資を受けていないだろうから、その人たちが融資を受けていた場合、ほんとうに債務不履行に陥ったかどうかはわたしにはわからない。実際、融資を拒まれた申請者がどれぐらいいるか、わたしがもらったデータに記録されていない申請者が過去にどれぐらいいたかは、わたしには知りようがなかった。要するに、わたしがもらったデータは、サンプルに偏りのあるデータだった。そのように偏りのあるデータにもとづいていたら、どんな統計モデルを作っても、新規の申請者全体には当てはまらず、大きく判断を誤ることになるだろう。

じつは問題はもっと深刻だった。以下のような複数の層のダークデータがあったからだ。

誰が申し込んだか？　過去に銀行は潜在顧客に融資の案内のダイレクトメールを送っていたかもしれない。それを受け取った人の中には、融資を受けたいと思い、返信した人もいれば、興味を引かれず、返信しなかった人もいただろう。わたしがもらったデータに含まれていたのは、ダイレクトメールを読んで、返信しようという気になった人たちのデータだけだ。ということは、案内の文面がいかなるものであったか、融資の金額や利率はいくらだったかなど、わたしがやはり知るよしもない要素が影響していた可能性がある。返信しなかった人のデータは、ダークデータと化すことになる。

誰が融資に勧誘されたか？　返信した人たちは、まずは返済能力を調べられただろう。その結果、実際に融資に勧誘された人もいれば、されなかった人もいるだろう。しかしどういう基準で、その選別が行われたかは、わたしにはわからない。したがって、ここでもダークデータが生まれる。

誰が融資の勧誘に応じたか？　さらに、銀行から融資に勧誘された人の中にも、それに応じた人と応じなかった人がいただろう。これもまた別のダークデータの層を生み出す。

これらのダークデータの層の重なりが生じたことで、わたしがもらったデータがどれほど問題の解決につながるのか、融資審査のための統計モデルの構築にどれほど役に立つのかはきわめて疑わしくなった。重層的なダークデータがあるということは、わたしの手元にあるサンプルは、たとえわかっている完済と未完済両方のすべての結果を含むものであっても、銀行が新しい統計モデルで審査したいと考えている新規の融資申請者とは無関係であることを意味していた。ダークデータを無視すれば、破滅をもたらしかねない（その銀行はまだ存続しているので、幸い、わたしが作った統計モデルはそんなにお粗末なものではなかったようだ）。

業務データはいたるところにある。みなさんの個人情報を蓄えたデータベースが世の中にどれぐらいあるか、ちょっと考えてみてほしい。きっと教育から仕事、医療、趣味、買い物、金融取引、不動産、旅行、インターネット検索、ソーシャルメディアなど、ありとあらゆる分野にあるのではないだろうか。つい最近まで、わたしたちの個人情報はあちこちで勝手に自動的に保存されていた。そういう状況が変わったのは、ヨーロッパ連合（ＥＵ）一般データ保護規則（ＧＤＰＲ）による。おそらくみなさんもお気づきだろう。近頃はウェブサイトを初めて訪れると、個人情報の保存に関する承諾を求めるチェックボックスが表示される。場合によっては、それは拒否できることもある（米国居住者の個人情報は国と州の両方の法律で保護されており、部門によって異なる）。

２０１３年、英国の公的医療を手がける国民保健サービス（ＮＨＳ）が、家庭医の診療データを毎月収集して、国の保健・社会医療情報センター（ＨＳＣＩＣ）の病院データベースに保存する制度を始動させた。このようなデータの統合には計り知れない潜在的な価値がある。全国の患者の病状や治療に関するデータをひとつにまとめれば、病気の予防や観察、治療効果など、病状そのものについての理解を深められるほか、全国で医療サービスがどの程度効果を上げているかや、どこを改善すればいいかが見えてくるからだ。個人情報も「匿名化」のシステムでしっかり守られることになった。氏名や保険者番号など、個人を特定できる情報をすべてコードに置き換えるとともに、元のデータとは別の場所で保存するシステムだ。

しかし残念なことに、国民の医療や健康にどういう恩恵があるかがうまく伝わらず、この制度は歓迎されなかった。国民の中には、自分たちの情報が外部の営利団体（製薬会社や保険会社）に売られて、金儲けに利用されるのではないかと懸念する人もいれば、データの流出やハッキングの恐れがあるのではないか、データの「解読」によって、個人が特定され、他人に知られたくない医療情報が他人に知られるのではないかと心配する人もいた。こうして国民の大反発が起こり、一部のメディアもそれに加勢した。この制度ではオプトアウト（拒否権）が認められていたので、申し出れば、自分のデータの転送を拒否することもできたが、それでも批判は止まなかった。

２０１４年２月、この制度はいったん停止された。最終的には、何度もスタートでつまずいたすえ、２０１６年７月、大々的な改革案が発表された。それは患者データの共有に関する８項目の合意モデルを提言するものだった。その内容には、医療関連以外の目的でデータが使われるのを拒む権限を患者に与えることも含まれていた。

本書をここまで読んできたかたはおそらく、そこに危険があることに気づかれるだろう。患者にオプトアウトを認めれば、データすべてを収集することはできない。データベースには、一部の患者の情報しか含まれていないことになる。しかも、患者自身がデータを提供するかどうかを選ぶので（ＤＤタイプ４「自己選別」だ）、誤った全体像がデータベースによって描き出されることもじゅうぶん考えられる。

この問題は２００９年、マクマスター大学の研究者ミシェル・コーのグループによって取り上げられた[4]。コーたちは、データの利用に本人の同意を得ることを義務づけると、協力する人としない人が出てくるかどうかを調べた研究のメタ分析を行った。医療記録にもとづいたそれらの研究を使って、同意した人と同意しなかった人とを、年齢、性別、人種、学歴、収入、健康状態の観点から比較したところ、そのうちの２つの項目では違いが見られたという。ただし注意しなくてはならないのは、「影響の方向性や強さに一貫性がない」こともわかったことだ。つまり、同意した人と同意しない人とを比べると、確かに違っている点はあるが、その違いは予測のできないものであり、したがって調整することがきわめてむずかしいということだ。

本人にデータベースへの登録を拒む権限が与えられるオプトアウトでは、登録を避けたければ、自分でそのための手続きをしなくてはいけない。そういう場合、多くの人は手続きをおっくうがって、登録されたままにしておく。それよりもっと誠実といいうるデータの収集方法は、オプトインだ。オプトインでは、データベースの登録のために手続きが求められる。人間が生まれつきものぐさだとすれば、データ収集の面では、これはさらに悪い事態を招く可能性がある。相手に能動的な行動を求めることほど、確実に行動を抑制できる方法はない。

この医療記録の事例では、業務データが関わっていることが明白だった。場合によっては業務データの存在がそれほど目立たないこともある。警察や消防などへの緊急通報の放棄呼の例を見てみよう。

放棄呼とは、電話をかけたとき、相手につながる前に電話を切ってしまうことだ。2016年6月からの1年間に、英国の警察へかかってきた緊急通報の放棄呼の件数が、前年比で倍増となり、8000件から1万6300件に増えたと、BBCのウェブサイトで2017年9月に報じられた(5)。その理由については諸説があるが、警察の人手不足のせいで電話に出るのが遅くなっているからだとも、ポケットやかばんの中で携帯電話のボタンが誤って押され、勝手にかかってしまうからだともいわれている。

もしその後者の説が正しく、唯一の理由だとしたら、米国では同じような現象は起こらないか、少なくとも少ないだろう。米国の緊急通報の電話番号は911であり、英国の999と違って、2個の数字を使っているのだから。ところが、米国でもやはり同じ現象の増加が見られる。米国リンカーン緊急通報センターの通話記録には、2013年4月から6月までの3カ月間に受けた電話の放棄呼の割合が、0・92%から3・47%に増えたことが示されている。

この放棄呼は、典型的なDDタイプ1「欠けていることがわかっているデータ」のダークデータだ。それと好対照をなすDDタイプ2「欠けていることがわかっていないデータ」のすばらしい例は、マイク・

ジョンストンのブログ「ジ・オンライン・フォトグラファー」に紹介されている[6]。ジョンストンは次のように書いている。「米国の開拓地に建てられた丸太小屋がいかに見事だとか、頑丈だとか、美しいとか書かれているのを読むたび、失笑を禁じえない。だって、それよりもはるかにありえそうなのは、開拓地の丸太小屋の99・9％までは、いい加減な作りだったという可能性のほうだからだ。単にそれらの丸太小屋がみんな壊れてしまっただけの話だろう。壊れずに残った数少ない丸太小屋は、作りのいいものだった。それらの作りがよいからといって、すべてがそうだとはいえない」。崩れて、朽ち果ててしまった数多くの丸太小屋の記録はないので、それらの記録はダークデータということになる。

わたしたちがＤＤタイプ２のダークデータに欺かれやすいのは、ふつう、そこにダークデータがあると疑う理由がないからだ。例えば、次のような記事を読んだとしよう（これはわたしが実際に読んだ２０１7年12月29日の英タイムズ紙の記事だ）。「警察発表の数字によれば、タクシー客が運転手から性的暴行を受けた事件の数は、過去3年で20％増加した」。この増加の説明として、すぐに思いつくのは、そういう事件の発生が増えたということだろう。しかしダークデータからは、別の説明が考えられる。犯罪の発生率に変わりはないが、犯罪の報告率が上昇したという説明だ。世の中の道徳観や規範意識が変わった結果として、それまでダークデータだったものが明るみに出ることがある。ここからは次のような一般的な教訓が引き出せる。時系列の値に突然、大きな変化が現れたら、それはその値の背後にある現実が変わったせいばかりではなく、データ収集の手順に変化があったせいかもしれないことを忘れてはならない。これはＤＤタイプ７「ときの経過とともに変化する」のダークデータだ。

ＤＤタイプ２「欠けていることがわかっていないデータ」とＤＤタイプ７「ときの経過とともに変化する」が混ざり合ったもっと複雑な例が、投資ファンドの成績に見られる。投資ファンドの集団は流動的だ。

たえず新しいファンドの参入と古いファンドの撤退が繰り返されている。当然ながら、ふつう、成績の悪いファンドは消え、成績のよいファンドだけが生き残る。だから表面的には、撤退したファンドのことを考えに入れなければ、投資ファンドというものは全体的に成績がいいように見えるだろう。

　成績不振で撤退した個々のファンドは、ファンド全体や平均の成績を示す指標からは省かれていても、過去に遡って、そのデータを入手することはできる。そうすると、そこでのダークデータはＤＤタイプ２「欠けていることがわかっていないデータ」からＤＤタイプ１「欠けていることがわかっているデータ」へと変わるから、指標の計算によってそれらのデータを省くことの影響を探れるようになる。２００６年のエイミー・バレットとブレント・ブロデスキの研究によると、「モーニングスター社のデータベースから運用成績の低いファンドのデータを取り除くと、投資ファンドの10年間［１９９５年から２００４年］の平均リターンは年平均で１・６％上昇する(7)」という。また資産運用会社バンガードのトッド・シュランガーとクリストファー・フィリップスによる２０１３年発表の研究では、閉鎖されたファンドを含むファンドの成績と含まないファンドの成績が、過去5年間、10年間、15年間について調べられた(8)。違いは歴然としていた。過去15年間で見ると、閉鎖されたファンドを含む結果と含まない結果では成績に倍近い差があった。さらにこの研究はダークデータの規模も明らかにしている。15年存続したファンドはわずか54％しかなかったのだ。つまり半分近くがダークデータと化していた。

　この現象は、ダウ工業株平均やＳ＆Ｐ５００など有名な株価指数でも見られる。業績の悪い企業はそれらの指数の構成銘柄から外されるので、それらの指数には業績のいい企業の数値だけが反映している。好業績を維持している企業の株主にとっては、それでもかまわないだろう。しかしそういう企業の株主ばかりではない。そもそもどの企業が好業績を維持でき、どの企業が業績を悪化させるかを予測するのはきわめてむずかしい（人によっては不可能だというだろう）。だとするなら、そういう株価指数は当てにならないといえる。

そのような指標のいわゆる「生存者バイアス」への注意を喚起したところで、さらに問題は複雑になりうることも指摘しておいたほうがいいだろう。ヘッジファンドを例に取ると、運用成績の悪いヘッジファンドは閉鎖されやすく、したがって指標のデータに含まれにくいことはいうまでもないが、じつはその反対の極に位置するヘッジファンドもやはり指標のデータに含まれにくい。極端に成績がいいヘッジファンドは、新規の投資家の申込みを受け付けないからだ。同じように、業績が際立っていい企業も分割されて、株価指数の構成銘柄から外れることがある。ダークデータはそのようにときに思いもよらぬところに隠れている。

加えて、理由については第3章で掘り下げるが、際立った実績を持つファンドが「平均への回帰」と呼ばれる現象により、急に成績を悪化させることがある。これは何を意味するか。投資するファンドを選ぶにあたっては、その過去の成績がどのような基準で評価されていたのかを確認しておく必要があるということだ。人生のほかのことと同じように、投資においても、真実が見えないダークデータによって覆い隠されていないかどうか、見きわめなくてはいけない。

時間の経過とともに変化するものごとにおいては、つねに生存者バイアスに気をつける必要がある。スタートアップ企業の世界では、失敗よりも成功の話を聞くことが多い。現実には、スタートアップ企業の大半が事業を軌道に乗せられずに終わっているのにだ。起業の失敗率は50％だという調査結果もあれば、99％だという調査結果もある。もちろん、それらの結果は、どれだけのスパンで考えるか（1年か、50年か）や、「失敗」をどう定義するかに左右される。ソーシャルネットサイト、ベボ（Bebo）を例に取ろう。

２００５年に設立されたベボは、一時、１１００万人近いユーザーを獲得し、英国最大のソーシャルネットサイトになった。２００８年には、ＡＯＬに８億５０００万ドルで買収された。したがって、３年という範囲で見れば、ベボは大きな成功を収めていた。しかしその後、フェイスブックへ移るユーザーの増加などにより、ユーザーの数が減り始めた。２０１０年、ＡＯＬはクライテリオン・キャピタル・パートナーズにベボを売却した。さらにコンピュータの不具合で評判を落としたベボは、２０１３年、米連邦破産法11条の適用を申請し、２０１３年末、創業者マイケル・バーチとソーチ・バーチによって１００万ドルで買い戻された。さて、これは成功なのか、失敗なのか。あるいはリーマン・ブラザーズの場合はどうだろうか。リーマン・ブラザーズは１８５０年に創業し、米国第４位の投資銀行にまで成長しながら、２００８年、倒産した。ベボ同様、最後は憂き目を見たが、ベボよりはるかに長く繁栄を続けた。これは成功なのか、失敗なのか。

　スタートアップ企業の世界では、誰しも成功者を自分のお手本にしようとするので、おのずと失敗者の話より成功者の話を聞きたがる。しかしそういう姿勢がダークデータを生む。起業家が知ろうとするべきは、成功者と失敗者の違いであって、成功した人物の特徴そのものではない。成功者にどんな特徴が備わっていても、それは失敗の原因にもなりうるかもしれないし、そもそもそれが成功の要因だという保証はない。

　漫画サイトｘｋｃｄには、生存者バイアスの漫画がある。(9) 宝くじに当たるためには買い続けるのが鉄則だと説く登場人物が、外れても外れても買い続け、宝くじを買うために副業までして、ついに成功（それを「成功」と呼ぶべきかどうか、わからないが）をつかむというストーリーだ。しかしその背後に、大金を宝くじに注ぎ込みながら、最後までくじに当たることなく一生を終えたギャンブラーたちがいることは描かれていない。

ダークデータのリスクを忘れなければ、業務データは一般にたいへん有益なものになりうる。しかしいっぽうで近年、懸念が高まっている負の面もある。

個人の観点から見ると、業務データのデータベースに残っている使用済みのデータは、自分の「データの痕跡」となる。メールを送る、ツイートする、ユーチューブにコメントを書き込む、クレジットカードで支払う、ICカードで電車やバスに乗る、電話をかける、ソーシャルメディアのアプリを更新する、コンピュータやiPadにログインする、ATMから現金を引き出す、車両ナンバー読み取り装置の前を車で通過するなど、わたしたちは日々、ありとあらゆる場面で「データの痕跡」を残している。そのようなデータが蓄積されて、社会の役に立てられることがあるのは確かだが、そのいっぽうで、わたしたちひとりひとりの好き嫌いだとか、習慣だとか、行動だとか、個人的なことも必然的にかなりあらわになる。それらの個人に関するデータをわたしたち個人のために役立てることはできる。実際、興味を持ちそうな商品やイベントを紹介するとか、移動を手助けするとか、生活全般を円滑にするとかいうことに活用されている。しかしそのようなデータは個人の行動を操るためにも使える。強権的な政権が国民ひとりひとりの詳しい行動パターンを把握できたら、支配は著しく強化されるだろう。このようなデータにはそういう両側面があることは避けられない。助けてもらうために情報を明かすこと自体が負の側面になるということだ。

「データの痕跡」に対する懸念が増す中、「痕跡」を最小限に抑えるサービスもある。もしくは本書の立場からいえば、データを照らす明かりを消して、闇《ダーク》の中に隠すサービスだろうか。基本的な手法は、ソーシャルメディア（フェイスブックやツイッターなど）のアカウントをすべて停止する、古いメールのアカウントを削除する、検索履歴を消す、削除できないアカウントには偽の情報を登録する、メーリングリストの登録を解除するなどだ。当然、データをそのように隠して、情報を守ろうとすれば、得られるはずの恩恵を得られないという犠牲も払うことになるだろう。例えば、個人の所得や納税額がわからなければ、税額控除も受けられない。

少数から多数へ

調べたい人やもののすべてのデータを集めるという方法――スーパーでの買い物で発生する業務データのように――は、理解を深め、よりよい判断を下すための情報収集の方法として、たいへん強力だ。しかし、いつもそういう方法が最善だとは限らない。例えば、調べたいことと直接関連のある業務データがない場合もある。そういう場合、間接的に役に立つ業務データを見つけて、そのデータセットを使うという次善の策が考えられる。ただし、リスクは伴う。そういう業務データもなければ、集団全員への調査を実施するという方法が第2の次善の策になる。つまり、全数調査だ。しかし全数調査は費用も時間もかかる。大金を投じて、完璧な答えを導き出せても、状況が変わってしまい、答えそのものが不要になっていたら意味がない。

そこで標本調査が、第3の次善の策になる。

標本調査は、現代社会を読み解くのに使われている代表的な手法のひとつだ。集団の全員に尋ねることなく、集団の状況をつかめるのがその長所で、統計学の基本法則である「大数の法則」を土台にしている。大数の法則とは、集団から無作為に標本を選んで、平均値を計算すると、標本のサイズ（データの個数）

が一定以上であれば、集団の実際の平均値にかなり近い値を割り出せるという法則だ。

例えば、ある国の平均年齢が知りたいとしよう。一国の平均年齢には重要な意味がある。引退した高齢者を支える現役の労働者がじゅうぶんいるかどうか（高齢化の進行で不足しないかどうか）を把握するうえで、基礎になる情報だからだ。それがいかに大きな影響をもたらしうるかは、西アフリカのニジェールと日本のそれぞれの全人口に占める15歳未満の人口の割合を比べてみれば、想像できるだろう。ニジェールでは40％なのに対し、日本ではわずかに13％だ。

国民の出生記録がなく、年齢の全数調査を実施する経済的な余裕もないとしよう。また、利用者に生年月日の登録を求める各種サービスのデータベースの業務データには、ダークデータの不安がつきまとうとしよう。そういう場合、一部の国民にだけ年齢を尋ねる標本調査を実施すれば、じゅうぶん正確に平均年齢を推定できる。そんな調査で正確な数字が割り出せるのか、直感的には疑わしく思えるだろう。確かに、国民の大部分に年齢を尋ねないのだから、それらの国民の年齢は明らかにダークデータになる。しかし大数の法則は、標本が適切に選ばれる限り、それが可能であることを示している。しかも標本のサイズはさほど大きくなくていい。１０００人ほどで足りる。１０００人のデータを集めるのと、何百万人とか、何千万人とかいう全国民のデータを集めるのとでは、労力に雲泥の差がある。

ここで肝心なのは、標本を「無作為」かつ「適切」に選ぶという点だ。ナイトクラブや老人ホームばかりから選んだ標本では、国民の平均年齢を正確に推定できないだろう。標本は調査対象の集団の代表として適切だと、できるだけ確信できるものでなくてはならない。そのためには、まず調べたい集団のメンバー全員のリスト——統計学では「標本抽出枠」と呼ぶ——を作成して、そのリストから無作為に標本を選ぶのが、最善の方法になる。そういうリストはたいがい業務データから得られる。例えば、国民全員のことを調べるときには、過去の国勢調査のほか、選挙人名簿がしばしば使われる。

年齢を尋ねる相手を「無作為」に選ぶというのは、最初はいぶかしく感じられるかもしれない。そんな調査では、毎回、違う結果が出るのではないか。確かにそれはそのとおりだ。しかし、標本にダークデータの歪《ゆが》みが絶対に生じないと「保証」はできないいっぽうで（例えば、実際より若者の割合が多くなるなど）、そのような歪みが生じる「確率」はコントロールできる。だから「選びうる標本のほぼすべて（例えば、95％など）において、標本の平均年齢と、人口全体の平均年齢との差は2歳以内に収まる」などということがいえる。標本のサイズを大きくすれば、この95％という信頼度はさらに99％にも高められるし、必要に応じてどんなレベルにでも変えられる。さらに同じように、2年以内という誤差も、1年にもできるし、何年にでもできる。それでもまだ、このような手続きからは絶対に確実な結論は導き出せないから不安が残るという人は、次の事実を思い出せばいいだろう。人生に絶対に確実なことはひとつもない（おそらく死と税金を除いて）。

大数の法則でおもしろいのは、どれほど正確な推定値が得られるかは、集団全体に占める標本の割合には左右されないということだ。少なくとも集団がある程度以上大きく、標本の割合が比較的小さい場合はそういえる。推定値の正確さは、単純に標本のサイズで決まるのだ。ほかの条件がすべて同じなら、100万人の集団から1000人の標本を抽出しても、10億人の集団から1000人の標本を抽出しても、ふつう、標本から得られる推定値の正確さは変わらない。集団全体の1000分の1の標本と、100万分の1の標本を比べた場合でも、このことは当てはまる。

ただし、この標本調査という手法も「魔法の杖」ではない。人生のすべて（ほとんど？）がそうであるように、標本調査にも短所がある。すなわち、たいていの場合、質問への回答は任意に委ねられているということだ。だから、人によってはある質問に回答し、別の質問には回答しないかもしれないし、人によっては調査への協力を拒むかもしれない。ここからはふたたびダークデータの領域に入ることになる（ＤＤタイプ４「自己選別」）。

そのような「無回答」の例を示したのが、欠けた値（欠測値）を含むデータを一覧にまとめた表１だ。値がない箇所は目立つよう「?」と記されている（一般のデータリストではよく「ＮＡ（データなし）」と記される）。これらのデータはＫＥＥＬというオープンソースソフトウェアのサイトに掲載されているマーケティングのデータから取られたもので、[10] ご覧のとおり、10人分（Rec1からRec10）の記録の一覧になっている。もともとは収入をほかの変数から予測するモデルを築くため、サンフランシスコ湾地区のショッピングモールで実施されたアンケート調査で集められたデータだ。Ａは性別、Ｂは配偶者の有無、Ｃは年齢、Ｄは学歴、Ｅは職業、Ｆはサンフランシスコ在住年数、Ｇは共働きかどうか、Ｈは家族の人数、Ｉは18歳以下の子どもの数、Ｊは世帯主との続柄、Ｋは住宅の種類、Ｌは人種、Ｍは言語、Ｎは予測される変数である収入をそれぞれ意味している（ＫＥＥＬのウェブサイトでは、各変数の意味や範囲がもっと詳しく説明されている。ＡＢＣのラベルは便宜上、筆者がつけたものだ）。完全なデータセットにはこの表と同じような行がずらりと全部で８９９３行並んでいるが、そのうちの２１１７行に欠測値がある。表１では、３行に欠測値があり、そのうちの１行には欠測値が２個含まれている。そこにはなんらかの値があるはずであることはわかるので、この欠測値は明らかにＤＤタイプ１「欠けていることがわかっているデータ」といえる。

Ｍ（言語）の列の欄に記されているのは、「家庭で主に何語が話されているか」という質問への、３択による回答だ。３択は、１＝英語、２＝スペイン語、３＝その他からなる。どの家庭も当てはまる選択肢

表1　マーケティングデータからの抜粋

	A	*B*	*C*	*D*	*E*	*F*	*G*	*H*	*I*	*J*	*K*	*L*	*M*	*N*
Rec 1	2	1	3	6	6	2	2	4	2	1	1	7	1	8
Rec 2	2	1	5	3	5	5	3	4	0	2	1	7	1	7
Rec 3	1	4	6	3	?	5	1	1	0	1	1	7	?	4
Rec 4	2	1	5	4	1	5	2	2	2	1	1	7	1	7
Rec 5	2	3	3	3	2	2	1	2	1	2	3	7	1	1
Rec 6	2	1	5	5	1	5	2	2	0	1	1	7	?	9
Rec 7	2	1	5	3	5	1	3	2	0	2	3	7	1	8
Rec 8	1	5	1	2	9	?	1	4	2	3	1	7	1	9
Rec 9	1	3	4	2	3	4	1	2	0	2	3	7	1	2
Rec 10	2	1	4	4	2	5	3	5	3	1	1	5	2	9

出典：ウェブサイト「Knowledge Extraction Based on Evolutionary Learning」http://www.keel.es/

はひとつしかなく、この3つの選択肢のどれにも当てはまらない家庭はないので（例えば、ドイツ語が話されている家庭なら、回答は「3」になる）、M列の各欄には必ずそれぞれひとつの回答が入るはずであることがわかる。したがって、表1では、ふたりの回答者がなんらかの理由で、単に質問に答えていないということになる。

しかし、そもそも記録する値がないせいで、記録が不完全なこともある。つまり答えがない場合だ。例えば、回答者が未婚だったら、配偶者の年齢を記入する欄は空欄にならざるをえない。そのような欠測値をどう扱えばいいのだろうか。これはなかなか興味深い問題だ。既婚者が単にその回答欄を空欄にしている場合とは、無回答の意味がまったく違う。しかしそのような違いは、考慮すべきなのか。タイプの異なる無回答を同列に扱ったら、誤った結論に達することになるのだろうか。

記録に空白があれば、ただちにデータが欠けていることがわかる（DDタイプ1「欠けていることがわかっているデータ」）。しかし回答を拒んだ人については、どうすればいいのか。それによってもたらされるのが、DDタイプ4

と感じたのかもしれない。または単純に連絡がつかなかったのかもしれない（調査時に旅行中だったなどで）。これもやはり「既知の未知」だといえる。こちらは相手が誰かを知っているし（つまり調査対象者リストのひとりだと知っている）、質問が相手にとって、答える気があって、かつ答えられる状況にあれば、答えられるはずであることもわかっている。ところが回答がない。

このような問題に見舞われた有名な事例のひとつに、1936年の米大統領選での一件がある。過去の選挙で、世論調査をもとに勝者を予想し、見事に的中させていた大衆誌『リテラリー・ダイジェスト』は、1936年の大統領選では、共和党の候補者アルフレッド・M・ランドンが大差で勝つと予想した。ところが蓋を開けてみれば、民主党の候補者フランクリン・D・ローズヴェルトの圧勝だった。ローズヴェルトは選挙人531人中523人、一般投票の62％、全48州中46州の支持を獲得した。

選挙がこのような結果に終わり、『リテラリー・ダイジェスト』の予想が大きく外れた原因は、調査の仕方のせいで生まれたダークデータにあるといわれることが多い。とりわけ注目されたのは（それぞれの説によって細部にいくらか差があるが、核心となる部分はどの説でも共通している）、調査回答者を選ぶにあたって、電話帳が標本抽出枠に使われたことだ。当時、電話は高価な代物だったので、自宅に電話を置いているのは、おおむね富裕層であり、富裕層には共和党の支持者が多かった。その結果、標本に占める共和党支持者の割合が高くなり、ランドンに投票する人の割合を過大に見積もることになった。

ナイトクラブや老人ホームから抽出された標本にもとづいて、国民全体の平均年齢を推定しようとする例と同じで、選挙予想が外れたことについてのこの説明でも、ダークデータが発生した原因は、無回答にではなく、調査対象の誤った抽出方法にあるとされている。

しかし統計学者モーリス・ブライソンによる詳しい分析が明らかにしているとおり、そのような単純な解釈は正しくない(11)。ひとつには、抽出した標本が有権者全体を代表したものになるよう、『リテラリー・ダイジェスト』の調査員が苦心したことが忘れられている。調査員たちは標本を偏らせる要素があることにじゅうぶん自覚的だった。また、確かに当時の電話の普及率は全世帯のわずか4割程度だったが、電話を引いている世帯には選挙に行く人が多かった。電話を引いている世帯に選挙に行く人が多いということは、たとえ有権者全体としては巨大なダークデータがあるとしても、「投票者」における割合として見れば、ダークデータの規模は深刻ではなくなる。いうまでもなく選挙で肝心なのは投票者の数だ。実際、投票者の数は大きな影響をもたらしうる。２０１６年、英国で実施されたＥＵ離脱の是非を問う国民投票では、「政治に関心がない」という人たちの投票率が43％にのぼって、結果を大きく左右した。２０１５年の総選挙でのそれらの人たちの投票率はわずか30％だった。肝心なのは有権者が候補者Ｘに投票するといっているかどうかではなく、実際にＸに投票するかどうかだ。

１９３６年の大統領選の世論調査に関しては、上述の電話説が広まり、信じられてもいるが、それは間違っている。

だとしたら、真の原因は何か。

その答えもやはりダークデータの中にある。とはいえ、それはわたしたちにとても馴染みがあり、わかりやすいダークデータだ。近年、ウェブ調査の隆盛とともにたいへん重要なものにもなってきている。じつは１９３６年の大統領選の世論調査では、調査の対象者１０００万人に調査票が送られた。ところがわずか４分の１、およそ２３０万人からしか回答が得られなかった。残りの４分の３からは返信がなく、それらの人たちが誰に投票するつもりであるかは、ダークデータと化した。このことが何を示唆するかは明らかだろう。共和党員の有権者がローズヴェルトを支持する有権者より選挙に熱心だったら（おそらくそうだったと考えて間違いない）、共和党員の有権者のほうが調査票に返信する割合も高くなるだろう。そうするとおのずと、ランドン優勢という印象を与える調査結果が出る。その歪みが『リテラリー・ダイジェスト』の予測にも反映したわけだ。実際の選挙では、この自己選別による歪みは消えた。

したがってこの選挙の予想が外れたのは、標本の抽出の仕方がまずかったせいで生まれたダークデータの結果ではなく、共和党員と民主党員とでは回答率が違ったせいで生まれたダークデータの結果だった。つまり原因は、「任意回答」（DDタイプ4「自己選別」）にあった。

この世論調査では、標本抽出枠は厳密に定められていた――有権者を標本抽出枠とし、誰が有権者であるかもわかっていた――ので、分析の仕方を工夫すれば、歪みを取り除く調整ができたはずだ（この点については、第9章で取り上げる）。しかし、標本抽出枠が厳密に定められていない場合には、そのような調整はもっとむずかしくなるか、不可能になる。標本抽出枠がなければ、DDタイプ1「欠けていることがわかっているデータ」の領域から、DDタイプ2「欠けていることがわかっていないデータ」の領域へと移行する。のちに論じるように、ウェブ調査の弱点のひとつはそういうことが起こりやすい点にある。

一般に、上述の大統領選の例のように回答結果に無回答が含まれると、状況はいっきにやっかいになる。回答を拒んだ人は、回答した人とはなんらかの重要な点で違っている公算が高い。そもそも回答を拒んだこと自体が、なんらかの違いがあることを物語っている。調査テーマに深い関心がある人ほど、おそらく積極的に回答しようとするだろう。ランドンとローズヴェルトの大統領選のケースではまさにそうだった。あるいは積極的に回答する人ほど、調査テーマに詳しいとも考えられる。オランダで行われた住宅需要の調査では、住宅の購入を真剣に考えている人ほど回答率が高かったせいで、調査結果から誤った結論が導

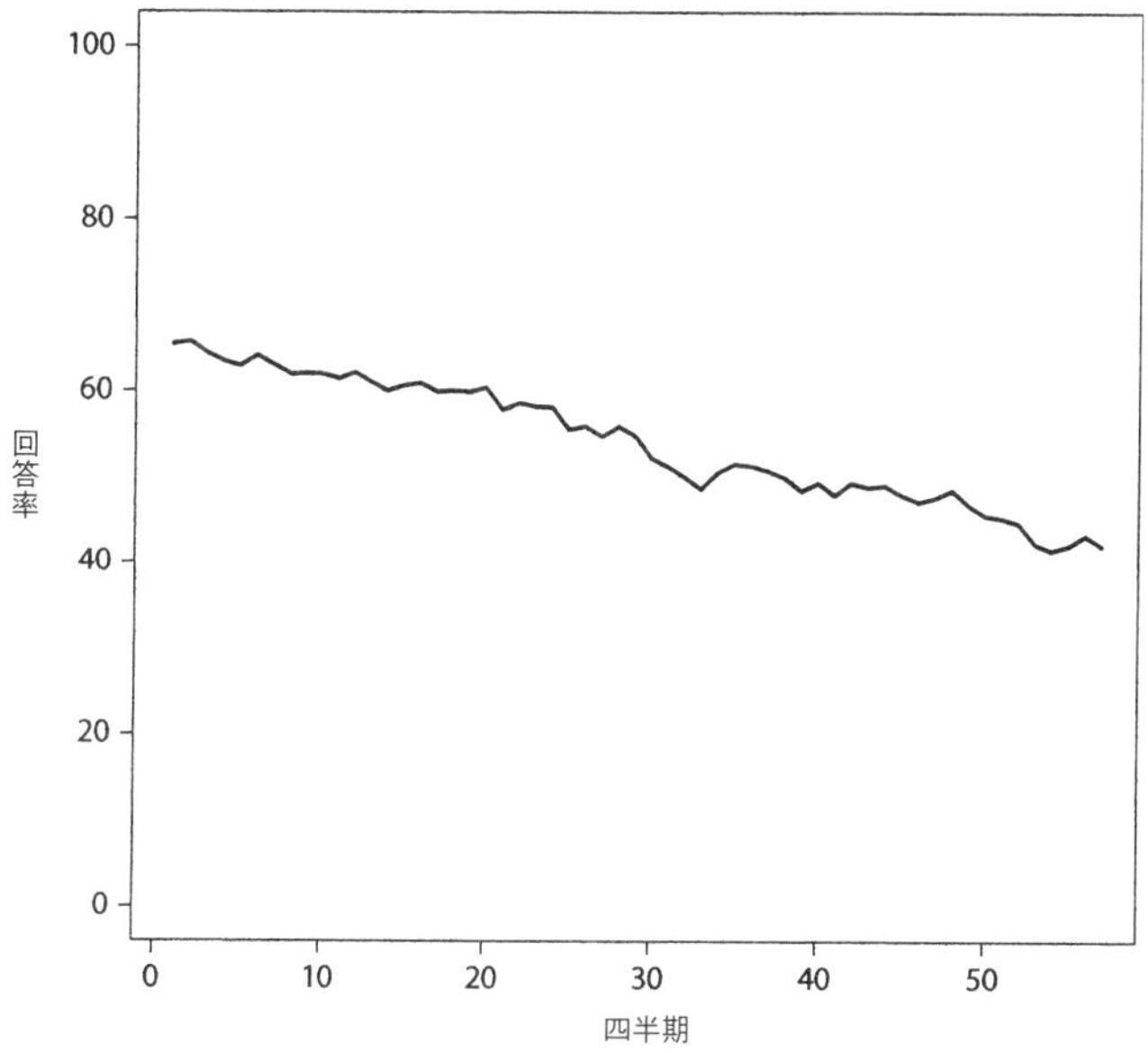

図２　英国労働力調査のインタビューに応じた人の割合（2003 年３～５月期から 2017 年７～９月期までの四半期単位）〔横軸の数値はそれぞれ次の範囲を指す：0＝2003 年３～５月期、10＝2005 年９～11 月期、20＝2008 年１～３月期、30＝2010 年７～９月期、40＝2013 年１～３月期、50＝2015 年７～９月期〕

き出されかけたことがあった[12]。被害者調査では、配偶者間の虐待など、継続性がある被害の場合、そのような状況がいつ始まり、いつまで続いたかをはっきりさせることがむずかしく、個別の被害に焦点が合わされやすい。あるいは、調査のために長い時間を費やしたくないという理由で、協力を拒まれることもある。自己選別によってもたらされるダークデータは、調査においても、そのほかのことにおいても、概してきわめて危険だ。

選挙前の世論調査は有益だが、人々に回答を求める調査は、政府でも企業でも情報収集の手段として広く使われているので、回答を拒む人が増えれば、その影響は大きい。実際、世界じゅうで回答率は低下傾向にある。例えば、英国の労働力調査にはそういう傾向がはっきり見られる。[13] 図2は、労働力調査のインタビューに応じた人の割合の推移を示したものだ（２００３年3〜5月期から２０１７年7〜9月期までの四半期単位）。4年間で65％以上から45％以下へと下落しているのがわかる。この傾向が続けば、将来、この調査から引き出される結論の信憑性《しんぴょう》は損なわれるだろう。

これは英国の労働力調査に限った話ではなく、世界じゅうのあらゆる調査で同様の現象が起こっている。電話をかけて回答を得ている米国消費者動向調査という経済の調査がある。この調査の回答率は１９７９年に79％だったものが、１９９６年に60％になり、２００３年には48％まで下がった。ロジャー・トゥランジョーとトーマス・プルースがまとめた全米アカデミーズの２０１３年の報告にはさらに数多くの事例があり、次のように書かれている。「社会科学研究の豊かなデータ源になっている政府や民間による世帯調査の回答率が、世界の富裕国で軒並み下落している」[14]。図3は、米国の全国健康面接調査の１９９７年から２０１１年までの回答率を示した図だ。英国ほどではないが、やはり低下の傾向が著しい。

回答率の低下は疫学研究の分野でもあらわだ。米国では疫病の危険因子や検診、医療機関の利用状況の研究に行動危険因子サーベイランス調査が用いられている。その回答率も、１９９３年に71％だったものが、２００５年には51％にまで下がった。

ここで重要になるのは、次の問いだ。回答率がどこまで下がったら、調査が無意味なものになるのか。ダークデータの割合がどこまで高まったら、調査結果が集団全体の特徴を示したものとは見なせなくなるのか。回答率が90％なら、その調査結果は信用できるのか。もしそうなら、80％や50％、20％はどうか。無回答の影響を計算に入れて、結果を調整する手法（第8章で詳述）はどれほど有効か。

残念ながら、これらの問いには一概に答えられない。何についての調査かや、何を尋ねるかや、データ

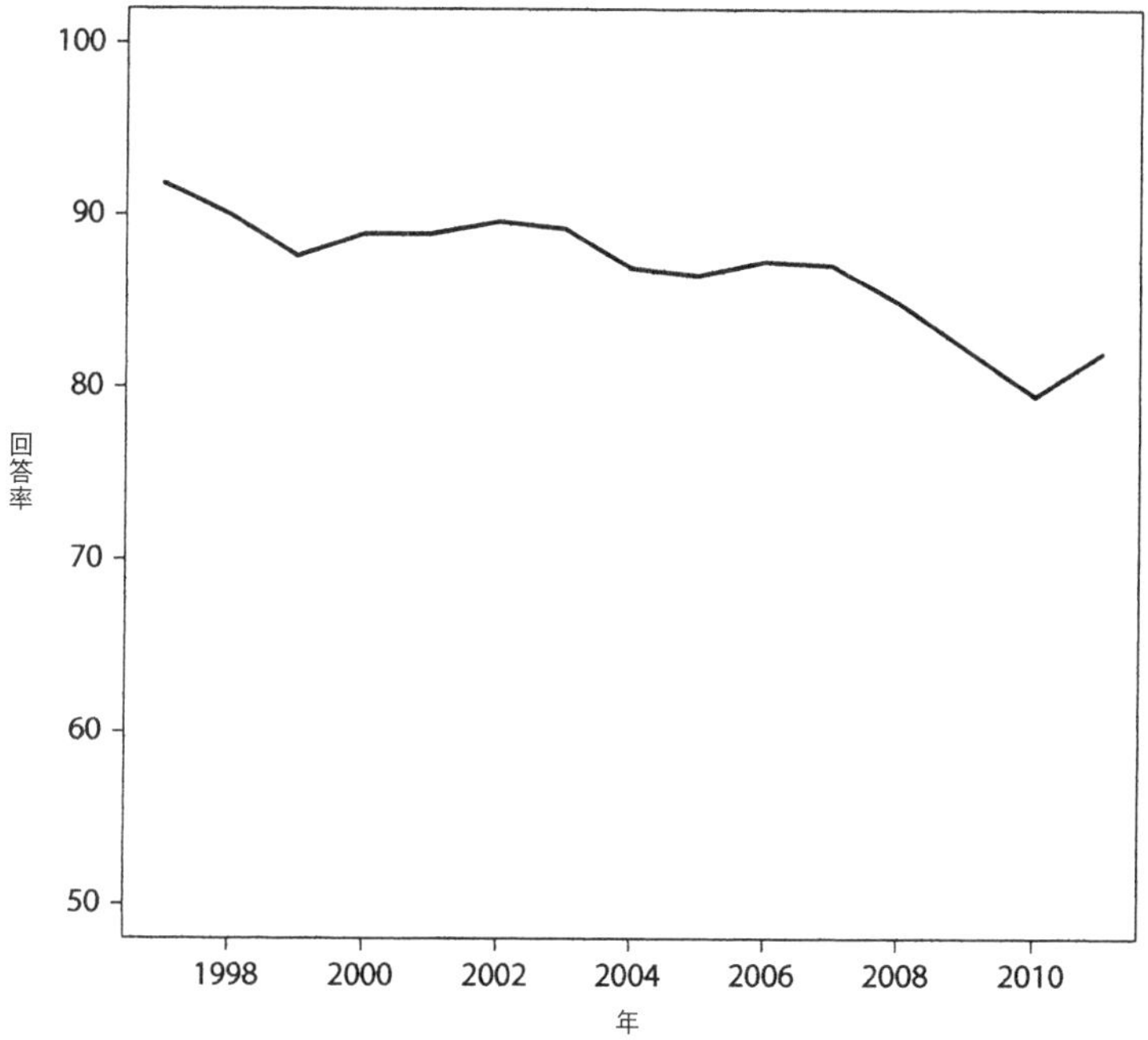

図3　米国の全国健康面接調査の回答率（1997年から2011年まで）

がなぜ、どのように欠けているかしだいで、その答えは変わってくる。場合によっては、データの欠落が少なくても、集まったデータが集団全体を代表したものにならないことがある。性別適合手術に対する社会の一般的な考え方を明らかにしようとしたある調査では、トランスジェンダーの人を極度に不快にさせる質問がいくつかあり、トランスジェンダーの人たちが全員その質問には回答しなかったいっぽうで、ほかの人はその質問にも気分を害さなかったことから、無回答率は低かったにもかかわらず、結果は不正確なものになってしまった。また逆に、データが大量に欠けていても、結果にはたいして影響が出ないこともある。前に述べたように、標本調査では標本のサイズと無作為抽出が肝心なので、無回答者になんらかの偏りがなければ、無回答率の高さは問題にならないからだ。

上述の事例に示されているとおり、あらゆる調査で、無回答という形態のダークデータが増えつつあるように見える。それらのダークデータは状況しだいでは、結論にはまったく悪影響を与えないかもしれない。しかし結果を著しく歪ませる可能性もある。国の政策を決めたり、大企業を経営したりするとき、そんな「かもしれない」に賭けたい人はいないだろう。

インターネットのすばらしい可能性のひとつは、低コストで大規模な調査を行えることだ。インターネットなら、膨大な数の調査対象者に働きかけられるから、標本のサイズを特大にできる。しかしそこには欠点もつきまとう。とりわけ特徴的なのは、回答者をコントロールできない点だ。回答はおおむね自己選別で行われる。つまり回答者自身がそれぞれの判断で、調査に協力するか、それともダークデータの闇に消え去るかを決める。ここには調査の種類に関係なく、調査を台無しにしてしまいかねないリスクがある。なぜなら相手が調査に協力するかどうかと、回答そのものとがつながっているかもしれないからだ（第1章で、「雑誌のアンケートに回答しますか？」という架空の雑誌のアンケートを取り上げたのを思い出していただきたい）。またそれ以前に、特定のウェブサイトの訪問者から回答を得ている時点で、すでに歪みが生じている。

また別の極端な例としては、同じ人が複数回、同じウェブ調査に回答を送信することもある。わたしが最近、実際に出会った人物の場合はもっとひどく、スマホでアンケート調査の画面に出くわしたときはいつも、5歳の息子にスマホを渡して、代わりに答えさせるのだと話している。さらに根本的に問題なのは、ランドン対ローズヴェルトの大統領選のときの電話と同じで、世の中の全員がインターネットに接続しているわけではないことだ。2013年、インターナショナル・ジャーナル・オブ・インターネット・サイエンス誌に発表されたオランダの論文は次のように報告している。「高齢世帯、西洋以外からの移民、単独世帯にはインターネットに接続していない人が多い[15]」。今後、高齢化が進むうえ、テクノロジーがどんどん高度化することを考えると、この状況はもっと悪化するかもしれない。

無回答の問題を解決するためには、回答しようとする人が減っている理由を突き止めなくてはならない。それを調べたトゥランジョーとプルースの研究では、無回答の理由は昔からあまり変わっていないという結果が出ている[16]。単に関心があまりない、ひまがない、インタビューに時間がかかりすぎるというのが、主な理由だった。ほかには、プライバシー面の不安や、調査に対する無理解も理由になっていた。調査を拒む人の中には、電話を一方的に切るとか、ドアを叩きつけるように閉めるとか、敵意を剝き出しにするとか、脅すとかいう反応を示す人もいるという（調査員の仕事も楽ではないのだ！）。加えて、世の中に調査があふれていることも理由として指摘された。今や右を見ても左を見ても調査、調査で、人々は調査にうんざりしている。調査を装った販促活動が増えていることも、調査を取り巻く状況を悪くしている。これらのことからは、無回答の増加のメタレベルの理由として、自己選別ということが浮かび上がってくる。つまり、回答者が自分で回答するかどうかを決めているということだ。

無回答は必ずしも回答者だけのせいではない。調査のインタビュアーが調査対象者と連絡を取るための努力を怠っている場合もある。実際、インタビュアーが自分でデータを捏造していた事例も報告されている（DDタイプ14「データの捏造または合成」のダークデータになる）。そのような行動をいい表す「縁石する《カーブストーニング》」なる造語も生まれているほどだ（調査員が家を訪問せず、道路の縁石に腰を下ろし、そこで自分で調査票に数字を記入しているという戯画の設定に由来する）[17]。ただし、きちんとした統計学の手法を用いれば、そのようないんちきやデータの不正な取り扱いは、たいていは見破られる。また言語的な障壁や、単純なデータの紛失も、データの欠測につながる。

調査にデリケートな質問――性やお金や病気にまつわる質問など――が含まれると、特にデータが欠けたり、記録が不完全になったりしやすい。したがって、そのような質問にも回答しやすく、なおかつ匿名性も保たれるデータの収集方法や、個人の値を知ることなく全体の数値を算出できる統計の手法が考案されている。それらについては第9章であらためて取り上げたい。

実験データ

本章の冒頭で、データの収集方法には「すべて」のデータを集める方法と、標本を使う方法の2通りがあると述べ、ここまではそれらの方法の違いによって、ダークデータにどういう違いが生じるかを見てきた。

ここからは第3の方法、「実験法」に目を向けよう。ものや人が置かれる条件を意図的に変えて、データを収集する方法だ。

例えば、2種類の治療法のどちらがより効果的かを知りたいとしよう。治療法はそれぞれA、Bと呼ぶことにする。まっさきに思いつくのは、AB両方の治療法をひとりの患者に試し、どちらが効果があるかを見る方法だろう。

ひとりの患者に両方の治療法を試せるのであれば、これは有効な方法だ。例えば、花粉症の治療薬の研究では、（2年間、花粉量が同じであることを期待して）患者にある年はAを投与し、次の年はBを投与するということができる。しかし多くの場合、ひとりの患者に両方の方法を試すことはできない。例えば、平均余命がどれぐらい延びるかを調べる研究では、ひとつの治療法の結果が出たときには、患者はすでに死んでいるので、別の治療法を試すのは無理だ。

ひとりの患者に両方の治療法を試せないとなると、ある患者にAを試し、別の患者にBを試すという方法しかない。これにはもちろん問題がある。すべての患者が同じ治療法に同じ反応を示すとは限らないからだ。ある患者が治療法Aでよくなったとしても、すべての患者がよくなるとは限らない。しかも、同じ患者に同じ治療法を施してさえ、そのときどきで効果が違うことがある。

では、どうすればいいか。第1には、個人の患者ではなく、複数の患者の平均に着目することだ。治療法Aを施した患者は、平均で、治療法Bを施した患者と比べ、どれぐらいよくなったかを見る。第2には、Aを施す患者とBを施す患者を分けるとき、ほかの要素が結果に影響しないよう、分け方に気をつけること。例えば、いっぽうの治療を受けるのはすべて男性、もういっぽうの治療を受けるのはすべて女性にしたら、結果が治療法の違いによるのか、性差によるのかがわからなくなる。同様に、Aを受けるのはすべて症状の重い人、Bを受けるのは症状の軽い人という分け方も、避けなくてはいけない。

したがって、どう配分するかが大事になる。例えば、男性患者と女性患者をそれぞれ半分に分けて、半分のグループにA、もう半分のグループにBの治療法を施すというやり方が考えられる。コントロールしたい要素の数が限られているときは、このようなやり方が可能だ。性別、年齢、症状の重さなどの要素に関しては、ある程度までは偏りが生まれないようにできるだろう。しかしそれもすぐにむずかしくなる。25歳、重症、高血圧、BMI(ボディ・マス・インデックス)26、喘息《ぜんそく》の既往、喫煙者という男性患者に対して、それと条件がぴったり重なる女性患者を見つけるのはまず無理だろう。しかも調べ始めると、初めには思いつかなかった要素が決まっていくつも出てくる。

こういう問題を克服するには、患者を無作為に2つのグループに分けるという手法がある。「無作為化比較試験（RCT）」と呼ばれる手法だ。この手法を用いると、偏りが生じる可能性を大幅に小さくできる。前に、標本調査ではなぜ無作為に標本を抽出するのかを説明した。原理はそれと同じだ。ここでは単に調査対象を選ぶのではなく、グループ分けするという点だけが違う。

このような2グループの比較試験は、とても簡単に行える。それぞれのグループにAとBというラベルをつけるので、A／B試験と呼ばれることもあれば、新しい手法（チャレンジャー）を標準の手法（チャンピオン）と比べることから、チャンピオン／チャレンジャー試験とも呼ばれることがある。医療や、ウェブ実験や、製造業をはじめ、さまざまな分野で使われている手法だ。このような調査を行う利点は、実際の結果と、そうしなかったら起こったであろうことを比較できる点にある。これにより反事実のダークデータの問題を回避できる。

このような方法でダークデータをコントロールすることは、じつは古くから行われている。現代史の初期で有名なものとしては、結核治療薬ストレプトマイシンの研究で行われた1948年の無作為化比較試験があげられる。英国の医療研究者サー・イアン・チャーマーズは同研究について、次のように述べている。「英国医学研究会議が行った肺結核治療薬ストレプトマイシンの無作為化比較試験の1948年の報告は、緻密かつ際立って明晰であり、それまでの臨床試験の歴史に類のない画期的なものだった」[18]

とはいえ、そういうアイデアは、少なくともそのもとになる考えは、もっとずっと昔まで遡れる。例えば、フランドルの医師ヤン＝バプティスタ・ファン・ヘルモントはすでに1648年に、瀉血《しゃけつ》と下剤治療の効果を調べる方法を提言する中で、無作為のグループ分けというアイデアを披露している。「まず病院から200人ないし500人の胸膜炎の患者を選びます。そしてその患者を半分に分けて、くじを行い、半分をわたしの受け持ちに、もう半分を別の医師の受け持ちにします。わたしは瀉血と下剤を使わずに治療しますが、別の医師はそれらを使って治療します。［……］あとは、それぞれの葬儀の件数を比べればいいわけです」[19]

ここまでは問題ない。前の2つのデータの収集方法と違って、単に人々がどう行動したかを「観察」して、データを集めるのではなく、この方法では誰がどういう治療を受けるかがコントロールされている。ただし、すべての患者が医師の指示をきちんと守って、決められたとおりに薬を服用し、試験の終了まで治療を続けることが条件になる。残念ながら、このような試験では「離脱者」という形でしばしばダークデータが発生してしまう。

離脱者とは、文字どおり、研究への協力から離脱する人、降りる人のことだ。理由はいろいろある。死亡によることもあれば、治療の副作用があまりに苦しいとか、引っ越したとか、症状が改善せず、治療を続ける意欲を失ったとかによることもある。そのほかにもありとあらゆる理由がありうる。ここで重要なのは、どういう試験も時間をかけて実施されるということ、または一定の間隔を空けて行われるということ、そしてそのことによりダークデータの影響を受けるリスクが生じるということだ。ここではDDタイプ7「ときの経過とともに変化する」とDDタイプ1「欠けていることがわかっているデータ」が関わってくる。

例えば、治療薬と偽薬の効果を比べる研究では、当然、患者に副作用が出やすいのは、治療薬のほうだ。偽薬にはそもそも作用する物質が入っていないのだから。これは治療薬を使ったグループのほうから離脱者が出やすいことを意味する。さらに悪いことには、症状がよくならなかったり、あるいは悪くなったりした患者も離脱しやすいとすれば、この研究には治療効果があった患者ばかりが残りやすくなる。そのような離脱者のことを計算に入れなければ、この研究の結果は、実際よりも治療薬の効果を高く見せるものになる恐れがある。これも生存者バイアスの一例だ。「生存」した者、つまり最後まで臨床試験から離脱しなかった者によって集団全体を代表させることは適切ではない。

皮肉にも、個人を守るための臨床試験の倫理規定も、このバイアスを強めている。第二次世界大戦後に制定された「ニュルンベルク綱領」第9項には、被験者はいつでも自由に臨床試験への参加をやめることができなくてはならないと記されている。臨床試験に最後まで参加するよう被験者に強制することはできない。

実際の臨床試験はたいてい、上述のような単純な2グループの比較よりはるかに複雑だ。もっと多くの医療部門が参加し、実験群も複数あり、複数の治療法が比較される。図4は、喘息患者のブデソニド治療の効果を調べた臨床試験の結果を示している。[20] この臨床試験では、患者は5グループに分けられた。グループごとにブデソニドの投与量が違い、それぞれ0（偽薬）、200、400、800、1600マイクログラムのブデソニドとなっている。肺機能の検査は初日と第2週、第4週、第8週、第12週に行われた。図には各回の臨床試験の参加者数が示されている。それ以外の患者は離脱したということだ。この図からは、週を追うごとに離脱者が増えていることがはっきりわかる。離脱率がかなり高く、全体で75%の患者しか最後の週まで残っていない。それよりもさらに目を引くのは、グループによって離脱率に差があることだ。とりわけ投与量が最も多かったグループと偽薬のグループとの差が著しい。前者のグループでは98人中10人しか離脱していないのに対し、後者のグループではおよそ3分の2に当たる58人が離脱している。この結果からは、この薬の効果が高いことが推測できる。おそらく症状の重くない人だけが臨床試験に残

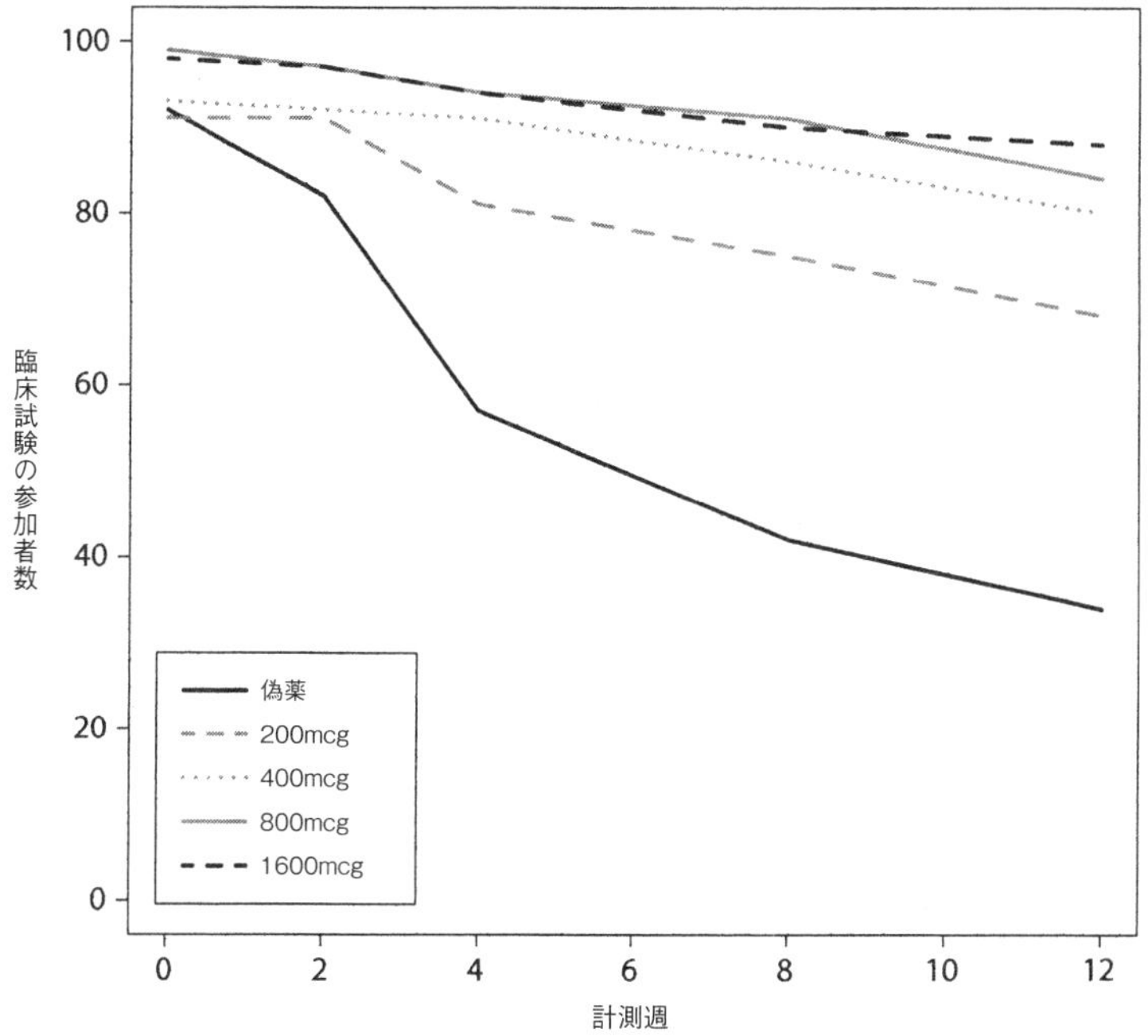

図4　喘息治療薬の臨床試験の参加者数の推移

ったのだろう。しかしこれはあくまで推測だ。欠けたデータがあることで、分析や解釈は複雑になる。得られたデータだけにもとづいた判断は、誤っている可能性が高い。

　医療分野の例で説明したが、無作為化比較試験は、教育や犯罪防止などの公共政策をはじめ、ほかの分野でも広く取り入れられている。実際、医療分野ほどではないが、公共政策における無作為化比較試験の歴史は長い。例えば、米国では１９６８年から１９８２年にかけて、最低限の所得が保証されたら、勤労意欲が損なわれるかどうかを調べるのにこの手法が用いられた（ちなみに結果は、所得が保証されると、確かに働く時間は減った。しかしその減り方はわずかだった[21]）。

教育分野の興味深い事例としては、テレビ番組『セサミストリート』の効果を探るために無作為化比較試験が使われたことがある。この研究には、社会科学分野で無作為化比較試験を行うときにどういう困難に直面するかも示されていた。それは一部の子どもたちに『セサミストリート』の視聴を禁じることは実質的には不可能で、子どもたちが確実に番組を観ないようにする方法がないという問題だった。研究者たちはその解決策として、最終的には、『セサミストリート』がケーブルテレビでしか放映されていない地域を見つけ、そこで無作為に選んだ家庭にケーブルテレビの受信機を設置するという方法にたどり着いた。この方法で調査を行った結果、番組の視聴で語彙が増えることが確かめられた。アンドリュー・リーの好著『ランダミスタス——ラディカルな研究者が世界を変える（*Randomistas: How Radical Researchers Are Changing Our World*）』〔邦題は『RCT大全』〕には、この事例のほか、数多くの2グループの無作為化比較試験の事例が紹介されている。[22] 同著のタイトルを決めるのにも、無作為化比較試験の手法が用いられた。まず4000人に、12のタイトル案の中から無作為に選ばれたタイトルをそれぞれひとつずつ見せた。そしてタイトルごとに、本の詳細を知ろうとして出版社のウェブサイトにアクセスした人の割合が計測された。

犯罪に関しては、一般市民のあいだでは犯罪被害に遭うリスクが実際よりも高く感じられていることが知られている。知らないことは実際よりも悪く見えるからだ（これもダークデータの一側面といえる）。英国の国家警察改善庁で以前、犯罪や警察の活動についての情報を公開することが市民に肯定的に受け止められるかどうか、それによって犯罪への不安が増すかどうかが、調べられたことがある。[23] 4グループに分けられた被験者はそれぞれ違う犯罪や警察の活動に関する情報を見せられた。それらの情報に含まれるダークデータの程度もグループごとに異なった。第1グループには犯罪率を記した地元の地図、第2グループには警察の地域活動に関する情報、第3グループにはその両方が与えられ、第4グループにはどちらの情報も与えられなかった。つまり第4グループはいっさい何も知らされなかったということだ。調査の結論は、肯定的なものだった。「この調査により、情報公開は犯罪への不安を増大させるという通説に異を唱えることができた。情報は実際には、地域の治安や警察への印象を改善させられることが確かめられた」

もちろん、いつも肯定的な結果が得られるとは限らない。無作為化比較試験のいちばん重要な役割は、通説、つまり世の中で「自明」の真実と見なされていることがじつは誤りであることを明らかにすることにある。だからときに、世間の常識に立ち向かうことになる無作為化比較試験の実査には、かなりの勇気が求められる。

例えば、犯罪者を積極的に収監する政策を取れば、短期的には犯罪は減るだろう。しかしそれは犯罪者が更生した結果ではなく、単に街中にいる犯罪者が減ったせいかもしれない。収監された経歴があることは社会復帰や職探しにプラスにならない。ならば、短期自由刑はまったく無意味かもしれず、むしろ長期的には犯罪の増加を招くかもしれない。政策の効果を調べる適切な実験が必要だ。この事例にも、社会分野で無作為化比較試験を実施することのむずかしさが示されている。無作為に判決を下すなどという実験に賛成する裁判官は少ないだろうし、おそらく一般の人はもっと少ないだろう。しかしじつはそのような実験も行われている。犯罪者を無作為に選んで、減刑するという実験だ[24]。

肯定的な結果が得られない場合でも、深く掘り下げてみれば、表面には見えていないことが見えてくることもある。アンドリュー・リーは、学校への教科書の無償提供がテストの成績の向上につながっているかどうかを調べた4件の無作為化比較試験を紹介している。それらの4件のどの調査でも、教科書の無償提供によってテストの成績が向上しているという結果は得られなかった。しかしその理由は調査ごとに違った。第1の調査では、教科書が学校に保管されたままになり、生徒に配布されていなかった。第2の調査では、親が教科書の無償提供の効果を相殺するほど、教育への出費を抑えていた。第3の調査では、教師たちに無償提供の教科書を使う気がなかった。第4の調査では、生徒たちが字を読めないせいで、教科書が役に立っていなかった。もしこれらの事実が突き止められていなかったら、つまりダークデータのままだったら、調査の結果から誤った結論が導き出されていた恐れがある。

無作為化比較試験はすばらしい科学的な手法だが、万能ではない。飛行機から飛び降りるとき、パラシュートを装着しているのといないのとどちらがいいかというようなことについては、そういう比較試験は行えないだろう[25]。また微妙な問題が起こることもある。失業率を下げるにはどういう方法がありうるかを検討する場合を考えてみよう。介入によって、ある人が職に就くチャンスは高まるかもしれない。しかしその人が職に就くことで、ほかの人がその職に就く機会を奪っていたとしたら、その介入は失業率の低下につながらないだろう。同じように、介入によってフルタイムの従業員を減らし、パートタイムの従業員を増やせば、雇用者数は増えるが、失業対策がそれで成功したといえるかどうかは、失業の定義しだいになるだろう。

さらに問題を複雑にするのは、「ホーソン効果」だ。人間は他人に見られていると、ふだんと違う行動を取る傾向がある。相手に何も知らせず、密かに行動を観察するのが理想的のようにも思えるが、それは倫理的に許されない。本人の同意を得るのが、こういう実験の原則だ。ニュルンベルク綱領の第1項には次のように書かれている。「被験者の自発的な同意を得ることが、絶対必要である」

調査対象をどのように扱えば、処置の効果を最も正確に分析できるかを考える統計学の分野は、「実験計画法」と総称される。2グループの無作為化比較試験は、処置や政策や介入の効果を調べる最もシンプルな実験方法で、最も広く使われてもいる。先ほどいくつか紹介したのは、それを複数のグループの調査に応用した例だ。それらの例では複数のグループにそれぞれ異なる処置を施すとともに、結果に影響を及ぼしうる複数の要素を考慮して、偏りが出ないよう慎重に実験が計画された。第8章では、自動車用プラスチック部品の射出成形の実験例を取り上げるつもりだ。一因子実験計画法とか、グレコ・ラテン方格法とか呼ばれる手法で、洗練された実験の設計がなされているのを紹介することになるだろう。

実験計画法の原則を大きく発展させたのは、英国の統計学の権威サー・ロナルド・フィッシャーだ。世界で最も古い歴史を持つ農業研究所、ロザムステッド農業試験場の研究員だったフィッシャーは、1935年、名著『実験計画法（*The Design of Experiments*）』を著した。この本には、いろいろな肥料とか、土壌のタイプとか、灌漑《かんがい》とか、温度とかの「実験ユニット」をどのように割り振って、処置を施せばいいか、どのようにさまざまな処置の組み合わせを採ればいいかが説かれている。これにより調査がとても高度な、きわめて数学的なものへと進化した。そこには適応割り当てなどの手法も含まれていた。適応割り当てとは、実験の進行とともに得られる結果に応じて、処置の選択を変える手法だ。例えば、時間が経過し、結果が蓄積されるにつれ、ある特定の処置が望ましいものに見えてくることがある。そこからは次のような問いが出てくる。現段階で最善に見えるものだからという理由で、その処置に割り当てるユニット（例えば、臨床試験なら患者）を増やすべきか、それとも、その見方が正しいことをもっとはっきりと確認するため、別の処置に割り当てるユニットを増やすべきか。

インターネットのおかげで、社会的介入の無作為化比較試験はとても容易に行えるようになった。ネット上で人々に、無作為に異なるメッセージを送ったり、異なるバージョンのウェブサイトを表示したり、異なる条件を提示したりするだけでいいからだ。アンドリュー・リーが本のタイトルを決めるために行った比較試験を思い出してほしい。インターネット企業は今や、当たり前のように比較試験を毎日、自動的に行って、自社にとって最適な戦略を見出そうとしている。しかしこのようにダークデータを利用すれば、しっぺ返しを食うこともある。こういう試験は当然、顧客には伏せて行われる。万一、顧客にばれたら、よくは思われないだろう。例えば、商品の値づけに無作為化比較試験を用いたら、値段が変動することになり、顧客を不安にさせたり、混乱させたりしかねない。２０００年10月、アマゾンが無作為に価格を変えて、顧客の反応を調べていたことを知った顧客の反応が、ワシントン・ポスト紙で報じられた[26]。「まず客をおびき寄せ、いったん捕まえたらもうなんとしても離さないというやり方に思える。そんなやり方では、顧客の信頼は絶対に得られない」という声もあれば、率直に次のように述べる顧客もいた。「もう二度と奴らのところでは買わないよ！」

無作為に値段を変えて、いくらまでなら顧客が商品を買ってくれるかを調べようとするのは、一例にすぎない。ほかにはもっと倫理的に微妙な問題をはらんだネット上の実験もある。２０１４年、フェイスブックが「感情にさらされると、投稿に変化が起こるか」を調べる実験を行ったことは、激しく叩かれた[27]。その研究でフェイスブックは、約70万人のユーザーのホーム画面に表示される情報を操作して、ポジティブまたはネガティブな内容の投稿を減らすことで、ユーザーのポジティブまたはネガティブな感情が強まるかどうかを調べようとした。この研究が公にされると、恥さらし、唖然とする、反吐《へど》が出る、非倫理的だ、違法の恐れがあるといった声が上がった。確かに、被験者の同意を義務づけたニュルンベルク綱領の第１項に抵触することは間違いなさそうだった。

人間の弱さを考慮せよ

本章では、これまで3つの基本的なデータの収集方法を見てきた。収集されたデータは謎を解き明かし、隠されていた世界を明らかにする。しかしデータ収集の計画を立て、実行するのは人間であり、収集されたデータを解釈し、分析するのも人間だ。どういうデータを集めるかや、分析結果をどう解釈するかの判断は、過去の経験にもとづくことになる。未来の世界にそれは当てはまらないかもしれない。深い次元でいうなら、わたしたちの判断は、進化発生によって形成された人間の特質にもとづくことになる。これらの要素はすべて、わたしたちが誤ることを意味している。わたしたちは偏った証拠の扱い方をし、しばしば合理的には最善といえないことをする。要するに、わたしたちの判断は、無意識のうちにあらゆる認知バイアスの影響を受けやすいということだ。

「可用性バイアス」という認知バイアスがある。これは、あることがどれぐらい起こりやすいかを、その実例をどれぐらい思い出しやすいかにもとづいて判断する傾向のことだ。飛行機事故のニュースを見たばかりのとき、わたしたちはふだんより飛行機の事故を心配しやすくなる。広告ではこういう人間の傾向が利用されていて、あるものを欲しいと思った人に、まっさきに自社のブランドを思い出させ、ライバルブランドのことはできるだけ思い出させないようにする戦略が講じられている。しかし特定の病気の診断や不正行為の発覚が、社会で話題になっているときほど増えることも、少なくとも部分的にはこの認知バイアスによって説明がつく。例えば、第3章で見るように、米国では自閉症と診断される子どもの割合が2000年以来増えている。この増加の理由の一端は、認知バイアスにあると考えられる。なんらかの症状の話を再三聞かされれば、自分にもその兆候がないかどうか、敏感になってもふしぎはない。実際、研究でも、周りに病気にかかった人がいると、親は自分の子どもも同じ病気ではないかと考え、病院に子どもを連れて行くことが多いという結果が出ている。

可用性バイアスは「基準率の誤謬《ごびゅう》」とも関連する。とてもまれな病気の検査を受けることになったとしよう。その検査では、病気にかかっている人の100%が陽性、かかっていない人の99%が陰性になるという。さて陽性の判定が出たら、あなたはどう思うだろうか。とっさにはきっと、自分はほぼ確実に病気にかかっていると思うだろう。しかしそれは大間違いかもしれない。なぜならほんとうの確率は基準率に左右されるからだ。つまり集団全体に罹患者が何人いるかによる。例えば、とてもまれな病気で、1万人に1人しか罹患者がいないなら、陽性と判定された101人につき1人しか、つまり1%しか（それも平均で！）、実際には病気にかかっていない。偽陽性がめったに出ない結果だとしても、病気にかかっていない人のほうがかかっている人よりはるかに多いのだから、病気にかかっているという診断はほぼすべて誤診だといえる。集団の大半が病気にかかっていないという事実を無視したり、見逃したりすると、こういう誤りが起こる。ハーヴァード大学の医学部で行われた試験でも、56%以上の学生がこのことを正しく理解していなかった。さらに由々しいことに、別の調査では、現役の医師でも似たような結果が出ている。基準率は、少なくともそれらの学生や医師たちには、ダークデータになっていたのだ。

基準率の誤謬が生じるのは、関連するデータを見逃すか、無視することに原因がある。そのような状況は「合接の誤謬」にもつながる。合接の誤謬とは、特殊なことのほうが一般的なことよりも起こると考えやすい傾向のことだ。その説明にはよく次のような例が用いられる。

わたしの友人フレッドは大学の歴史学の教授で、ヴィクトリア朝の英国や19世紀の米国、19世紀の世界貿易の授業を受け持っている。趣味は、分厚い伝記を読むこと。長期の休暇には、世界各地の歴史的な土地を訪れている。ここで問題。次の2つのうち、よりありえるのはどちらか。（i）フレッドはひげを生やしている。（ⅱ）フレッドはひげを生やし、地元の歴史博物館の理事を務めている。

多くの人は（ⅱ）と答えるが、少し考えると、そんなはずはないことがわかる。（ⅱ）は（ⅰ）の情報にさらに別の情報をつけ加えたものなのだから、（ⅰ）の確率のほうが（ⅱ）の確率よりも高いに決まっている。ではなぜ多くの人が（ⅱ）と答えてしまうのか。これも可用性バイアスによく似ているが、（ⅰ）と（ⅱ）のそれぞれの確率を直接比べず、どちらがフレッドの人物紹介により合うかで判断してしまうからだ。フレッドのような人物は地元の歴史博物館で理事をしていてもおかしくないだろう。

「確証バイアス」もやはり危険だ。基準率の誤謬や可用性バイアスが集団全体のデータを無視することで生じるのに対し、確証バイアスでは、無意識ながら、みずから集団全体を代表させるのにはふさわしくないデータを探してしまう。とりわけ、自分の見方に都合がいい情報が探され、都合が悪いデータは無視される。ジーン・ディクソンの例を見てみよう。本名をリディア・エマ・ピンカートといい、１９９７年に亡くなったディクソンは、米国で最も有名な超能力者だった。数多くの新聞がこぞってそのコラムを掲載したほか、伝記『水晶の中の未来――ケネディ暗殺を予言した女』は米国で３００万部以上売れた。じつは、ディクソンの膨大な数の予言の中には、外れたものが少なくなかった。それでも彼女自身は、当たった予言だけを記憶に留め、外れた予言のことは忘れることによって、自分の予知能力を信じていたのかもしれない。彼女の能力を信じている人がおおぜいいたことは確かだ。それもやはり当たった予言だけを取り上げ、外れた予言には目を向けないことによってだった。そのようにして巧みに退けられたデータは、ダークデータと化した（ＤＤタイプ３「一部の例だけを選ぶ」）。何を信じているかが、何を記憶するかに影響することは、被験者にひと組の事例を見せる心理学の実験でも確かめられている。

確証バイアスには、自分の考えに矛盾する証拠のことは忘れやすいという側面もある。それによっていっそう自分の見方に都合のいい情報を集めようとする傾向が強まる。

データを無視するせいで（たいていは無意識に）、誤った結論を導き出してしまう原因には、そのほかにも、楽しいことより嫌なことを思い出しやすい「ネガティブ・バイアス」、インタビュアーが聞きたがっているだろうと思うことを答えてしまう「黙認バイアス」、多数派に追随しやすい「バンドワゴン効果」、もっともらしいと思える意見に引きずられてしまう「信念バイアス」、ありふれたものより突飛なものを記憶しやすい「奇異性効果」がある。正しい判断を妨げる要因がこれだけあることを考えると、むしろ正しい判断を下せるのが奇跡に思えてくる。

本節で紹介したような傾向は、しばしば自信過剰をも生み出す。これは意外なことではないだろう。思い出せる証拠が特定の考えを支えるものばかりだったら、その考えが正しいことに自信を深めるのは当然だ。しかもこの問題は、第5章で論じるいわゆるエコーチェンバー（反響室）現象によっていっそう悪化する。

人間にはそういう弱点があることをふだんから意識していれば、避けられると思うかもしれない。確かにある程度までは避けられるだろう。しかしたいていは不意打ちを食らう。そのことは質問の言葉遣いを変えるだけで、回答が変わることを示した研究からも明らかだ。例えば、同じことを肯定的な表現と否定的な表現の両方で尋ねる実験（例えば、「その映画は好きか」と「その映画は嫌いか」など）がよく知られている。理屈では、前者の問いに「いいえ」と答える人と、後者の問いに「はい」と答える人の数は同じになりうる。ところが、実際には往々にしてそうならない。回答者の心の奥深くになんらかの「計測誤差」が埋め込まれていて、「真値」が隠されてしまうのだ。

第3章　定義とダークデータ——何を知りたいか？

自明なことながら、たえず忘れないようにしなくてはいけないのは、データが役に立つかどうかは、そもそも適切なデータを集めたかどうか、そしてそれらのデータに偏りや誤りがないかどうかにかかっているということだ。この2つの条件はどちらも、ダークデータのリスクにさらされやすい。実際、それら2つに関係するダークデータのリスクはたくさんあり、すべてを把握するのは不可能なほどだ。しかしそういう危険があることへの意識を高めることは、ダークデータに対処するためには絶対に欠かせない。本章ではどういうデータを集めるかについて、次章ではそのデータをどのように集めるかについて、それぞれダークデータのリスクという観点から掘り下げていきたい。

定義の違いと間違ったものの計測

不適切な定義を使うとき、いい換えると、自分で何を調べたいのかがはっきりしていないとき、データの根本的な部分にダークデータが生じる。以下にいくつか例を見ていこう。

移民

調査は特定の問いに対する答えを目的として計画されるものだが、業務データはまったくそれとは無関係な理由で集められていることもある。ということは、業務データはその問いに対する答えとして役に立たない場合もあるということだ。例えば、英国で最近、長期移民統計の数字が物議を醸した。英国統計局は、国際旅客動態調査にもとづいて、2015年9月までの過去1年間にEUから英国へ流入した移民の数は、25万7000人だと発表した。ところが、同期間にナショナル・インシュランス・ナンバー（NIナンバー）を取得したEU出身者の数は65万5000人だった。NIは英国で働く人の個人番号で、納税や国民健康保険料の納付の記録を正しく管理するためのものだ。だからこの2つの数字にこれほどの差が出るのは、おかしい。どちらかが間違っているのなら、統計局の数字が間違っている公算が高いように思える。英国の政治家ナイジェル・ファラージは、次のようにまでいった。「統計局はわれわれの目をくらまそうとしている」。NIナンバーはこの国に住む人のほんとうの数を単純にはっきりと反映したものだ。NIナンバーを持っていなければ、合法的に働くことも、国の福祉を受けることもできない[1]」

国際旅客動態調査は、英国全土の空、海、トンネルの主要な玄関口で、1961年から実施されている。毎年、面接者数は70万から80万人にのぼる。英国の全出入国者数と比べたらごくわずかな人数だが、それでもその回答を使って、移民の総数を推定することは可能だ。ただしあくまで推定なので、ある程度の誤差は避けられない。英国統計局は実際、プラスマイナス2万3000人の誤差を計算に入れて、移民の推定数に23万4000人から28万人までの幅を持たせ、その幅の中に真値が含まれる可能性を95%と見積もった。誤差に含まれる人数はかなり多いが、それでもNIナンバーの数との差の説明にはとうていならない。そこで英国統計局で、推定値とNIナンバーの数の差が何によるのかが探られることになった[2]。その結果、短期移民（「1カ月から12カ月の滞在目的で入国する移民」）が主な原因であることがわかった。長期移民は12カ月以上滞在する。短期移民は英国内で働くことができ、NIナンバーを取得できるが、統計局の推定では長期移民の数が用いられていた。統計局はこの分析結果に次のようなコメントをつけた。「両データには根本的な定義の違いがある。NIナンバーの登録者数のデータに対して、単純になんらかの要素を〝足す〟なり〝引く〟なりする修正を施しても、長期移民の定義と折り合うものにはできない。［……］NIナンバーのデータは、長期移民数の推計には不向きである」。これは要するに、特定の作業のために集められた業務データは、ほかの目的で使うには理想的なデータではない場合もあるということだ。定義が適切でないと、得たいデータが得られにくくなる。そのようなときに生じるのが、DDタイプ8「データの定義」のダークデータだ。データは、何を知りたいかしだいで、ダークデータになったりならなかったりする。

犯罪

定義のずれからダークデータが生じる事例は、犯罪統計にも見られる。イングランドとウェールズの犯罪統計は、主に「イングランド及びウェールズ犯罪調査（CSE＆W）」と「警察犯罪記録（PRC）」にもとづいている。両者ではかなり毛色が違う。CSE＆Wは米国の「全米犯罪被害実態調査」に相当するもので、1982年に「英国犯罪調査」の名で始まり、市民に過去1年に経験した犯罪について尋ねている。いっぽうPRCはイングランドとウェールズの警察、英国鉄道警察から集められたデータであり、英国統計局によって分析されている。

情報収集のプロセスが違うこれらのデータには、それぞれに固有のダークデータのリスクがある。CS

E&Wは、市民にどういう犯罪の被害に遭ったかを尋ねる調査なので、当然、殺人や麻薬所持の報告を含むことはありえない。また、老人ホームや学生寮などの共同生活施設の入居者は調査対象から外されているし、営利団体や公共団体に対する犯罪も含まない。したがって、容易に想像がつくとおり、ダークデータが生じる可能性はとても高い。ただし調査範囲をはっきりと定めることで、そのようなリスクは明示されている。

CSE&Wのデータを補うものと考えられているPRCの統計にも、ダークデータはある。PRCには、警察に通報されていない犯罪は含まれていない。例えば、被害者が警察にいってても何もしてくれないだろうと諦めてしまうような場合、記録に残らない。その影響は小さくない。なぜなら、通報される犯罪の割合は、犯罪の種類によって差がかなりあるとはいえ、10件に4件と推定されているからだ。しかも警察の統計数字に表れる犯罪は、「届出義務」ありと分類される犯罪、つまり裁判にかけられる可能性のある犯罪に限られる。加えて、フィードバックループ現象が事情をいっそう複雑にする（DDタイプ11「フィードバックループとつけ入り」）。例えば、麻薬所持の検挙件数は、警察の取り締まりの厳しさに左右されるが、警察の取り締まりの厳しさは、判明している麻薬所持率に左右され、麻薬所持率は過去の麻薬所持の検挙件数で決まるという具合だ。

CSE&WとPRCとで犯罪率が違うのは、犯罪の定義の違いによって説明がつく。例えば、1997年の英国の犯罪件数は、PRCの記録では460万件だったのに対し、CSE&Wでは1650万件と推計された。また、ニュースの解説者や視聴者たちがふしぎがっていること、すなわち、1997年から2003年にかけてPRCでは犯罪件数が増えている（460万件から550万件へ増加）のに、CSE&Wでは逆にそれが減っている（1650万件から1240万件へ減少）ことも、犯罪の定義の違いで説明できる。[3] では、犯罪は増えているのか、減っているのか。メディアがどちらを大きく報じようとするかは想像がつくだろう。

医薬

移民や犯罪のほかにも、定義のせいで、データに含めたい事例がデータに含まれず、ダークデータが生じる分野は数限りなくある。ときにその結果は思いもよらないものになる。例えば、近年、アルツハイマー病が原因で死ぬ人が増えている理由も、データの定義の観点から説明できる。

アルツハイマー病は認知症の代表的な原因疾患だ。進行性の病気で、初期にはふつう物忘れなどの症状が起こり、後期には記憶が混乱したり、ものごとが認識できなくなったり、人格が変化したりする。世界の患者数は５０００万人にのぼる。その数は今も増え続けており、２０３０年までに７５００万人に達すると予測されている。ダークデータの観点からはこの増加は２通りに説明できる。

第１には、１９０１年より前、アルツハイマー病が原因で死んだ人は１人もいなかった。なぜならドイツの精神科医アロイス・アルツハイマーが初めて、のちに彼の名を冠して「アルツハイマー病」と呼ばれるようになる疾患の症例を記述したのが、その年だったからだ。加えて、当初は、アルツハイマー病と診断されるのは、認知症の症状を呈する45歳から65歳までの人に限られていた。20世紀の最後の四半世紀になってようやく、そのような診断の年齢制限が緩和された。病気の定義がそのように拡大されれば、アルツハイマー病と診断される人の数が変化することは目に見えているだろう。それまでは無関係と見なされたデータに光が当てられるようになる。

アルツハイマー病が原因で死ぬ人がなぜ増えたかについて、ダークデータによる第２の説明は、逆説的に見えるかもしれない。それは科学の発展のせいで増加したというものだ。つまり、医療の進歩のおかげで、かつてなら若くして死んでいた人が長く生きられるようになり、その結果、アルツハイマー病などの時間をかけて悪化する病気に罹患しやすくなったのだ。そこからは、寿命が延びることで人は必ず幸せになるのかなど、興味深い問題がいくつも浮かび上がってくる。

２０００年以来、米国で自閉症の診断率が2倍に上昇したことも、おおむねダークデータ（DDタイプ8「データの定義」）で説明できる。[4] 第2章で見たとおり、その理由のひとつは可用性バイアスにあった。つまり症状に対する人々の意識が高まったからだった。しかしもうひとつ別の重要な理由がある。それは自閉症の公式の定義や診断の仕方が変わったことだ。特に、１９８０年刊行の『精神障害の診断と統計マニュアル』（DSM）でも自閉症は取り上げられているが、１９８７年と１９９４年に、その診断の仕方に基準の緩和を旨とする変更が加えられた。基準を緩和するということは、それだけ基準が満たされやすくなるということであり、ひいては基準を満たす人が増えることを意味する。

さらに１９９１年、米教育省が、自閉症の診断を受けた生徒に特殊教育を受ける資格を与えることを決め、２００６年には、米国小児科学会がすべての子どもに対し、定期検診の際に自閉症の検査も受けることを推奨した。データの使い方が変われば、データの集め方に変化が生じてもふしぎではない。そのようなフィードバックループ現象については、第5章であらためて詳しく論じたい。同じことは英国で２００9年2月、認知症の診断率と治療の向上を目的とする認知症国家戦略のもとに始まった認知症の啓蒙運動でも見られた。やはりその運動の結果、認知症と診断される人の割合は増え、２００9年と比べて、２０１0年には推定4％、２０１1年には推定12％上昇した。[5]

経済学

一般に、定義がしだいに変わるにつれ、集められるデータの性質も変わっていく。そうすると過去と現在のデータの比較がむずかしくなるのはもちろん、「いんちき」ではないかという疑念を招くこともある。いちばんわかりやすい例は、失業の定義だろう。失業の定義を変えるだけで、政府の失業対策はたちまち立派な成果を上げているように見える。

経済学なら、インフレ測定の例がある。インフレの定義は、所定の財やサービス(「バスケット」と呼ばれる)の値段を記録することと、それらの値段の平均が時間とともにどう変化するかを観察することにもとづいている。しかしそこにはさまざまな複雑な要素が絡んでくる。すべてDDタイプ8「データの定義」に関わる要素だ。ひとつには、平均値をどう算出すればいいかという問題がある。統計学には算術平均(相加平均)や、幾何平均(相乗平均)や、調和平均など、平均値を計算する方法が複数あるからだ。最近、英国で使用されるインフレ指数が、算術平均にもとづくものから、ほとんどの国で採用されている幾何平均にもとづくものへと変更された。定義が変われば、違う視点からものを見ることになる。したがって、おのずとそれまでとは見える――あるいは見えない――データの側面が変わる。

計算式の変更の影響のほかにも、インフレ指数からはもっと根本的な理由でダークデータが生じる。「バスケット」にどういう財やサービスを含めるか、またそれらの値段をどのように集計するかを決める必要があるからだ。一般に、前に紹介した事例にも示されているとおり、データ収集のプロセスで何かを取捨選択するときには、ダークデータのリスクに気をつけなくてはいけない。ここでは、「バスケット」に何を入れるかがむずかしい問題になりうる。なぜなら社会が変化する中で、インフレ指数はなんらかの形で人々の生活費を反映したものにしなくてはならないからだ。「なんらかの形で」とあえてあいまいないい方にしたのは、指数が違えば、計測されるインフレの側面も違ってくることによる。例えば、ある指数では物価の変動が個人の生活にどう影響するかが計測されるし、別の指数ではもっと大きな経済への影響が計測される。どちらにしても、「バスケット」に適切な商品を入れること、つまり実際に人々が買っている財やサービスを入れることが肝心だ。そのことは２００年前の指数に含まれていたであろうものと、現在、含まれるであろうものを比べれば、はっきりするだろう。２００年前なら、「バスケット」には必ず蠟燭《ろうそく》が入っていただろうが、今、日常的に蠟燭を買っている一般の家庭はめずらしい。それよりも主要な出費といえば、携帯電話や自動車だろう。つまり原理的には「バスケット」に入れられるものはいろいろありうるが、それらがすべてふさわしいものではないということだ。検討に検討を重ねて、値段を調べる商品を決めたとしても、完全に厳密というわけにはいかない。このリストには恣意的な部分がどうしても残ってしまう。

　第２の点に関して、すなわち「バスケット」の商品の値段の調べ方に関しては、調査員が小売り店や市場に足を運んで、商品の値段をひとつひとつチェックするという地道な手法で、調査が行われている。例えば、米国では、労働統計局の調査員が毎月、２万３０００の事業者の店舗などに出向いて、８万品目の財やサービスの値段を調べ、消費者物価指数を算出している。ほかの国々でもこの調べ方は基本的には変わらない。

　おそらく気づかれると思うが、この伝統的な調査手法ではインターネット上の商品の値段は無視されている。今や、ネットサイトでの商品の購入が小売りの売上高に占める割合は英国で約17%[6]、米国でも10%[7]近くにのぼることを考えると、それらの物価指数からは必要なデータがかなりごっそり抜け落ちているように見える（これらの数字は急速に高まり続けているから、どちらも「執筆時点」のものだといい添えておかなくてはいけないだろう)。そのため多くの国では、ウェブから情報を抽出する技術「ウェブスクレイピング」を土台にした、ネット価格の収集手法の開発も進められている。とはいえ、従来の手法とは「バスケット」の中身が違うので、それに取って代わろうとするものではない。具体的な事例については、第10章で紹介したい。

社会はたえず変わり続けている。おそらくこれほどまでの変化は過去のいかなる時代にもなかっただろう。それにはコンピュータとその関連技術(監視や、データマイニングや、人工知能や、自動取引や、ウェブなど)が大きく関わっている。ダークデータの観点からデータ分析を行ううえで、このような変化の激しさは重大な意味を持つ。なぜなら将来の予測は過去の出来事にもとづかざるをえないからだ。将来を予測するため、時間的な変化を計測したデータは、「時系列データ」と呼ばれる。データの収集手法やテクノロジーがどんどん変わったら、遠い過去まで時系列を遡れなくなる。新しいタイプのデータには、短い歴史しかない。そうすると近い過去のデータしか手に入らず、それ以上前のことはダークデータと化してしまう。

すべてを計測することは不可能

どんなデータセットも有限だ。数に限りがあるのはいうまでもない。計測する人数とか、回数とかに限度があることははっきりしているだろう。しかし知りたいことに関して、「何」を計測するか、「何のデータ」を集めるかという点でも、やはり限りはある。人間について研究する場合、年齢や、体重や、身長や、技能や、好きな食べ物や、収入をはじめ、数多くの特徴を調べるかもしれない。しかしどれだけ多くの特徴を調べても、調べていない特徴がつねに無数に残される。それらの調べられていない特徴は、必然的にダークデータとなる。

因果関係

ある集団についての調査で、肺がんと喫煙とのあいだに相関関係があることが示唆されても、それは必ずしも喫煙が肺がんの原因であることを意味しないと、著名な統計学者ロナルド・フィッシャーがかつて指摘した。そこには肺がんと喫煙を好む傾向の両方の原因になっていることが何かあるのかもしれない。例えば、それらの両方を引き起こす遺伝的な要因があることも考えられる。これはDDタイプ5「重要なことを見落とす」の古典的な例だ。まだ計測されていないなんらかの要素が両方の原因になっていて、そのせいで両者のあいだに因果関係がないのに相関関係が生まれることがある。これはダークデータに気づくことのむずかしさも示している。

本書の冒頭で紹介したのも、そのような事例だった。低学年の児童には身長と語彙のあいだに相関関係が見られるという話だ。だから、5～10歳の子どもを対象に標本調査を実施して、身長を測り、語彙を調べるテストを行えば、身長の高い子ほど語彙が多いという結果が得られるだろう。そこから、子どもの語彙を増やせば、身長が伸びるという結論が導き出されるかもしれない。実際、初めに子どもたちの身長を測っておいて、新しい言葉を集中的に覚える授業を受けさせ、1年後、ふたたび身長を測れば、きっとその子どもたちの身長は伸びているだろう。

しかしもうみなさんもお気づきだろう。子どもたちの身長と語彙にそのような相関関係が見られるのは確かでも、それは因果関係によるのではない。そこには第3の要素が関わっている。それはその調査では計測しようと考えられなかったこと、つまり子どもたちの年齢だ。この調査では年齢がダークデータだった。年齢を計測しなかったせいで、集められたデータから大きく誤った印象を受けることになった。

この状況は、一部の人（または、もの）のある属性の値が調査記録の中にないとか、一部の人（または、もの）のすべての属性の値が調査記録の中にないとかいう状況とは違う。そうではなく、ここでは、調査記録にあるすべての事例で、ある特定の属性の値が欠けているのだ。そのような要素の記入欄は、空欄にされるか、または「ＮＡ」と記されることになる。もちろんその要素に注意が払われていなければ、そもそもそういう記入欄もないわけだが。上述の調査の例で、「年齢」という要素が抜け落ち、年齢のデータがいっさいなかったのは、単に年齢に関する質問項目を設けるのを忘れたせいだったかもしれない。あるいは、初めから年齢は関係ないと判断し、質問項目に入れなかったのかもしれない。調査ではこういうことはめずらしくない。質問項目を多くしすぎると、回答率が下がりやすくなるからだ。質問項目を絞り込むときには、細心の注意を払う必要がある。

パラドクス！

データからある変数や属性がごっそり欠けているＤＤタイプ５「重要なことを見落とす」のダークデータからは、ふしぎな現象が生じることがある。

「不沈客船」といわれたタイタニック号の悲劇のことは、知らない人がいないほどよく知られている。しかし乗客と乗員の生存率のデータを検証すると、目を引く事実が明らかになる。(8) 表２（ａ）に示されているように、乗員の生存者は、全９０８人中、わずか２１２人で、生存率は23・３％だった。三等船室の乗客――つまり船のいちばん深い部分にいて、いちばん脱出が困難だった人たち――の生存者も、全６２７

人中、わずか１５１人で、生存率は24・１%だった。両グループの生存率に大きな差はないが、三等船室の乗客のほうが乗員よりいくらか生存率が高かったことがわかる。

しかし、表２（b）の男女別の生存率を見てみよう。

まずは男性から見ると、乗員の生存者は全８８５人中、１９２人で、生存率は21・７%。三等船室の乗客の生存者は全４６２人中、75人で、生存率は16・２%。したがって男性だけで比べると、乗員のほうが三等船室の乗客より生存率が高かった。

次に女性を見ると、乗員の生存者は全23人中、20人で、生存率は87%。三等船室の乗客の生存者は全１６５人中、76人で、生存率は46・１%。したがって女性だけを比べると、やはり乗員のほうが三等船室の乗客より生存率が高い。

これはどういうことなのだろうか。男女別に比べると、男女どちらでも乗員のほうが生存率が高いのに、全体では乗客のほうが生存率が高い……。

これは手品ではない。数字には種も仕掛けもない。しかし、矛盾しているように見えるのは間違いない。実際、この現象はしばしば「シンプソンのパラドクス」と呼ばれる（エドワード・Ｈ・シンプソンという学者が１９５１年の論文でこの現象を発表したことからそう名づけられたが、現象自体は少なくともその50年以上前から指摘されていた）。

これが示唆することは重大だ。もし乗員乗客の性別が記録されていなかったら――それらのデータが欠けていたら――三等船室の乗客のほうが乗員より生き残る確率が高いという分析結果が、なんの疑いもなく報告されていただろう。しかしもし男性に関心がある場合、そのような分析結果は誤解を招く。結果がまったく正反対なのだから。同じように女性に関心がある場合でも、誤解を招くだろう。これはつまり、

表2　タイタニック号沈没事故での乗員と三等船室の乗客の生存率
(a) 全体　(b) 男女別

(a)

乗員	三等船室の乗客
212/908＝**23.3%**	151/627＝**24.1%**

(b)

	乗員	三等船室の乗客
男性	192/885＝**21.7%**	75/462＝**16.2%**
女性	20/23＝**87.0%**	76/165＝**46.1%**

い。個人に関心がある場合には、この結論は誤解を招くということだ。乗員乗客は必ず男女のどちらかなのだから。

こういうことがなぜ起こるのかはのちほど掘り下げるが、ひとつはっきりしているのは、それによってもたらされる結果は驚くべきものであるということだ。タイタニック号に乗っていた人たちの無数の属性は記録されていない。もしそれらの属性の中に結論をひっくり返すようなものが含まれていたら、それを除外し、「欠測値」にすることは、データから誤った結論が引き出されることにつながる。タイタニック号の事例の場合、単に歴史的なデータを論じるだけなので、それでも問題にならないかもしれないが、次のような事例はどうだろうか。

前章で取り上げたような臨床試験を実施するとしよう。薬Aと薬Bの効果を比べる試験だ。それらの薬の効果を比べるため、あるグループに薬Aを与え、別のグループに薬Bを与える。どちらのグループにも、さまざまな年齢の被験者が含まれる。便宜上、年齢が40歳未満の人を「若年」、以上の人を「中高年」と呼ぶことにする。具体的な数字で考えるため、薬Aを与えられたグループは若年10人、中高年90人からなり、薬Bを与えられたグループは若年90人、中高年10人からなるとする。

では結果を見てみよう。スコアの数字が大きいほど、薬の効果が高いことを意味する。表3がその結果の一覧だ。

表3（a）に示したように、薬Aを服用したグループの若年のスコアの平均は8、薬Bを服用したグループの若年のスコアの平均は6とする。これは若年では、薬Aのほうが効果が高いことを意味している。

同様に、表3（a）に示したとおり、薬Aを服用したグループの中高年のスコアの平均は4、薬Bを服用したグループの中高年のスコアの平均は2とする。中高年では、薬Aのほうが効果が高いという結果だ。

どちらの薬でも、中高年の平均スコアのほうが若年の平均スコアよりも低いが、中高年、若年、どちらの場合でも、薬Aのほうが薬Bより効果が高いことははっきりしている。この結果からは、薬Aが処方薬として推奨されることになるだろう。

しかし全体ではどうか。薬Aを服用したグループの平均スコアは、（8×10＋4×90）÷100で、4・4、B薬を服用したグループの平均スコアは、（6×90＋2×10）÷100で、5・6になる。その結果を示したのが表3（b）だ。したがって年齢を勘定に入れない全体の結果では、薬Bのスコアが薬Aのスコアを上回る。

これはつまり、患者の年齢が記録されていなかったら（いい換えると、それらのデータが欠けていたら）、薬Bのほうがいいという結論が導き出されてしまうことを意味する。若年と中高年の結果を別々に見れば、どちらでも薬Aのほうが効果が高いという結果が出ている、つまり、すべての人にとって、薬Aのほうがいいという結果が出ているのにだ。

ならば、データを収集する際は年齢も記録したほうがいいという対策が、真っ先に思い浮かぶだろう。それはそれで間違っていないが、記録できる変数はほかにも無限にあり、それらの中にもこれと同じような逆転現象を生み出すものがあるかもしれない。それらの変数をすべて記録することはもちろん不可能なので、なんらかのダークデータが残ってしまうことは避けられない。

このふしぎな現象の謎を解く鍵は、全体の平均値の算出のされ方にある。薬の臨床試験の例でいうと、グループAには中高年が若年よりかなり多く含まれ、グループBには逆に若者が中高年よりかなり多く含まれている。これが全体の平均値を引き下げることになる。8は6より大きく、4は2より大きいが、8と4の平均値を計算するとき、4の側の人数が一定以上多く、6と2の平均値を計算するとき、6の側の人数が一定以上多ければ、全体の結果は逆転する。

これで問題の真の原因がどこにあるかが見えてきただろう。すなわち両グループの若年の割合の違いが原因だったのだ。薬Aを服用したグループの若年の割合は1割、薬Bを服用したグループの若年の割合は9割だった。この割合が両グループで同じだったら、問題は起こらない。薬の臨床試験は実験なので、それぞれの薬の服用者の人数をコントロールできる。したがって、あらかじめ両グループの若年の割合を均等にしていれば、このような問題の発生は防げただろう。

この手法が可能になるのは、誰がどのグループに入るかをコントロールできる場合だ。しかしタイタニック号の事例では、そのようなコントロールはできなかった。乗客は初めから乗客であり、乗員は初めから乗員だった。

表3　薬Aと薬Bの平均スコア
(a) 若年と中高年とで分けた場合
(b) 全体

(a)

	平均スコア	
	薬A	薬B
若年	8	6
中高年	4	2

(b)

平均スコア	
薬A	薬B
4.4	5.6

誰がどのグループに入るかをコントロールできない事例をもうひとつ見てみよう。

人種と死刑判決の関係を調べた1991年のある研究によると、フロリダで、殺人罪で有罪となった白人と黒人が死刑判決を下された割合は、白人が483人中53人、黒人が191人中15人だった。(9) つまり表4(a)に示したとおり、白人(11・0%)のほうが黒人(7・9%)より割合が高かった。

しかし被害者の人種も加味すると、結果は変わり、ふたたびふしぎな現象が浮かび上がってくる。

表4(b)に示したとおり、被害者が白人の場合、白人の被告は467人中53人(11・3%)が死刑判決を受け、黒人の被告は48人中11人(22・9%)が死刑判決を受けている。いっぽう被害者が黒人の場合、白人の被告で死刑判決を受けた者は16人中0人(0%)、黒人の被告で死刑判決を受けた者は143人中4人(2・8%)だった。したがって、被害者が白人の場合、黒人の被告のほうが白人の被告より死刑判決を受ける割合が高く(22・9%対11・3%)、被害者が黒人の場合も、黒人の被告のほうが白人の被告より死刑判決を受ける割合が高い(2・8%対0%)。ところが全体では、黒人の被告のほうが白人の被告より死刑判決を受ける割合が低くなる(7・9%対11・0%)。

これも前の例と同じで、原因は両グループの被害者の割合の違いにある。白人の被告全体の死刑判決の割合(11・0%)は、白人の被害者467人と黒人の被害者16人の殺害に対する判決の平均であるのに対し、黒人の被告全体の死刑判決の割合(7・9%)は、白人の被害者48人と黒人の被害者143人の殺害に対する判決の平均だ。つまり両グループにおける被害者の白人と黒人の割合は、おのおの467対16と48対143であり、反対になっていることがわかる。この歪みが、全体の平均値を逆さにしたのだ。

ここでも、当然、次のような疑問が湧くだろう。「データ分析から違う結果が出ることはわかったし、それがどういう理由によるのかもよくわかった。でも、どっちも正しいように思える。ほんとうに正しい

表4　死刑判決を受ける割合　(a) 全体　(b) 被害者の人種別

(a)

被告	
白人	黒人
53/483＝**11.0%**	15/191＝**7.9%**

(b)

		被告	
		白人	黒人
被害者	白人	53/467＝**11.3%**	11/48＝**22.9%**
	黒人	0/16＝**0.0%**	4/143＝**2.8%**

のは、どっちなのか？」

その答えは、問いによる。特に大事なのは、集団全体について問いたいのか、それともグループの比較をしたいのか。前者であれば、そのような変数の不協和は無視してかまわない。後者だったら、必ず考慮しなくてはいけない。

注意してほしいのは、薬の臨床試験の例は、ほかの2つの例とは少し違うことだ。臨床試験の例では、両グループの若年と中高年の数字はあらかじめ決まったものではなく、固定されたものではない。実験者によって選ばれた数字だ。対照的に、タイタニック号と死刑判決の例では、数字は対象集団のとおりのもの――タイタニック号に乗っていた人の数と死刑判決を受けた人の数――だった。したがってそれら2つの例では、集団全体について論じることに意味があるが、臨床試験の例では、実験者が若年と中高年の割合を決めており、その割合は変わりうるものなので、たいがいは集団全体について論じるのは妥当ではない（ただし、若年と中高年の割合があらかじめ定まっている既存の集団全体を対象にして、薬の効果が調べられる場合もあるだろう）。

以上をまとめるなら、第1に、何を問おうとしているかを明確にすることが肝心ということ、そして第2に、データがダークデータになるかどうかはその問いしだいであるということだ。どういうデータを集める必要があるか、そのデータにどういう分析が加えられるか、そこからどういう答えが得られるかは、ひとえに何を知りたいかにかかっている。

グループ間かグループ内か

シンプソンのパラドクスに似た問題はほかの場面でも生じる。例えば、「生態学的誤謬」と呼ばれる現象がある。全体に見られる相関関係と、個々のグループ内に見られる相関関係とが一致しない現象だ。[10] 1950年に社会学者W・S・ロビンソンが報告した事例がその古典的な事例としてよく知られている。1930年の米国48州の調査で、外国生まれの人の割合と、読み書きができる人の割合との相関係数は0・53だった。これは外国生まれの人の割合が高い州ほど、識字率が高い（米国英語の読み書きができる人が多い）ことを意味している。この数字からは一見、外国生まれの人のほうが読み書きができる人が多いといえそうだ。ところが、各州に目を転じると、様相は違ってくる。州単位の相関係数の平均はマイナス0・11だったのだ。マイナスの値は、外国生まれの人のほうが読み書きのできる人が少ないことを意味する。もしこのような州内の情報がなかったら――州内の情報がダークデータになっていたら――出生地と読み書きの能力の相関関係について誤った結論が引き出されていただろう。

これに関連する現象として、もっと高度な統計手法で生じる「欠落変数バイアス」と呼ばれる現象も知られている。複数の予測変数と応答変数を結びつける「重回帰分析」という統計手法で生じる現象だ。これが当てはまらない特殊なケースもあるが、ふつう、予測変数をひとつでも除外すると、ほかの予測変数と応答変数の関係は変化する。前に別の事例で見たように、ありうる予測変数をすべて含めることは不可能なので、なんらかの予測変数が除外されてしまうことは避けられない。そのようなダークデータがあるということは、誤った結論が導き出されるリスクがあるということだ。もちろん統計学者たちはそういうリスクを自覚しており、それを和らげるための手法を開発している。

スクリーニング

統計学の仕事に携わり始めた頃、骨粗鬆症《こつそしょうしょう》になりやすい女性を割り出すプロジェクトに参加したことがあった。骨粗鬆症とは、骨量が減って、骨が弱くなり、骨折しやすくなる病気だ。高齢者の転倒が危険な理由も、骨粗鬆症によって骨がもろくなることにある。骨密度は二重エネルギーX線吸収測定法（DXA法）など、高度な方法で測定できるが、そのような測定は手軽にはできず、費用もかかる。したがって、あらかじめ骨粗鬆症になりすい人を絞り込むスクリーニングの手続きがあるのが望ましい。わたしが関わったプロジェクトの目的は、既知のリスク因子にもとづいて、骨粗鬆症になる可能性がどれぐらいあるかを判定できる問診票を開発することだった。それは鉛筆やペンだけで記入できるものであり、医療機器を操作する専門家を必要としなかった。

ほかのスクリーニングの手法同様、わたしたちの問診票は骨粗鬆症になりやすい人とそうでない人を完璧に区別できるものではなかった。しかし、不完全ではあっても、ある程度分類でき、最もリスクが高い人と最もリスクが低い人とを見きわめられるだけでも、価値はじゅうぶん高かった。最も骨粗鬆症になりやすい人に医療活動の重点を置けて、そういう人に優先的にもっと本式の高価な検査を実施できるからだ。

とはいえ、このような不完全なシステムには、2種類の誤りの危険がつきまとう。ひとつは、疾患がある人を見落としてしまうという誤り。疾患があっても、標準的なリスク因子がなければ、スクリーニングをすり抜けてしまう。もうひとつは逆に、疾患がないのに疾患がある可能性が高いと判定してしまう誤り。当然、これらの2種類の誤りの発生率が低いほど、スクリーニングの方法が優れているといえる。1種類めの誤りの発生率をゼロにするいちばん単純な方法は、全員を疾患ありと判定することだが、それではスクリーニングの意味がなくなる。のみならず、2種類めの誤りの発生率を高めてしまう。疾患がない人も全員、疾患ありと判定してしまうのだから。同様に、2種類めの誤りの発生率も、全員を疾患なしと判定することでゼロにできるが、やはりそれではスクリーニングの意味がない。完璧なスクリーニングの方法がないとすれば、どこかで妥協点を見つけなくてはいけない。いい換えるなら、一部に判定の誤りが出ることを認めなくてはいけないということだ。

スクリーニングで疾患がある可能性が高いと判定された人は、さらに詳しい検査を受ける。骨粗鬆症の例なら、おそらくDXA法の検査を受けることになるだろう。それらの中には、実際には疾患のない人も含まれるだろう。したがって、検査を通じて、そのような人には気づくことができる。しかしほかの人たち、つまりスクリーニングで疾患なしと判定された人たちは、詳しい検査を受けない。それらの人たちについては、判定が間違っていたかどうかを確かめることができない。あるいは少なくとも病気が進行して、症状が出るまで確かめられない。そういうケースはきっとそんなに多くはないはずだが（スクリーニングの方法が妥当なものである限りは）、その人たちにほんとうに疾患がないかどうかは、ダークデータになってしまう。

疾患があるのに健康だと判定することは、深刻な結果を招きかねない。死ぬこともある病気で、早期であれば簡単に治療できるような場合は特にそうだ。しかし疾患がないのに疾患があると判定していた場合でも、やはり人を不幸にすることがある。例えば、エイズやがんのような重い病気にかかっている可能性があると判定されれば、たとえのちにそれが間違いだったとわかったとしても、精神的には明らかに大きなダメージを負う。また、骨粗鬆症のＤＸＡ法のような精密検査を実施することで、不必要なコストも発生する。わたしたちがいかに確率や統計を誤解しているかを研究しているゲルト・ギーゲレンツァーは、乳がんのスクリーニングの事例を報告している。[11] その報告によれば、乳がんのスクリーニングを受ける女性１０００人におよそ１００人は、再検査が必要と誤って判定され、苦しい侵襲的な検査を受けさせられているという。また、乳がんが検査で見つかった場合ですら、検査を受けなかった場合より、むしろ悪い結果になることがある。ギーゲレンツァーは次のように述べている。「乳がんがあっても、非進行性だったり、進行が遅かったりすれば、がんに気づかずに天寿をまっとうできたであろう女性が、乳房部分切除術とか、乳房切除術とか、化学療法とか、しばしば本人のためにならない治療を受けることになる」。場合によっては、ダークデータがかえって幸いすることもあるようだ。

スクリーニングの効果を正しく評価するのはむずかしい。時間の経過とともに病状が進行することがあるからだ。例えば、前に述べたように、アルツハイマー病が増えたことの少なくとも一因は、人々が長生きするようになったことにある。したがって、アルツハイマー病の診断はもはや「もし長く生きて、罹患したとき、どういう症状が出るか」という見えないダークデータではなく、「実際にどういう症状が出ているか」という目に見えるデータになってきている。

スクリーニングにはまた、「レングス・バイアス」と呼ばれるダークデータも関わってくる。以下に架空の例で説明しよう。

罹患期間が1日の疾患と1年の疾患の2種類があるとしよう。どちらの疾患でも罹患者はその間、ふつうの生活を送れるが、罹患期間の最後には死亡する。話をわかりやすくするため、毎日、1人ずつ、それらの疾患の罹患者が増えるとしよう（あくまでこれは架空の事例だ）。それぞれの罹患者数を知りたい場合、その単純な（間違っている！）方法は、ある1日を選んで、その日のそれぞれの罹患者数を調べるという方法だ。そうすると、短期疾患の罹患者は、1人という結果が出るだろう。その日に罹患した人だ。いっぽう、長期疾患の罹患者は365人いるだろう。こちらはその日までの1年間に罹患した人全員だ。これは表面的には、長期疾患の罹患者は短期疾患の罹患者より365倍多いことを示しているように見える。その結果、同じ1年のあいだに短期疾患に罹患した人がほかに364人いたことが見落とされることになる。

これはあまりに人工的で不自然な例のように思えるかもしれない。しかし、がんのスクリーニングではまさにこういうことが起こりうる。進行の遅いがんの場合、一般的な傾向として、症状が出るまでに長い時間がかかり、症状が出たあとも長く生きられる。上述の例のような調査を行えば、進行の速いがんの患者よりも進行の遅いがんの患者の数のほうが多く報告される。そのような報告はそれらの2種類のがんの罹患率について誤った印象を生み出すことになる。

スクリーニングは人を適切な区分に振り分けようとすること（罹患している人としていない人というように）だと見なせるが、それと同じような抽象的な分類はほかのさまざまな場面でも行われている。前に紹介したクレジットスコアの事例では、ローンの返済が滞りそうかどうかで人を分類することがめざされた。企業による採用選考もやはりそうだ。多数の応募があった場合、応募者はまず履歴書や応募書類にもとづいてふるいにかけられる。書類選考を通過すると、次に面接に呼ばれる。最初の書類選考には、スクリーニングと同じ意味がある。面接まで進んだが、採用に至らなかった人は、スクリーニングにおける偽陽性に相当する。書類ではふさわしい人物に見えたが、詳しい選考の結果、それほどふさわしい人物ではないことがわかった人だ。しかし、書類選考で落とされたおおぜいの応募者の中にも、じつは最適の人材だったという人はいるだろう。それは医療の言葉でいえば、偽陰性であり、本書の言葉でいえば、ダークデータだ。

過去の成績にもとづいた選別

わたしたちは宅配を頼むときには、過去に最も早く荷物を届けてくれた宅配業者を選び、自動車を買うときには、それまでの安全記録でモデルを選び、レストランを決めるときには、以前に行っておいしかった店を選ぼうとする。過去の成績から未来の成績を予測するのは、合理的ではある。実際、そのほかに頼れる情報がないことも多い。しかし過去の実績は未来を占ううえで、当てにならないこともある。そのことが明らかなのは、状況が変化している場合だ。景気が悪くなるとか、自動車の新モデルが発売されるとか、レストランが新しいオーナーの手に渡るとかの場合のように。しかし変化がいっさいなくても、成績は低下しうる。それどころか、成績の低下をむしろ予期しなくてはならないこともある。

このふしぎな現象――いっさい変化がないと、よかった成績は悪くなり、悪かった成績はよくなる――は、「平均への回帰」と呼ばれる。DDタイプ3「一部の例だけを選ぶ」のダークデータが関わっている現象だ。いったんこの現象を意識し始めると、いたるところでその例を見出すことができる。ではそれがどういうものか、以下に農作物の例で見ていこう。

英国の農地12カ所における1970年と73年の小麦の収穫量の記録がある。(12) 表5は、両年のあいだに収穫量が増えたか減ったかを示したものだ。そこに示されているとおり、70年に収穫量が少なかった農地6カ所のうち5カ所で、73年に収穫量が増えた。逆に、70年に収穫量が多かった農地6カ所のうち同じく5カ所では、73年に収穫量が減った。傾向は明白であり、なおかつ目を引く。これはつまり、もし70年に収穫量が多かった農地ばかりを選んで、73年にも同じような収穫が得られると期待していたら、失望させられていたことを意味する。

なぜこのような傾向が生まれるのだろうか。例えば、ここにまったく同じ能力を持ち、同じように勤勉な学生の集団があると仮定しよう。たとえ頭のよさがみんな同じでも、テストでは毎回、たまたま前の晩によく眠れたとか、テストの最中に気が散ってしまったとか、テスト問題の予想が外れたとか、なんらかのそういうめぐり合わせにより、点数に差が出るだろう。それでもわたしたちはテストの成績にもとづいて、学生たちに順位をつけ、1位の学生を最も優秀な学生と見なす。

しかし次のテストではどうなるだろうか。

学生たちの能力は全員同じだと仮定されているので、1回めのテストでトップだった学生がトップの点数を取れたのは、たまたまめぐり合わせがよかったことによる。そのめぐり合わせのよさは、おそらく次のテストではそう都合よくは繰り返されないだろう。同じように、1回めのテストで運に恵まれなかったほかの学生たちについても、その運に恵まれなかったことがふたたび繰り返されることは、おそらくないだろう。これはつまり、最もいい成績を収めた学生は次のテストでは成績が下がりやすく、逆に最も成績が悪かった学生は次のテストでは成績が上がりやすいことを意味している。

ここでの問題は、初回のテストの結果――過去のデータ――に示されているのが、本人の能力と運とが

表5　英国の農地12カ所における小麦の収穫量の増減

		1970年の収穫量	
		少ない	多い
1973年の収穫量	増	5	1
	減	1	5

合わさったものであるということだ。偶然の要素のせいで真の実力が隠されてしまう。

もちろん現実には、能力や勤勉さに差がない学生の集団はなかなかない。学生の能力にはたいていばらつきがある。しかしその場合でも、初回のテストでずば抜けて点数がよかった学生は、2回めのテストでは点数が落ちやすい。なぜなら1回めの点数のよさの少なくともいくぶんかは、運による可能性が高いからだ。だから、単純にテストの成績がいちばんいい学生を選んだら、企業でも、大学院でも、その学生はおそらくその成績から期待されるほどの活躍はしないだろう。

この事例からわたしたちはどんな教訓を得ればいいのだろうか。過去に最もいい成績を収めた者は避けるべきだということだろうか。その答えは一般的にいえば、「否」だ。そのような者たちは、単に過去と比べたら成績が下がるというだけで、未来においてもやはりいい成績を収めるだろう。一般に、成績がどれぐらい下がるか（あるいは成績が悪かった者であれば、成績がどれぐらい上がるか）は、実力よりも偶然に左右される要素がどれぐらいあるかで決まる。偶然から生じる不確実性の範囲が能力の範囲よりも広ければ、平均への回帰の効果は強まるだろう。注意するべきは、この不確実性は目に見えないということだ。わたしたちの目には、不確実性と能力が合わさったものしか見えない。したがって、不確実性と真の実力はどちらもダークデータになる。

「平均への回帰」という用語の生みの親は、19世紀英国の博識な学者フランシス・ゴルトンだ。ゴルトンが着目したのは、親が背が高いと、その子どもは平均より背が高くなるが、親ほどは背が高くならず、逆に、親の背が低いと、その子どもは平均より背が低くなるが、親ほどは背が低くならないという現象だった。

本章では、何を知りたいのかが自分ではっきりわかっていないと、思いもよらぬダークデータに欺かれ、誤った結論を導き出してしまう事例を見た。次章では、何を知りたいのかが自分でよくわかっていても、データにだまされうることを見ていきたい。

第4章　意図せぬダークデータ――言うは易く行うは難《かた》し

大まかな把握

計測の正確さにはおのずと限界がある。ある家族の子どもの数だとか、洋上にある船舶の数だとかは整数で数えられるが、長さのようなものの計測では、どこかで端数を切り上げるなどして、数値を丸めなくてはならない。いちばん近いセンチなり、ミリなり、ミクロンなり、あるいはミクロンの10分の1なりの値に丸める端数処理はできるが、無限に小数を連ねるわけにはいかない。これはいい換えると、わたしたちは一定程度までしか細かいことは決められず、そこから先は大まかな把握でやっていかなくてはいけないということだ。したがって、細部にダークデータがあることはどうしても避けられない。

この端数処理は、70・3とか、0・04とか、41・325とか、あるいは76・2±0・2とかの数字が並んでいるどんなデータ表にも見られるものだ。±0・2とは、その範囲の中に真値が含まれることを意味している。この「±」という記号は、まさにそこにダークデータがあることを示すものだといえる。

わたしたちは必要な処理として、日常的にこの端数処理を行っているので、それによってデータが隠されることに気づかないことが多い。例えば、人の年齢はたいてい「何歳」というように年単位の近似値で記録されるが、その人が生きてきた実際の長さには、単なる年だけではなく、日数や、時間や、分なども含まれる。加えて、命が宿された瞬間は具体的には特定できず、誕生には一定の時間的な幅があることから、年齢の記述はそこまで行くと不正確にならざるをえない。慣例で、人の年齢を記入するときには、年単位の低いほうの近似値が使われるが、そうするとそれは実際にその人が生きた長さよりは短いものになる。

　年齢は5年単位などで丸められたり、25歳と65歳を境にして、若年層、中年層、高齢層に分類されたりもする。このような分類はそれぞれの目的のもとではいたって有用だが、情報が失われることは明らかだ。つまり各年齢層内で何が起こっているかが隠されてしまう。そこにどういう問題があるかは、その分類を極端にし、35歳以上と未満の2つだけにしてみれば、はっきりする。そのようにまとめられたデータからは、高齢層に若年層とは違う特徴があるかどうかは見えてくる。例えば、高齢層のほうが若年層より平均収入が多いかどうかや、結婚率が高いかどうかはわかる。しかしもっと微妙な関係を読み取ることはできなくなる。例えば、平均収入が若年から中年にかけては年齢とともに上昇し、やがてピークに達したあと、年齢とともに下降するというようなことはわからない。データが「大雑把」になり、ダークデータ化することで、見えたはずものが見えなくなり、そういう発見の可能性が失われてしまう。

　データが人間から直接収集されるときにはとりわけ、端数処理で生じるダークデータのせいで、気づかないうちにデータが著しく損なわれやすい。それが誤った判断や行動につながることもある。シモン・ドゥ・リュジニャンたちのグループが8万5000人の血圧データを調べている[1]。血圧の一の位の値が特定の数になりやすい合理的な理由はない。つまり、血圧の一の位が0である確率は10%、1である確率は10%、2である確率は10%というように、どの数になる確率もすべて等しく10%であるはずだ。ところがリュジニャンたちが調べたところ、最高血圧（心臓が収縮したときの血圧）のデータの64％、最低血圧（心臓が拡張したときの血圧）のデータの59％で、一の位の値が0であることがわかった。それだけではない。0以外の数字では、偶数のほうが奇数より多く、奇数では5がいちばん多かった。実際の血圧の値にこんな偏りが自然に生まれるはずがない。これらの値は、切りのいい数字に丸めようとする人間の傾向によってもたらされた結果だった。

これのどこが問題なのか。英国の高血圧治療ガイドラインには、薬物治療が推奨される血圧の値が定められている(2)。その基準値のひとつは、最高血圧１４０という値だ。しかし端数処理で一の位が０にされやすい（例えば、１３７が１４０に切り上げられるなど）ということは、この血圧データの患者には、実際の最高血圧の値が１４０より低い人がかなりおおぜい含まれることを意味している。

この例で端数処理がなされたのは、明らかに計測器具の特性のせいだ。定規のように目盛りが刻まれたアナログの器具で計測すると、どうしても値を切りのいい数字に丸めようとしてしまう。もしデジタル表示の器具が使われていたら、おそらく小数点以下まで値が記録されていただろう。このことからひとついえるのは、新しい計測器具で計測の自動化と正確なデジタル表示化が進んでいることは、ダークデータの観点からもとても望ましいということだ。

この例は、どういうときにこのような現象の発生に気をつけるべきかを教えてくれる。とりわけ危ないのは、定規や分度器や目盛盤といったアナログの計測器で表示された値を人間が読み取るときだ。しかし、数を数えるときにもこれは起こりうる。ジョン・ロバーツ・ジュニアとデボン・ブルーワーが麻薬常習者に、過去6カ月に何人の麻薬仲間に麻薬を分け与えたかを尋ねた調査がある(3)。それによると9人と答えた者はわずか2人、11人と答えた者もわずか4人だったのに対し、10人と答えた者は39人いたという。同じように、21人が20人と答えるいっぽう、19人や21人と答えた者はひとりもいなかった。これらの数字はどれも怪しい。親しくつき合う麻薬仲間の数もおのずと切りのいい数になりやすいということもないだろうし、この調査のときに偶然そういう数になったということも同じぐらい可能性は低い。それよりもはるかにありえるのは、回答者が大まかな数字を答えたということ、つまり、切りのいい数字に丸めたということだろう。

この現象をここでは「端数処理」や「丸める」と呼んでいるが、人間がデータの収集プロセスに関わることで起こるこの現象は、ヒーピングとか、パイリングとか、ピーキングとか、離散化とか、数字選好とか、別の名のもとでも起こっている。

これは観察されうる値にあらかじめ上限と下限を設けるときにも生じる。例えば、年収の調査では、最上位の分類を「10万ドル以上」とすることで、質問に答えやすくし、調査そのものへの参加を拒まれないようにしていることがある。この手法は「トップコーディング」と呼ばれる。それと対になる「ボトムコーディング」では、逆に低い値が切り捨てられる。

このような値の切り捨てがあることを無視すれば、深刻な間違いを犯すことになりかねない。「10万ドル以上」とは、数千万ドルとか、「10万ドル」よりもはるかに大きな数字を含みうる分類であることを考慮せず、単純に平均年収を算出すれば、大きな誤りにつながりうることは明らかだろう。加えて、このように最大値を切り捨て、ひとまとめにしてしまうことは、データのばらつきを実際より低く見積もることにもなる。

要約

たくさんの数字がずらりと並んだデータをただじっと睨《にら》んでいるだけでは、ふつうはなかなかそこから洞察を得られない。データから何かを発見しようとしたら、まずデータをまとめる必要がある。より正確にいうなら、データを要約したり、集計したりして、人間の頭で理解しやすい形に整える、データの「分析」を行わなくてはいけないということだ。例えば、一般的なところでは平均値や値の範囲の算出という方法があるし、もっと高度な統計学の要約では、相関係数とか、回帰係数とか、因子負荷量とか呼ばれる分析方法がある。しかし、要約には、当然、細部の犠牲が伴う。そこにダークデータが生まれる（DDタイプ9「データの要約」）。

わたしがみなさんに20歳以上の米国人男性の平均体重は88・8キロであると教えれば、それはきっと何かの役には立つだろう。(4) 例えば、19歳以下の平均体重と比較し、増減が見られるかどうかを確かめられる。あるいは、自分の体重をそれと比べることもできる。しかし、ある体重以上の男性が何人いるかはわからない。その平均値が、少数の極端に体重の重い人と、多数の平均以下の体重の人とのバランスのうえに成り立っているのか、あるいは平均体重をやや上回る人がおおぜいいるのかはわからない。平均体重とぴったり同じ体重の人が何人いるかもわからない。そういう類の問いにいっさい答えられないのは、単に平均値を示すだけでは、個々の値は隠され、ダークデータと化すからだ。

ここからはさまざまな教訓が引き出せる。第1に、要約されたひとつの統計情報には、あるいはいくつかの異なる方法でデータをまとめた数種類の統計情報にも（平均値のほかに、分布の広がり具合と、分布の偏り具合の情報が加わっているなど）、データのすべては示されていないということ。要約によって重要な情報が隠されてしまうことがあることには、じゅうぶん注意しなくてはならない。

第2に、どういう統計情報が自分の問いに答えるのに適しているかを慎重に見きわめる必要があるということ。社員が10人の小さな会社で、年収1万ドルの社員が9人、年収1000万ドルの社員が1人いると、全社員の平均年収（「算術平均」）は100万ドル以上になる。これはいろいろな場面で誤解を招く情報になるだろう。就職活動をしている人はまず間違いなく誤解する。このようなことがあるので、所得や富の分布では、平均値よりも中央値（すべての値を並べたとき、そのちょうど中央にくる値）が使われることが多い。もっといいのは、分布の形に関する情報も加えることだ。例えば、年収1万ドルの社員数や年収の最高額など、さらなる統計情報を提供するという方法がある。

ヒューマンエラー

本章で先ほど論じた人的な端数処理は、厳密には「エラー（誤り）」ではない。詳しい値を隠すことになる近似値化だ。ただし、その近似値化の仕方にはいくらか気まぐれなところはある（例えば、すべての血圧の値の一の位が0に丸められたわけではなかった）。しかしヒューマンエラー（人的ミス）は、それよりはるかに深刻なダークデータを生み出すことがある。

2015年、英ノーザンブリア大学の2年生アレックス・ロゼットとルーク・パーキンのふたりが、試験時のカフェインの効果を調べる研究に参加した。ところが、「データの誤り」のせいで、コーヒー1杯に含まれる平均的な量の3倍のカフェインを摂取するはずが、300倍となる約30グラムのカフェインを摂取してしまった（「データの誤り」を括弧でくくったのは、データそのものに誤りがあるわけではなく、人間によるデータの扱いに誤りがあることを強調するため）。これがどのぐらいの量かといえば、過去に

18グラムの摂取で死亡した例がある。アレックスとルークは集中治療室に担ぎ込まれ、数日間、透析で血中からカフェインを取り除く治療を受けることになった。

過剰摂取の原因は、よくあるタイプの誤りだった。小数点の位置がずれたせいで、本来とは違う数字が記されてしまったのだ。

よくある？　そう、じつはこういうタイプのミスは思いのほか頻繁に起こっている。アイルランドのティーンエージャー、カール・スミスは19歳の誕生日の2日後、1万9636ユーロ受け取るはずが、196・36ユーロ受け取った。不幸にも、誘惑に屈した青年はそれを使い果たし、刑務所に送られた（つけ加えておくと、過去にこのような使い込みで17件の有罪判決が出ていたが、それも彼を助けられなかった）。同じように、ノースヨークシャーの建設作業員スティーヴン・バークの銀行口座には、小数点の打ち間違いのせいで、本来であれば446・60ポンドのはずが、4万ポンド以上の入金があった。彼もがまんできず、そのうちの2万8000ポンドを使ってしまい、執行猶予つきの有罪判決を受けた（銀行口座の残高が勝手に増えていたら、くれぐれもそのお金に手をつけてはいけない！）。

2013年12月、アムステルダム市が約1万人に通常の住宅手当を支給した。しかし、ユーロセント（100ユーロセント＝1ユーロ）で支払うはずが、誤ってユーロで支払ってしまい、小数点が右に2桁ずれた。その結果、市の支出は1億8800万ユーロ増加した。2005年、リーマン・ブラザーズのあるトレーダーは、300万ドルの取引のはずが、やはり誤って3億ドルの取引を実行してしまった。2018年5月26日の英タイムズ紙に掲載された薬の価格に関する記事によると、英国シュロップシャーの薬局は、60・30ポンドの薬の代金として、6030ポンド受け取り、英国グリニッジの別の薬局は、74・50ポンドの鎮痛薬の代金として、7450ポンド受け取っていたという(5)。

逆方向の例をあげるなら、2006年、アリタリア航空はトロント発キプロス行きのビジネスクラスの料金を3900・00ドルにするつもりが、じゃまっけな小数点の位置をうっかり誤って、39・00ドルにしてしまい、720万ドルの損失を招いた。これもやはり間違いやすい小数点の位置の被害者だ。

以上の例はどれも、おそらくうっかりミスだったのだろう。そうであることを切に願うが、ぞっとしない話もある。かつてランドルフ・チャーチル卿《きょう》（あの第二次世界大戦時の英国の首相ウィンストン・チャーチルの父だ）は、小数点のついた数字が並んだ表を見せられて、「やたらとあるこの点の意味がさっぱりわからん」といったといわれている。恐ろしいことに、卿は当時、英国の財務大臣だった。

小数点の場所を間違えるような初歩的なミスは、データ入力ミスの一種だ。そういうミスの例はほかにもいくらでもある。2005年、みずほ証券は「1株61万円」のジェイコム株を「61万株1円」で売ってしまい、3億ドル以上の損失を出した。あるいは2018年4月、サムスン証券は約2000人の社員に、1株につき約0・93ドル、総額約20億ウォンの配当を出すはずが、自社の発行株式総数の30倍以上に相当する約20億株を発行してしまった。それらの株式の総額はおよそ1050億ドルにのぼった。

このような誤りが生じたときは、可能な限りすみやかに修正されるが、すでに手遅れのことも多い。サムスン証券の例では、ミスの発見までに37分かかった。それまでのあいだに16人の社員がこれ幸いと、合わせて500万株を売却していた。サムスン証券の株価は12％近く下落し、本書の執筆時点でも10％下がったままだ。サムスン証券の時価総額はおよそ3億ドルも下がった。

1050億ドルのミスで驚くのはまだ早い。2014年の東京証券取引所では、ほとんど破滅的なミスが起こった。あるブローカーがトヨタ株の取引額として19億6000万円と入力しようとして、株式数の入力欄にその数字を入力してしまったのだ。その額は6170億ドルに相当した。わたしも入力欄を間違えた経験はあるが、ありがたいことに、そこまで重大な結果を招くものではなかった。幸い、この例では注文は売買成立前に取り消すことができた。

ヒューマンエラーにはそのほかに、数字の入力ミスもある。2つの数字が入れ替わったり（98が、89になるなど）、別の数字を入力したり（2と入力すべきところを7と入力するなど）、同じ値の入力が繰り返されたり（キーを長く押しすぎたせいで222と入力されるなど）するミスだ。

このような誤りはどれもうっかりによる。残念ながら、人間はありとあらゆるミスを犯す。例えば、1998年に打ち上げられた火星探査機マーズ・クライメート・オービターが火星に接近しすぎて分解したのは、ヤード・ポンド法の数値をメートル法の数値に変換しなかったせいだった。同じように1983年のエア・カナダ143便の不時着事故も、給油の際、キロで量るべき燃料をポンドで量ったのが原因だった。

NASAの探査機ジェネシスのサンプル回収ミッションも、それとはまた違うヒューマンエラーのせいでトラブルに見舞われた。ジェネシスは月の軌道の外側で見事に太陽風のサンプルを採取し、ぶじに地球の大気圏内へ帰還したが、最後の最後にトラブルに見舞われ、ユタ州の砂漠に墜落した。原因は、誤って上下逆さまに取りつけられた加速度計から誤ったデータが送られたことにあった。そのせいで探査機は地上に向かって減速すべきときに加速してしまったのだ。

データの有用性が時間とともに損なわれる、というもっと気づかれにくい問題もある。データは果物などとは違って物理的には劣化しない。しかし周りの世界は刻々と変わっていく。だから例えば、自分の貯蓄口座には3％の利子がつくものと思っていたが、しばらくぶりに口座を確かめてみたら、いつのまにか利率が下がっていて、愕然とさせられた、などということが起こる。とりわけ人間に関するデータは古びやすい（DDタイプ7「ときの経過とともに変化する」）。人間は変化するからだ。

さらに悪いことに、詳しくはのちの章で論じるが、故意にデータが歪められることもある。米国勢調査局の1986年の調査によると、国勢調査員の3〜5％は担当世帯への訪問を怠り、自分で回答を捏造していると推定されるという。第2章で紹介したいわゆる「縁石する《カーブストーニング》」という行為だ。[6]米国の統計学者ウィリアム・クラスカルは次のように書いている。「少し頭のいい人であれば、構造化された大規模なデータセットであれ、統計資料であれ、どんなものでもたいていは1時間もじっと見ていれば、いくらかの常識と数字の知識だけを頼りに、そこに奇妙な数字が紛れ込んでいることに気づくだろう」。[7]メディア調査のアナリスト、トニー・トゥワイマンが提唱している「トゥワイマンの法則」という法則がある。興味深い数字やふしぎな数字は、たいてい間違っているという法則だ。[8]加えて、毎日、膨大な量の数が記録されているということは、いくらかは記録ミスがあると考えるのが妥当だろう。例えば、2014年の1日当たりの金融取引件数は、およそ350億件だった。この件数はその後、さらに増え続けている。拙著『偶然』の統計学』で説明したように、数が多ければそれだけ記録ミスも多いと考えなくてはいけない。

これに関連して、データマイニング（大量のデータセットの中から変わった興味深いものや価値のあるものを探し出そうとすること）の研究者は、大量のデータセットに奇妙な構造が生じる原因として、以下の4つをあげている（重要度の高い順に）。（i）データに問題がある（データ収集の過程で、データが改竄されたり、歪められたり、あるいは失われたりしたのかもしれない）。（ii）偶然の変動による（偶然生まれた値であり、その値には重要な意味はない）。（iii）発見されたことが前からわかっていたことだった（チーズとクラッカーはしばしばいっしょに購入されるという発見など）。（iv）発見がつまらないことだった（英国の既婚者の半数は女性であるという発見など）。これらの4つの要素が原因でないことが確かめられて初めて、データセットに見られる奇妙な構造が本物であり、興味深いものであること、そしておそらくは価値のあるものであることがわかる。ここでわたしたちにとって重要なのは、たいていの奇妙な構造の発見はじつは錯覚であり、データの欠陥のせいで生じているということだ。

そうだとするなら、かつてＩＢＭが次のように推計したのも頷《うなず》けるかもしれない。「データの質の低さに起因する米国経済の損失額は、年間で約３・１兆ドルに達する」(9)。しかしこの推計は正しいのだろうか。第１に、この数字は、何をもって粗悪なデータと考えるかで変わってくる。そこには誤りを修正するコストも含まれるのか。データに問題がないかどうかを確かめる作業や、データの粗悪さのせいで生じる誤りのコストは含まれるのか。第２に、米国の国内総生産（ＧＤＰ）という文脈の中で考えるとどうかということ。米国の国内総生産は約20兆ドルだ。それに対して、損失額が約３・１兆ドルというのはあまりに大きすぎる気がする。この推計自体が粗悪なデータの表れなのではないかと、わたしには思える。

計測機器の限界

ヒューマンエラーはとても多いが、ミスの原因は人間だけにあるわけではない。計測機器の不具合からも、思いもよらぬダークデータの問題が生じることがある。少なくとも、計測機器の不具合にすぐに気づかないと、出力値の数字が固定され、０ばかり出るなどということが起こる。テレビの医療ドラマでは、心拍モニターの信号が突然、平らな線に変わる場面がしばしば描かれるが、患者からセンサーが外れても、それとまったく同じ信号が出るだろう。

以前、大学院のわたしの教え子のひとりが、強風や大雨などの悪天候が通信網にどういう影響を与えるかを調べようとしたことがあった。データは通信網の障害発生と復旧の履歴と、測候所の記録から集められた（じつはそれらは次節で紹介する「連携データ」になっていた）。頭のいい学生だった彼は、データの分析を始める前に、いろいろな方法でデータを図式化して、異常な値がないかどうかを確認した。すると、とても謎めいたものが見つかった。深夜に暴風が発生したことを示す未加工の値が幾晩も記録されていたのだ。これは不可解だった。誰の記憶にも、そんな嵐のような強い風が吹いたことは残っていなかったからだ。実際、気象庁のデータベースにも嵐の記録はなかった。何かがおかしいことは確かだった。

さらに探ってみると、風速計が深夜にリセットされる夜があることがわかった。そして、リセットされるときに、ときどき値が勝手に、実際の風の強さとは関係なく、急上昇してしまうこともわかった。もしこの学生が分析前にデータをチェックすることのたいせつさを理解していなかったら、いかなる分析を行っても、それはまったく見当外れなものになっていただろう。分析前にデータの問題に気づいたおかげで、彼はデータを修正することができた。

計測機器の不具合は大損失を招くこともある。２００８年、米空軍Ｂ－２ステルス爆撃機がグアムで離陸直後に墜落したのは、水に濡れた計器から誤ったデータが送信されたことが原因だった。機体が離陸したとき、乗員は１４０ノット（時速２６０キロ）の速度が出ていると思っていたが、実際の速度はそれより10ノット（時速約20キロ）ほど遅かった。

前節で、意図的に上限や下限を設けて、それより上や下の値を切り捨てることで、データが隠される例を見た。しかし計測機器そのものの性質からそういうことが起こることも多い。

例えば、体重計で量れる重さには上限がある。それより重い人の体重は、その上限値以上であることはわかっても、具体的に何キロかはダークデータと化してしまう。これは前に論じたトップコーディングに似ているが、計測者によって意図的にそうされるわけではなく、「天井効果」と呼ばれる。同じように、計測の下限が決まっていることもある。その場合、下限以下の値は記録されない。下限値以下であるという情報だけが記録に残る。これはボトムコーディングに似ており、「床効果」と呼ばれる。例えば、水銀の氷点未満の温度は、水銀温度計では計測できない。天井効果と床効果は、DDタイプ1「欠けていることがわかっているデータ」のダークデータにつながる。値があることはわかっているが、その具体的な値はわからないからだ。わかるのはある値より上または下であることまでだ。これはまた、DDタイプ10「測定誤差と不確かさ」にも関わってくる。

天井効果と床効果はときに思いがけない形で生じる。例えば、宇宙には10の24乗の数の恒星があると考えられている。しかし肉眼で見える星の数は約5000個だ（現実には空の半分は地球に遮られるので、わたしたちが今いる場所から見えるのはその半分になる）。これはつまり、望遠鏡の発明以前、星に関するデータの大半はダークデータだったことを意味する。大半の星の明るさは、人間の目で感じ取れる明るさの下限未満だったということだ。したがって、いかなる宇宙の理論を築こうとも、わずか数千個の目に見える星の分析にもとづいている限り、誤ったものにならざるをえない。

ガリレオが望遠鏡を使った天体観測を始めたのは、1609年頃だ。倍率およそ30倍のその望遠鏡により、それまで存在するとは思われていなかった数々の星の存在が確かめられた。以来、テクノロジーの進歩とともに、たえず宇宙に関する新しい情報がもたらされ続けている。しかし、遠い天体ほど暗く、暗い天体は見えにくいという根本的な問題は解消されていない。そのことからいわゆる「マルムキスト・バイアス」が生じることになる。このバイアスは、スウェーデンの天文学者グナル・マルムキストによって1920年代に指摘されたもので、その微妙な影響は多岐にわたる。例えば、恒星と銀河とでは、観察できる明るさの下限は同じだが、恒星のほうがその下限より明るくなりやすく、したがって観察もされやすい。これは恒星のほうがより集中した光を発しているからだ。このような違いに関するダークデータを無視すれば、宇宙の構造について誤解が生まれるだろう。

テクノロジーの進歩は、過去には想像すらされなかった世界の存在を明らかにする。望遠鏡はその一例だ。望遠鏡によっていわば隠されていたデータに光が当てられることになる。ほかの分野にもそういう役割を果たしている道具がある。顕微鏡や医療用のスキャニング技術は人体の見えなかった部分を見えるようにし、航空写真は古代の壁や建物の全貌を明らかにし、地震観測や磁気検知の機器は地球の内部のようすを探れるようにした。これらやそのほかの無数にある道具のおかげで、人間の知覚が拡大され、長いあいだダークデータになっていたものがデータとして取り出せるようになった。

データセットの連携

個々のデータセットにも人類の役に立つ計り知れない可能性が秘められているが、複数の領域から集めたデータセットを連携させ、足し合わせたり、組み合わせたりするとき、特別な相乗効果が生まれることがある。あるデータセットの記録は、別のデータセットの記録を補い、違う種類の情報を提供できる。そういう情報の補完によって、例えば、あるデータセットだけでは答えられない問いに答えられるようになる。あるいは、データセットの欠けている部分を別のデータセットの情報で埋める三角法やインピュテーション（欠測値補完）を通じて、精度を向上させられる。

このような手法は犯罪統計学や法執行機関で使われているのが有名だが、じつはもっとはるかに広く用いられている。英国の行政データ研究ネットワーク（ＡＤＲＮ）のプロジェクトの数々でも、データを連携させることの威力は見事に証明された[10]。大学と国家統計局の共同事業体であるこの行政データ研究ネットワークは、社会科学や公共政策研究に行政データの連携と分析を活かすことを目的に設立された団体だ。あるプロジェクトでは、複数の領域から集められたデータによって、居住支援策がホームレスの人たちの健康状態や医療サービス利用にどういう効果をもたらしているかが探られた。燃料不足が健康に及ぼす影響を調べるのに使われた複合データベースもある。また別の例ではデータベースを組み合わせて、地域内の酒屋数と住民の健康の関係が調べられた。

このような手法が功を奏している例は米国にも見られる。ロサンゼルス郡のプロジェクトでは、６つの社会福祉機関のデータを連携させることで、郡内のホームレスの実態が鮮明になり、精神衛生上の問題を抱えるホームレスの人々のため、１万戸の住居を建設する20億ドルの事業計画が策定された[11]。

データ連携は無限の可能性を持ち、いかに現代のデータ技術にすばらしい力があるかを示している。しかし複数のデータセットを連携させ、組み合わせることには課題もあり、ダークデータのリスクも伴う。データセットを組み合わせるためには、いっぽうの記録ともういっぽうの記録とがマッチするよう、共通の識別子がなくてはならない。しかし、それぞれのデータセットは同じフォーマットやスタイルで記録されていないことが多く、ミスマッチがしばしば発生する。あるデータベースでは人間のことを表している記録が、別のデータベースでは人間以外のことを表していることがめずらしくない。重複記録によって問題はさらに複雑になる。データをいかにうまくマッチさせ、連携させて、ダークデータを少なくするかの研究が近年、盛んになってきた。今後、大規模なデータセットの蓄積がさらに進むにつれ、そのような研究の重要性はいっそう増すだろう。

では、わたしたちはここからどこへ向かえばよいのか。第2章ではさまざまな種類のデータを掘り下げ、第3章と本章では、データ収集の過程で生まれるダークデータのリスクを見た。ダークデータが生じる原因には、定義のあいまいさや、変数の不足、計測プロセスの任意性、計測器具の限界、端数処理、入力ミスなどがあることを紹介した。しかし原因はほかにもたくさんある。次章では、今までのものとはまったく違うダークデータの生じ方を見ていきたい。

第5章　戦略的ダークデータ
——つけ入り、フィードバックループ、情報の非対称性

つけ入り

ヨーロッパ連合（EU）のいわゆる「ジェンダー指令*」では、保険会社が性別にもとづいて保険料を算定することは禁じられている。つまり、保険料の算定の際、性別はダークデータにしなくてはいけないということだ。[1] これは原則として、ほかの条件がすべて同じなら、性別に関係なく、保険料は同額になることを意味する。しかしカナダではそうではない。1992年、カナダの最高裁判所は、性差をリスク評価に含めることを引き続き認める判決を下した。この判決を知っていたあるアルバータ出身の男性は、新たに購入したシボレー・クルーズの保険料の高さに驚いたとき、女性としての出生証明書を新たに取得し直した。こうして「自分は100％男だが、法的には女性だ」といい立てたこの男性の自動車の保険料は、自分のほんとうの性別を法的に隠しきった結果、年間で1100ドル安くなった。

*「指令」はEU加盟国に、ある目的の達成を求めるが、その手法までは指定しない。いっぽう「規則」は全加盟国に対して即時に強制力のある法としての効力を持つ。

詐欺とは、次章であらためて論じるが、相手をあきらかにだまそうとする行為だ。なんらかの情報を隠して、相手にほんとうではないことを信じ込ませようとする行為といえる。対照的に、「つけ入り」は、紛らわしさとか、あいまいさとか、意図せざる側面とかを利用して、自分に都合のいいようにものごとを運ぼうとする行為だ。つけ入りに伴うダークデータは、故意に隠されたものではない。システムの仕組み上、偶然発生し、利用されたものだ。したがってつけ入りは、ふつうは違法にはならない。法律に触れない範囲で情報を操作して、利益を得ることが目的とされる。わたしたちのダークデータの分類でいえばDタイプ11「フィードバックループとつけ入り」だ。

発見者クルト・ゲーデルの名が冠された、とても深くて力強い数学の定理がある。それによれば——極端に単純化すれば——一定以上豊かな公理系には、体系内では証明も反証もできない命題が存在するという。しかしもっと人間的な次元では、隙が生まれても仕方がないことが多い複雑な規制体系の中から、その事例は生じる。とりわけ決まって隙があるのは税制だ。合法的な租税回避策は、税法のあいまいさや盲点につけ入ることで編み出される。具体的な租税回避の仕方は個々の税法によっても異なるし、税法の改正のたびにも変わるが、以下に、英国で明るみに出た手口をいくつか紹介しよう。

- 課税対象になる資産（持ち家など）を担保にして金を借り、その借りた金を非課税の所有物（森林や農場など）に投資することで、相続税を回避する。
- 海外の企業を通じて、ものを買う。非居住者や外国法人には納税義務がないため。
- 法人税の低い外国に企業の本社を移す。本社の移転には、現地での企業合併や買収といった手段が用いられる。このようなことが可能なのは、国際的な徴税機関がないことによる。

税制に隙が見つかって、ずる賢い者たちにそれが濫用《らんよう》され始めると、その隙はやがてふさがれるが、往々にしてそれによってさらに制度が複雑化し、また別の隙ができてしまう。

いわゆる「プリンシパル－エージェント（依頼人と代理人）関係」の問題にも、つけ入りと密接に結びついたダークデータが見られる。この問題が生じるのは、ある人物（「エージェント」）が別の人物（「プリンシパル」）の代わりにものごとを決められるときだ。そういう状況はいたるところにある。例えば、従業員が雇用主の代わりにものごとを決めるときがそうだし、政治家が選挙民の代わりにものごとを決めるときもそうだ。エージェントがプリンシパルの利益ではなく自分自身の利益を優先しようという気持ちを起こすことで、問題は起こる。従業員が自分たちの専門知識にものをいわせ、雇用主より自分たちが得をする選択をしようとし始めるかもしれないし、政治家が私利私欲に走り始めるかもしれない。後者には独裁につながる危険さえある。

つけ入りは、いわば規制の鞘《さや》取りでも生じる。複数の規制体制があるとき、組織（例えば、金融機関など）はどの規制体制で事業を営むかを選べる（例えば、本社を外国に移すことなどによって）。当然、どの組織も自分たちにいちばん都合がよい規制体制を選ぶし、場合によっては、それぞれの規制体制ごとに自分たちの活動の分類を変えることとすらある。

公共政策においてつけ入りが生じることがなぜ危険かは、「キャンベルの法則」に簡潔にいい表されている。それは次のような法則だ。「いかなる定量的な社会指標も、社会的な意思決定に使われれば使われるほど、損なわれやすくなり、ひいてはその指標によって監視しようとしていた当の社会的なプロセスを歪ませたり、損なったりしやすくなる」。「グッドハートの法則」も、いくらか控えめにだが、同じことをいっている。「指標の達成が目標にされると、その指標は役に立たなくなる」

学業成績の等級を例に取ろう。等級は、社会でも判断の材料にされることが多い学力の指標だ。過去に遡って等級を調べてみると、生徒たちに与えられた等級の平均値は、年々、上昇していることがわかる。マイケル・ハーウィッツとジェイソン・リーによる2018年の米国の学校の調査では、SAT（大学進学適性試験）受験者の「Aグレード」の生徒の割合は、過去20年で39％から47％に増えていた。[2]「成績インフレ」というウェブサイト（GradeInflation.com）には、米国の大学で成績インフレが進んでいることを示す詳しいデータが掲載されている。例えば、それを見ると、等級の平均値は1983年から2013年のあいだに2・83から3・15に上昇したことがうかがえる。しかもその間、平均値が前年より下がった年はなく、毎年着実に上昇している。このような傾向にはいくつかの解釈が可能だ。「生徒たちが賢くなった」のかもしれないし、「テストの設問に答える技術が向上した」のかもしれない。あるいは「制度になんらかの不具合が生じた」のかもしれない。

同じ傾向は英国の高等教育部門でも見られる。ただし、高等教育を受ける人の増加が著しいぶん、いくらか複雑だ。25〜29歳の年齢層に占める学士号取得者の割合は、1993年に13％だったのが2015年には41％まで上昇し、[3]2017年に大学生の数は230万人に達した。

これはつまり、学力の水準がほんとうに上がったかどうかを知るには、まず、各等級の学生の絶対数ではなく、その割合を見る必要があることを意味する。*そうすると、高い等級の学生の割合は下がっていることが予想される。なぜならかつての大学で、少数の最も優秀な学生を選抜し、高等教育を授けるという方針が採られていたことを踏まえるなら、各年齢層の大学進学者の割合が増えれば、おのずとさほど優秀ではない学生や、高等教育にさほど適していない学生が増え、ひいては、最高の等級を獲得できる学生の割合は下がると考えられるからだ。しかし実際の数字はどうなっているか。英国の元大学担当大臣、デイヴィッド・ウィレッツは啓発的な著書『大学教育（*A University Education*）』の中で、２０００年に第１群または第2群上位の成績で大学を卒業した学生の割合は55%だったが、２０１５年にはその割合が74%にまで上昇したと指摘している。[(4)] これは予想に反するどころか、驚くほど大幅な上昇でもある。

何がこのようなインフレをもたらしたのか。

大学の収入は入学者数で決まる。だから入学希望者は多いほど望ましい。いっぽう、学生たちは就職に有利だと思われる大学への入学を希望し、大学でいい成績を収めることでその希望を実現させられる。英国では各大学が独自に学生に学位を授与し、成績の等級を決めているので、おのずと学生に高い等級を与えたいという心理が働く。自分たちで学生の成績の等級を決められるこの大学どうしの競争の結果が、成績インフレの進行だ。もしすべての大学で共通の試験が実施され、単独の機関がその試験の結果にもとづいて等級を決めたら、状況は変わるだろう。現在の制度では、学力のほんとうの水準はダークデータになってしまう。新聞や雑誌の大学ランキングも、事態を悪化させている。それらのランキングでは各大学の各等級の人数も比較されており、それを見た進学希望者たちは、高い等級を得やすい大学を選ぼうとするからだ。

公平を期すなら、ここまでの話がかなり単純化されていることはいい添えておかなくてはいけない。実際には、中和作用も見られる。例えば、「学外試験委員」制度があって、各大学の教育の質や学位のレベルが他大学の人間によって監督されている。また、そもそも学生に高い等級ばかりを与え続ければ、しば

＊英国の大学では、成績は上から順に、第1群、第2群上位、第2群下位、第3群に分けられている。

らくは大学ランキングで上位に入れても、やがて、その大学で「優秀な」成績を収めている学生の多くがじつは無知であることが知れ渡り、企業からそっぽを向かれるようになるだろう。そうなれば、就職率が下がって、入学希望者も減る。

英国の学校の状況はいくらか違う。高校の終わりに実施される全国共通テストの結果によって、大学へ進学できるかどうかが決まる。ただし、試験機関が複数あって、それぞれ独自に全国的な試験を実施している。より多くの受験者を集めた試験機関ほど、多くの収入を得られるので、それらの試験機関どうしは競合関係にある。大学にとっては、その試験での学生たちの成績がいいほど、大学ランキングで上位に入れる。その結果、試験機関によって試験の難易度に差があることを示す証拠はないと一応はいわれているが、ここでも水準を下げ合う競争――見た目の成績を高め合う競争――が促されている可能性がある。

加えて、学生たちの入学の可否を決める権限は大学にある。そればかりか、学生たちが入学後も、大学はどの学生に試験機関による外部試験を受けさせるかを決めることができる。もし特に優秀な学生にだけ試験を受けさせれば、試験の結果からもたらされる印象が歪んだものになるのは目に見えている。そこにはDDタイプ2「欠けていることがわかっていないデータ」のダークデータが発生するのは間違いない。もし組織の活動がその成功率にもとづいて評価されるとしたら、その組織は最も成功しやすい条件を選ぶことで、高い評価を得ることができる。政治ジャーナリスト、レイチェル・シルヴェスターは2018年8月、英タイムズ紙に次のように書いている。「試験制度を利用して学校ランキングの順位を上げようとする学校が目立って増えてきている。かわいそうなのは、そういう学校の生徒たちだ。［……］私立校では生徒たちにいい点数が取れそうにない科目の受験を控えさせることで、学校全体の平均点を維持することが当たり前になっている[5]」。学校全体の見た目の成績をよくするため、試験で足を引っ張りそうな生徒は退学を勧告されることもあるかもしれない。シルヴェスターが記事の中で紹介しているように、学校監査機関である教育水準局の調査によると、1万9000人の生徒がGCSE（16歳で受ける全国統一試験）直前に退学しているという。これは学校評価の指標にも、個々の生徒にも、重大な影響をもたらすのは明らかだろう。

どんな分野でも業績評価がなされる場面では、このように自分に都合よく制度を利用しようとする行為、つまり「つけ入り」はいつでも発生しうる。以下にまったく異なる分野の例をいくつか紹介しよう。

- 外科医は結果に自信が持てない重症者の執刀を避けることで、手術の成功率を高められる。また一般に、どの患者の執刀を担当するかを自分で選んでいない場合でも、外科医ごとに担当する患者集団には違いがあることが多い。これはつまり、能力が同じ外科医であっても、手術の成功率は異なる可能性があることを意味する。
- 緊急対応の所要時間は、「緊急」の定義を変えることで操作できる。2003年2月28日の英テレグラフ紙は次のように報じている。「［医療機関の監視を手がける団体CHIによると］ウェストヨークシャー都市救急サービスNHSトラスト（WYMAS）は、カテゴリーAに分類できるほど深刻ではないと判断すれば、救急隊員が現場に到着してから、患者の症状がカテゴリーAの通報で出動した場合でも、あとからその通報のカテゴリーを格下げすることがあった。［……］CHIの調べではさらに、通報時刻と、救急対応の所要時間を計り始める時刻とのあいだにタイムラグがあることもわかった(6)」
- 第3章で見たように、失業率は「失業」の定義を変えることで操作できる。例えば、フルタイムの就職先を探しているギグワーカーやパートタイマーを失業者と見なすかどうか。２０１７年２月、米労働統計局が発表した失業率は４・７％だったが、ドナルド・トランプ大統領（当時）は42％という極端に違う失業率を発表した(7)。トランプ大統領が示した数字には、就業していない16歳以上の国民全員——親と同居している人も、学生も、退職した高齢者も——が含まれていた。経済学者たちはふつうそのような定義は使わない。一般に、こういう場合、どちらの定義が正しく、どちらの定義が間違っているかは問題にはならない。単純に定義が違うというだけで（ＤＤタイプ８「データの定義」）、特定の目的にとって役に立つかどうかのみが問われる。

- 警察は犯罪の軽重の分類をいじることで、実績をよく見せられる。例えば、２０１４年２月の英ヘラルド紙の記事には次のようにある。「警官たちは犯罪の重さを引き下げることで、数字を操作しなくてはいけないと感じている。犯罪は〝重犯罪〟と〝軽犯罪〟に区分されており、〝重犯罪〟は前年比で13％減るいっぽう、〝軽犯罪〟は微増した。２０１２〜13年の犯罪の認知件数を見ると、重犯罪は27万３０５３件だったが、軽犯罪の件数はそのおよそ倍にのぼっている(8)」

よく知られているように、ウェブサイトにも検索結果の上位に表れやすくする操作が加えられていることがある。そのようにして売上なり、ブログのアクセス数なりが増やそうとされている。

これらはどれも、意図的な情報の取捨選択と定義の操作によって、何かを隠したり、見え方を変えたりしている例だ。知られるとまずい情報は隠そうとされ、自分たちに都合のいい情報は故意に目立たせようとされる。

フィードバックループ

テストでいい点を取ると、勉強の意欲が高まり、そのおかげでさらにいい点が取れると、さらにもっと勉強への意欲が高まる。最終データはまぎれもない本物のデータだが、それはあくまで計測された結果のデータであり、計測されていなかった場合、どういうデータになっていたかはそのデータからはわからない。完全なダークデータというわけではないが、わたしたちが介入する前のデータはそこでは隠されている。ここでの「介入」とは、意図的に数字を変えようとすることではない。値を明らかにしようとする行為のことだ。この値を明らかにしようとする当の行為によって、数字は変わってしまう。その結果、自分たちがもともと計測しようとしていたものと、実際に計測された値とは違うものになる。

テストでいい点を取ると勉強の意欲が高まってさらにいい点が取れるというのは、フィードバックループのメカニズムによる現象だ。フィードバックループのメカニズムが働くと、計測された値が計測対象の値に跳ね返る。そういう現象はいたるところで見られる。物理的なシステムにもある。スピーカーから出た音がマイクに拾われてふたたびスピーカーから出るということが繰り返され、音がどんどん増幅し、雑音が発生するハウリング現象がそうだ。生物のシステムにもある。例えば、血液の凝固では、傷ついた組織から血小板を活性化させる物質が出ると、血小板からさらに同じ物質が出て、いっそう血小板の活性化が進む。人間の心理でも起こる。わたしたちは他人に見られていることがわかっていると、いつもよりがんばり、いつもよりがんばっていると、他人にもっと見てほしくなる（第2章で触れたホーソン効果）。フィードバックループがとりわけ劇的な様相を呈するのは、金融の世界で「バブル」という形で発生するときだ。

金融市場ではバブルになると株価などの金融資産の価格が突然、急激に上がり、やがて同じように急激に下がる。その価格の変動には、実際の価値の変化は反映されていない。そのような価格の変動は、欲望とか、実際の価値を正しく見積もろうとする批判的な思考の欠如とかから、要するに、実際の価値が上がっているという誤った思い込みから生まれる。ここで重要なのは、実際の価値も株価に影響する一要素ではあるが、ほかの投資家たちがいくら払おうとしているかが何より肝心であるという点だ。経済学者ジョン・メイナード・ケインズの有名な「美人投票」のメタファーがここで思い出される。「自分の判断でいちばん美しいと思う人を選ぶという話でもなければ、平均的な意見でいちばん美しいとされそうな人を選ぶという話ですらない。平均的な意見では平均的な意見はどのようなものだと予測されそうかを予測するという第3の段階にわれわれは達している。中には、第4、第5、あるいはそれ以上の段階の予測をする人もいる(9)」

歴史を繙《ひもと》けば、金融バブルの例は枚挙にいとまがない。

18世紀初頭、フランスで紙幣の導入が試みられたときにも大きな金融バブルが発生している。それまで、フランスでは貴金属の貨幣が使われていた。紙幣の発行によって引き起こされた激しい金融バブルのせいで、フランス経済は崩壊し、結局、それから80年も紙幣の導入は延期されることになった。

ことの発端は、1716年、スコットランドの経済学者ジョン・ローがフランス政府を説得し、新銀行「バンク・ジェネラル」の設立と、銀行保有の金銀で裏づけられた紙幣の発行を許可させたことにあった。この取り決めにはおそらく問題はなかったが、ローが抱いている計画はもっと壮大だった。翌1717年、ローはさらにフランス政府を説き伏せて、フランス領ルイジアナとの貿易の管理権をも獲得した。フランス領ルイジアナは、ミシシッピ川の河口からアーカンソー、ミズーリ、イリノイ、アイオワ、ウィスコンシン、ミネソタ、カナダの一部までおよそ480０キロに及ぶ広大な植民地だった。ローの貿易会社が資金調達のため、株式を売り出すと、すぐにおおぜいの買い手がついた。植民地には豊かな金鉱や銀鉱があるという評判が立っていたからだ。しかしローはそれでも満足せず、アフリカとのタバコ貿易や、中国や東インドとの貿易を手がける会社の独占権を獲得した。さらにローの「ミシシッピ会社」はフランスの硬貨鋳造や徴税の業務も請け負うようになった。これらの事業の資金はすべて同社の株式の発行で調達された。

ミシシッピ会社の成長に伴って、株価もどんどん上がり、その上昇率は1719年のあいだに20倍に達した。株価の急騰はさらなる買い手を生んだ。その過熱ぶりは、株の購入を希望する群衆を整理するため、ときに軍隊を投入しなければいけないほどだった。しかも、投機バブルのつねで、なけなしの金を注ぎ込む人まで現れた。

バブルはバブルである限り、泡のようにやがては必ず破裂する。

契機となったのは、1720年1月、一部の投資家が株式を売却して、利益を確保しようとし始めたときだ。ふつう、そのような場合、最初は少数の人しか株を売却しない。しかし株が売却されれば、株価の急上昇は止まる。あるいは下がりさえする。そうするとほかの人も株を手放し始める。もう株価は天井を打ったようだから、大きく値下がりする前に売って、現金を手に入れようと考えるからだ。それによって売却はさらに加速する。その後、突然、株価は暴落し始める。たいていは上がったときを上回る速さで下落する。

ローは金による支払い額に制限を設けたり、株式の額面を切り下げたりするなど、あらゆる手段を尽くして、株価の下落に歯止めをかけようとした。しかし1720年12月に株価は最高値の10分の1にまで下がっていた。国じゅうの人から叩かれたローは、結局、フランスを離れ、最後はヴェネチアで貧窮のうちに没した。

ジョン・ローとミシシッピ会社の例もその途方のなさではじゅうぶん群を抜いているが、それよりも有名な歴史上のバブルの例といえば、おそらくオランダのチューリップバブルだろう。

16世紀末、オスマン帝国からオランダにチューリップが輸入された。チューリップは新しい花として当初から高値で売買されたが、変わった模様のものが開発されると（模様はじつは病気で生じたものだったが）、さらに値は上がった。チューリップの供給が限られていたことが競争をあおり、やがて先物の価格が上昇し始めた。上げ相場がさらなる買い手を生んだ。それらの買い手たちには、今、球根を買っておけばあとで高値で売れるという皮算用があった。こうしてわれもわれもと買う競争が激化していった。チューリップの球根を買うお金を捻出するため、貯金が崩され、家や土地が売られた。実際の価値からかけ離れた高い値がついていることは明らかであり、当然の成り行きとして、やがて人々は買ったものをできるだけ高い値で売却して、利益を得ようとし始めた。その結果、チューリップの球根の価格は暴落した。大金が泡と消え、住む家を失った人もいた。

こういうバブルの狂騒は今では常識のようによく知られているので、わたしたちはともするとバブルに踊らされるのは無知な人間だけだと思ってしまう。しかし当事者からはものごとは違って見える。そのことを物語っているのは、アイザック・ニュートンと南海泡沫事件の話だ。ジョン・ローのミシシッピ会社と同じ時代に、英国政府は南海会社に南米大陸との貿易の独占権を与えた。独占権を得たことが好感され、南海会社の株は飛ぶように売れた。株価は一気に高騰した。ニュートンもその株をいくらか買って、1720年初めに売り、ささやかな利益を得た。しかし株価はその後も上昇を続けた。ニュートンは売却を急ぎすぎたと考え、あらためて株を買った。株価は上がり続け、やがて最高値に達し、1720年の後半に暴落した。ニュートンは全貯蓄をほとんどすべて失った。アイザック・ニュートンの身に起こるなら、誰の身に起こってもおかしくないだろう。

以上は歴史上の事例だが、金融バブルの崩壊は現代でもめずらしくない。

いわゆるドットコムバブルは、インターネットの発展でハイテク企業への期待が高まったことから引き起こされた。スタートアップ企業の株式が上場するたび、それらの新しい企業にはたちまち何十億ドルという企業価値がつけられた。その結果、それらの企業が上場している株式市場の株価指数「ナスダック総合指数」は1990年から2000年までのあいだに10倍上昇した(これはミシシッピ会社の事例ほどではないが、じゅうぶん驚くべき数字だ)。その後、株価の暴落が起こった。それは投資家たちが株の過大評価に気づき始めたとき、つまり、それらの株価は幻想であり、経済価値の観点からはまったく実際の価値を反映していないことに気づき始めたときだった。ナスダック総合指数は2002年10月には、わずか5分の1の値にまで下がった。ミシシッピ会社の例同様、影響は甚大で、米国経済全体を不況に陥れることになった。

ナスダックバブルの崩壊後、米国では引き続いて住宅バブルが発生した。これについては、ナスダック株を売却した投資家たちが、資産運用のために住宅を必要としたことから、不動産への投資のシフトが起こったともいわれている。いずれにしても、住宅の価格が急激に上がり始め、サブプライムローンなど、バブルを示唆する活動が盛んになった。それが2006年まで続いて、ピークに達したあと、事態はいっきに暗転した。3年後には住宅の平均価格は3分の1も下がっていた。この暴落がやがて世界に1930年代以来の大不況を招くことになる。

最後にもうひとつ、データを歪ませるフィードバックループの例を紹介しよう。これはフィードバックループによってデータの一部が隠されることになった事例だ。

2011年、イングランドとウェールズで、地域のどこで犯罪が起きているかがひと目でわかるオンラインの犯罪地図の提供が始まった。当時の内務大臣、テリーザ・メイ（のちに首相に就任）は次のようにコメントしている。「自分たちが住む地域のどこでどういう犯罪が起こっているかをこれで知ることができるようになりました。きっとみなさんに喜んでもらえるでしょう」。2013年には、ニューヨーク市警も似たようなインタラクティブの地図を公開しており、今日ではそういうシステムはどこにでも見られるものになってきた。明らかなメリットのひとつは、市民ひとりひとりが情報にもとづいて判断を下せるようになることだ。どこで買い物をするかから、どこに住むかや、どこそこの通りを歩くのは夜は避けたほうがいいかどうかまで、さまざまな場面での判断に役に立つ。もちろん、完璧ではない。それはどんな大規模なデータベースでも同じだ。どうしても間違いはどこかに紛れ込んでしまう。「犯罪地図によると、英ハンプシャー州ポーツマスのサリー通りでは、12月に136件の犯罪が発生したという。それらの犯罪には強盗や暴行、反社会的行為が含まれる。〔……〕しかしサリー通りは全長100メートルもない通りだ。そこにはパブが1軒と駐車場が1つとアパートが1棟しかない」(10)。これはその通りが絶対に近寄ってはならない危険極まりない通りであるか、あるいはデータに誤りがあるかのどちらかだ。

しかし、データの誤りは別にしても、犯罪地図にはもっと微妙な問題がつきまとう。それはダークデータやフィードバックループに関わる問題だ。この問題が注目されたのは、英国の保険会社ダイレクト・ラインの調査で、次のような報告がなされたことがきっかけだった。「警察に犯罪を通報すると、それがオンラインの犯罪地図に表示され、不動産の売買や賃貸が妨げられたり、価値が下がったりする恐れがあるという理由から、英国の全成人の10%は警察に犯罪をまったくか、あるいはほとんど通報しないと考えられる[11]」。犯罪地図には、犯罪がどこで発生したかではなく、通報をためらわない人がどこにいるかを示すものになるリスクがあったのだ。この2つは全然違うことだから、そのようなデータを根拠にすれば、いくらでも頓珍漢な判断を下しかねない。

最後にフィードバックループに関してつけ加えると、バブルを生み出す心理的な要因として大きいのは、前に紹介した確証バイアスだ。確証バイアスのせいで、わたしたちには無意識のうちに自分の見方を支持する情報を探し、自分の見方を支持しない情報を無視しようとする傾向がある。金融の世界の人々も例外ではなく、自分が下したい判断や、すでに下した判断に都合のいい情報を、自然と喜んで受け入れてしまう。

閉ざされた環境の中で、価値観の似た者どうしがフィードバックし合うことで、信念や態度や意見が強化される現象を、「エコーチェンバー(反響室)現象」と呼ぶ。ソーシャルネットワークでは、このフィードバックによって傍流の考えが強められ、二極化や過激化がもたらされる。原理は単純だ。誰かがある意見を述べると、その意見がほかの人たちによって取り上げられ、繰り返されるうち、やがて最初に意見を述べた人の耳に届く。その人は、自分がいったことが回り回って戻ってきたことに気づかず、次のように思う。「やっぱりな! みんなも、おれと同じように考えていたんだ!」

でっち上げや、フェイクニュースや、ばかげた陰謀論が広がるのも、こういうプロセスが原動力になっている。多くの場合は偶然だ。うわさがうわさを呼ぶことで、このサイクルが生じる。しかしこのメカニズムを故意に使って、うその情報をまき散らす人がいることもわかっている。同じように、政府が他国の体制を揺るがしたり、敵陣営の分断を図ったりするために、誤った情報を流すことがあることも知られている。そのように正しくない情報や、誤解を招く情報を意図的に作り出すことは、単に事実を伏せたり、ダークデータとして隠したりすることよりも、間違いなく危険は大きい。

情報の非対称性

「情報の非対称性」とは、当事者のいっぽうがもういっぽうの当事者より多くの情報を持っていることをいう（DDタイプ12「情報の非対称性」）。これは逆にいえば、いっぽうの当事者にはデータの一部がダークデータになっているということだ。当然、情報を持っていない側のほうが交渉でも紛争でも不利になる。ではいくつか例を見てみよう。

1970年の振るったタイトルの論文「レモン市場――品質の不確実性と市場のメカニズム」の中で、ノーベル経済学賞の受賞者ジョージ・アカロフが見事なたとえ話を用いて、情報の非対称性からいかに悲惨な結果が招かれるかを描き出している。この「レモン」とは米国の俗語で、買ってみたら品質が悪く、欠陥があったことがわかる自動車のことだ。反対に、品質が高いことは「ピーチ」という。

中古車の買い手には、その車に欠陥があるかどうかは買ってみるまでわからない。ほかの条件がすべて同じなら、それがレモンであるか、ピーチであるかの確率は五分五分だ。だから買い手はレモンであれ、ピーチであれ、平均価格しか払いたがらない。しかし売り手は、自分が売る車に欠陥があるかどうかを知っており、平均価格ではピーチを売りたくない。だから、ピーチは手放さず、レモンだけを売ろうとする。買い手はやがてレモンしか売られていないことに気づき、それならばと、さらに安い値段で買おうとする。そうすると売り手からはますますピーチを売ろうとする気持ちが失われる。フィードバックループがここに生じ、ピーチの売り手はしだいに市場から姿を消し、売られている車の価格と質は低下の一途をたどる。最悪の場合、価格が下がりすぎて、市場そのものが成立しなくなる。

軍事的な衝突でも、情報の非対称性はしばしば決定的な役割を果たしている。例えば、どちらかいっぽうの軍隊が相手の軍隊よりも相手の部隊の配置をより詳しく把握していれば、圧倒的な優位に立てる。敵陣への斥候の派遣から、ドローンや衛星写真の利用、通信の傍受などまで、さまざまな情報収集戦略が取り入れられている理由はそこにある。

同じことは、スパイ活動にも当てはまる。相手が隠そうとしている情報を入手しようとするのがスパイ活動だ。その情報が明るみに出れば、相手は手痛い打撃を被る。2010年、米陸軍情報分析官ブラッドリー・マニング（のちにチェルシー・マニングに改名）がウィキリークスを介して、大量の機密文書を漏洩した。このときには、政治犯など、何人もの関係者の命が危険にさらされた。

情報の非対称性対策として、規制が導入されている分野もある。アーヤン・リウリンクは金融業界に関して、次のように指摘している。「すべての先進国で金融市場規制の柱として導入されているのが、市場への情報の提供を円滑にして、情報の非対称性の問題を是正するための情報開示規制だ。情報開示規制では、金融商品や金融サービスの提供者が市場や同業者に対し、重要な情報をすべて適時に開示しなくてはならないことや、市場参加者が誰でも平等にそれらの情報を入手できるようにしなくてはならないことが定められている」(12)。別のいい方をするなら、これらの規制の目的は、透明性を義務づけることで、ともすると隠れてしまいやすいデータのダークデータ化を防ぐことにある。

一般化するなら、以上の議論から学べるのは、情報の非対称性がないかどうかに気をつけ、相手が知っていて自分が知らないことは何かと、みずからに問いかけてみることが重要ということだ。

逆淘汰とアルゴリズム

肺炎患者が肺炎で死亡する確率を予測する機械学習システムについて、リッチ・カルアナのグループが研究を行っている。それによると、機械学習システムの予測はおおむね正確だったが、ひとつだけ例外があった。それは患者に喘息の持病があった場合だ(13)。喘息の持病がある患者はそうではない患者に比べ、肺炎で死亡する確率が低く見積もられていた。これはまったく予想外の結果だった。常識的に考えたら、そんなことはありえない。どうして呼吸を困難にする合併症で、喘息患者の体の状態がよくなるのか。そこにはなんらかの大発見が隠されているのだろうか。思いもよらない生体メカニズムによって、喘息が肺炎から身を守る働きをするとでもいうのか。もしそうでないなら、思いもよらぬダークデータがあって、それによって誤った計算がなされているのかもしれない。その場合には、結論は信頼できない。

詳しく調べた結果、機械学習システムが間違っていたことがわかった。原因はダークデータにあった。やはり、喘息の持病がある人の死亡リスクは実際には高かった。むしろきわめて高く、集中治療室で高度の治療を受けなくてはならないほどだった。しかし逆にそのおかげで、最高の治療を受けることができ、肺炎で死亡する見た目のリスクは下がっていた。機械学習システムではそのような治療の違いが考慮されず、喘息の持病がある患者の死亡リスクは低いという部分だけが取り上げられた。その結果、機械学習システムの予測を信じた医師たちは、当然ながら、そのような「低リスク」の患者を入院させず、家に帰すことになった。

ここでの根本的な問題は、機械学習のアルゴリズムにはすべての関連データが取り込まれているわけではないことだ。ここの例でいえば、喘息の患者が違う治療を受けたことは見落とされていた。しかしアルゴリズムが歪んだデータセットにもとづいているという問題は、どこにでもありえ、なおかつたいへん有害だ。次に見るように、まったくの善意から生じることもある。

この章の冒頭で保険の事例を紹介したとおり、世界の多くの国々では、特定の集団を差別したり、不公平に扱ったりすることは法律ではっきりと禁じられている。例えば、英国の2010年平等法には次のようにある。「国王によって任命された大臣その他が、それぞれの職務を実行するため、戦略的な決定を行うにあたっては、社会経済的な不平等の削減が望ましいことを考慮しなくてはならない。［……］特定の状況下での不当な扱いを禁じるとともに、差別やそのほかの禁止行為を取り除く必要性に従って、それぞれの職務を実行しなくてはならない。［……］機会均等の促進に努めなくてはならない［……］」

同法はさらに直接的な差別を次のように定義している。「ある者（A）が、保護属性を理由に、ある者（B）をほかの者たちより不利になるよう取り扱うまたは取り扱うであろう場合、AはBを差別することになる」。これに続いて、年齢や人種など、それぞれの「保護属性」についての具体的な記述がある。要するに、集団の分類――例えば、男性であるとか、特定の人種であるとか――にもとづいて、ある人を別の人より不利になるように扱うことは禁じるということだ。さらにこの法律では、間接的な差別も次のように定義されている。「ある者（A）がある者（B）の保護属性に関連して差別的な規定、基準または慣行をBに適用する場合、AはBを差別することになる」

米国にも似たような法律があり、保護属性を理由に、ある人を別の人より不利になるように扱う「差別的な取り扱い」も、一見どちらの集団も平等に扱っているようでありながら、集団によって効果に差が出る「差別的な効果」と呼ばれる行為も、ともに禁止されている。

国によっていくらか違うが、保護属性には年齢、性別適合、婚姻またはシビル・パートナーシップ認定、妊娠や産休、障害、人種（肌の色、国籍、民族、出身地も含む）、宗教、信仰、無宗教、性別、性的指向などが含まれる。これらの保護属性はダークデータとして扱わなくてはならず、判断に影響してはならないというのが法律の基本的な趣旨だ。ではこの法律が効果を上げている分野をいくつか見てみよう。

前に述べたように、銀行の融資審査に使われるクレジットスコアは、融資の申請者が借りたお金を完済できるかどうかを予測するための統計モデルだ。それらの統計モデルの構築には、過去の顧客のデータ（どういう顧客が完済できたか、あるいはできなかったか）が使われている。過去に債務不履行に陥った人と似た特徴を持つ申請者は、債務不履行のリスクが高いと予測される。そのようなクレジットスコアを作るにあたっては、いうまでもなく、できる限り精度の高いものにしたい。例えば、ある特徴を備えた申請者について、10％の債務不履行が出ると予測すれば、実際にも10％前後の債務不履行者が出るクレジットスコアが望ましい。10％と予測して、債務不履行者が80％にも達したら、商売は立ち行かなくなる。

クレジットスコアの精度をできる限り高めるためには、使えるデータはすべて使い、役に立つかどうかわからないデータも無視しないのが得策だ。ここで、みなさんはおそらく、ひとつの問題に気づかれるだろう。精度を上げるためには、先ほど列挙したような保護属性も含めるのが得策ということになるが、そうすることは相応の理由により、法律で禁じられている。意思決定のプロセスにそれらの情報は含めてはならないと、法律は定めている。

じつは、そのような制約を回避する方法ははっきりしている。クレジットスコアに年齢を含めることができないなら、年齢と相関が高いデータで代用すればいい。ただし、立法者たちも、そのように裏から保護属性を忍び込ませる手口には気づいている。クレジットスコアに関する米国の議会報告には次のようにある。「この調査のための推定モデルから得られた結果には、特定の信用属性が部分的に年齢の代用にされていることが示されている」。さらにこの報告書は次のように指摘している。「この代用の結果、それらの信用属性が年齢の代用にされなかった場合に比べて、クレジットスコアは高齢層では若干高くなり、若年層では若干低くなった[14]」

このような保護属性の密かな利用を防ぐと同時に、属性そのものの利用を禁じるためには、規制当局は保護属性と相関のある変数の利用を禁じればいい。しかし、そのような解決策には2つの問題がある。

第1に、議会報告が続けて述べているように、「それらの［年齢と相関した］信用属性をモデルから取り除くことで、影響を和らげようとすると、代償を支払うことになる」。なぜなら「それらの信用属性は高い予測効果を持ち、年齢の代用以上の重要な役割を果たしているからだ」。したがって、クレジットスコアからそれらの相関した属性を取り除けば、合法的に有用な情報まで失ってしまう。

第2に、少なくとも人間に関する限り、なんらかの次元ではほとんどすべてのことが相関しているという事実がある。相関することを取り除いたら、結局、予測に役立つすべての情報を捨てることになりかねない。そうなったらすべての人が同じ分類に入れられ、全員「高リスク」か、全員「低リスク」かのどちらかになってしまう。

それらとは別にもうひとつ、さらに重要な点がある。例えば、性別と、性別と相関した属性をすべてモデルから省いたら、モデルに取り入れられた属性に関して同一である男女のクレジットスコアが同じになるという意味では、男女平等の予測がなされるといえる。しかし、現実として、一般的に女性は男性より向こう見ずではない。つまりほかの条件が同じなら、女性のほうが債務不履行になる可能性は低い。だとすると、記録されたデータにおいて同一である男女に同じクレジットスコアを与えたら、女性のクレジットスコアを不当に低くすることになる。つまり、債務不履行の可能性を過度に高く見積もることになる。いっぽう、男性については、逆に債務不履行の可能性が本来より低く見積もられる。そのような見積もりが保険料に反映されるとしたら、それはもう公平だと考えられないのではないだろうか。

これは最終的には、何をもって「公平」とするかの問題にたどり着く。

ある米国の調査では、男女のクレジットスコアの平均はそれぞれ、850点満点中630点と621点であることが示されている。この差は少なくともある程度は、男性のほうが平均賃金が高いなど（収入はクレジットスコアを算出するときの要素のひとつ）、グループ間の差で説明がつく。この調査結果について、クレジットスコア管理ソフトを手がけるクレジット・セサミ社の最高戦略責任者、ステュー・ランギルは次のようにコメントしている。「ある意味で、これはいいニュースです。この調査結果には、男女でクレジットスコアに大きな差がないことが示されています。ですが、公平と感じられるほどではありません」

クレジットスコア以外の場面でも、このようなダークデータは生じる。保険もクレジットスコアと同種のことに取り組んでいる。保険の場合、なんらかの出来事（死亡や、病気や、交通事故など）が起こる確率を予測する統計モデルを築くことがその目的だ。クレジットスコアと違い、EUでは近年まで、保険の予測にはどんなデータでも使えた。しかし本章の冒頭で紹介したとおり、2004年、EUは性差別をなくすため、「ジェンダー指令」を施行した。「ジェンダー指令」では、EU内の保険業者は保険料や給付金額を算定する際、性別を根拠にしてはならないと定められた。これはクレジットスコアの場合と同じように、性別はダークデータとして取り扱わなくてはいけないということだ。

ただし、「ジェンダー指令」には例外を認める条項が設けられ、「正確な保険数理及び統計のデータにもとづいて行われるリスク評価において、性差の利用が決定要因になる場合」は、「個人の保険料及び給付金額に相応の差を設けること」が許された。したがって、統計モデルのほかのすべての属性が同じ男女であっても、リスクに差があることがデータに示されている場合には、保険料に差をつけることができた。

これはいたってまっとうな措置であり、前に触れた「公平」のひとつの考え方を表したものだ。ところが２００８年、ベルギー憲法裁判所に、この例外条項は男女平等の原則に反するものだという訴えがなされた。裁判は遅々として進まず、ようやく２０１１年３月、欧州司法裁判所によって、２０１２年12月21日をもって例外条項を無効にするという判決が下された。この結果、たとえ男女によるリスクの差があることがデータで証明されていても、性別にもとづいて保険料に差をつけることは違法と化した。以後、性別はダークデータとして扱わなくてはならなくなった。

例えば、自動車保険の場合、女性のほうが男性より事故を起こさないことがデータで示されていたので、以前は、女性の保険料は男性より低く設定されていた。しかし法改正後、そのような差別は認められなくなった。どれぐらいの影響があったかは、２０１３年1月21日の英テレグラフ紙に掲載された表にまとめられている。[15]それによると、男性（高リスクグループ）の平均保険料は法改正前、６５８ポンドだった。それが法改正後、６１９ポンドに下がった。逆に、女性の平均保険料は法改正前に４８８ポンドだったものが、法改正後、５２９ポンドに上がった。最もリスクが高いグループ（17〜18歳）で比べると、男性の保険料が２２９８ポンドから２１９１ポンドへ下がるいっぽう、女性の保険料は１３０７ポンドから１９６５ポンドへとさらに大幅に上昇している。

しかしこの話はこれで終わらない。高リスクグループの人たち（男性）は、保険に加入しやすくなったことで、以前にも増して道路を走るようになり、低リスクグループの人たち（女性）は、逆に以前より自動車に乗らなくなる。これは社会にとって有益とはいえないのではないか。ここでもやはり「公平」とは何かが問われる。

一般に、保険料は将来の給付金や保険金の請求に応じられるよう、なんらかの悪い出来事（自動車事故や病気など）が発生するリスクを推定して、算出される。それらのリスクの推定の土台になるのは、過去のデータだ。例えば、医療保険の場合、まず属性（年齢、性別、ＢＭＩ、病歴など）にもとづいて、人をグループ分けし、それぞれのグループごとにどれぐらいの割合の人が罹患しているかを調べる。次にそれらの罹患率を使って、ある属性を持った人が将来どのぐらいの確率で罹患するかを推定する。被保険者の保険料の算定には、そこで推定された罹患の確率が使われる。同じグループに属する人は全員、罹患する確率も同じと見なされるので、同じ保険料を課される。保険数理士（アクチュアリー）と呼ばれる人の仕事は、このような計算をすることにある。

しかし、このグループの人たちを長期間、観察したらどうか。ひとりひとり違った変化が見られるはずだ。体重が増える人もいれば、喫煙をやめる人もいるだろう。保険を解約する人もいるかもしれない。病気を患うリスクは時間とともに変化し、その変化の仕方もひとりひとり違う。グループの平均リスクに比して、病気を患うリスクが下がる人もいれば、上がる人もいる。給付金を請求する確率が高まる人もいれば、低くなる人もいる。

病気を患うリスクが下がった人は、以前より健康になったのだから、別の保険会社に加入し直せば、支払う保険料を安くできるだろうと気づき、そうする。高リスクの人たちの保険料はもとのままで変わらない。やがてデータが蓄積されるにつれ、高リスクの人たちによって支払われている保険料の総額では、給付金の請求に応じきれないことが明らかになってくる。そうすると保険料が引き上げられる。このサイクルが繰り返されることで、コストがじわじわと高まり続ける「死のスパイラル」が発生する。ジョージ・アカロフのレモン市場を思い出していただきたい。

ここでの肝心なポイントは、保険は「平均」にもとづいているということだ。同一グループ内の人たちのリスクは、実際には個々にいくらかばらつきがあっても、全員同じと見なされる。すべての人をこのように同列に扱うことは、平均からの偏差をダークデータ（DDタイプ9「データの要約」）として扱うことを意味する。

データを平均値で置き換えるのは、要約や総計によって値をあいまいにする操作のひとつであり、仮説や理論上の現象ではない。2010年に成立した米国の「医療費負担適正化法」の例を見てみよう。しばしば「オバマケア」と呼ばれているものだ。

この法律のいわゆる「個人義務条項」では、特殊な事情の人を除いて、すべての国民に健康保険への加入が義務づけられていた。違反すれば罰金を科された。これはつまり、健康な人も、病気を患って高額な治療を受けるリスクが低い人も、健康保険に加入しなくてはいけないということだ。ということは、全被保険者に占める低リスクの被保険者の割合が高く、ひいては保険料を安く抑えられることを意味した。ところが2017年の上院の法案で、この義務条項は取り除かれ、健康保険への加入は義務ではなくなった。これにより健康保険に加入しない人が低リスクの人のあいだで増え、その結果、病院で治療を受ける加入者の割合は高まって、保険の費用が増大することが予想される。さらにその結果として、保険料は引き上げられるだろう。実際、議会予算局は、個人義務条項の廃止の影響で、2027年までに1300万人が非加入を選択し、保険料は年間で10％上がると予測している。この数字には異論もある。スタンダード＆プアーズの予測では今後10年で増える健康保険の非加入者の数は、300万〜500万人とされる。どちらにしても、将来は明るいとはいえない数字だ。

ほかにも問題を複雑にする要因はいろいろとある。そのひとつは、保険会社自体がこの新しい保険制度に参加しない可能性があることだ。これもまた逆淘汰の原因になり、データにも、保険システム全体にも影響を及ぼすだろう。本稿の執筆時点で、事態はまだ流動的だ。今後、どのような展開を見せるのか、興味を引かれる。

本章では、規制のあいまいさや盲点がいかにつけ入られるか、得られたデータの値自体によっていかにデータの生成過程が左右されるか、情報の非対称性によっていかにいっぽうの人が有利になるか、それらのダークデータの側面がアルゴリズムにいかに影響するかを見た。さらに悪いことに、それらのダークデータの側面は互いに組み合わさることがある。そうすると保険の事例に示されていたように、「死のスパイラル」が生じる。しかし自分に都合よくダークデータを利用するのではなく、故意に偽のデータが作られる場合もある。次章ではそういう場合について見てみよう。

第6章　意図的なダークデータ——詐欺と策略

詐欺

世の中にはときどき詐欺で名を馳せる者がいる。エッフェル塔とはなんの関わりもないのにそれを売ろうと考えついたヴィクトール・ルースティックは、1925年、鉄くず業者を集めて、次のように話した。エッフェル塔の維持には莫大な金がかかることから、パリ市はエッフェル塔を鉄くずにして、売却することに決めた、と。これはあながちうそとは思えなかった。もともとこの塔は1889年のパリ万博のために一時的に建てられたもので、残される予定ではなかったからだ。ルースティックはさらに、そのような売却はパリ市民の反発を買う恐れがあるので、契約の締結までは極秘にしておいたほうがいいと説明した。これもいかにももっともなことに聞こえた。ルースティックは鉄くず業者たちに「フランス逓信省長官代理」なる肩書きの記された偽の書類を見せて、塔を案内して回り、入札を求めた。このときに、カモにできそうなアンドレ・ポアソンという人物が目に留まった。さっそくポアソンに声をかけて、ふたりだけで会う約束を取り交わした。後日、ふたたび会ったとき、ルースティックは落札の賄賂に応じる用意があることを暗にほのめかして、まんまと賄賂と鉄くずの代金の両方を手に入れると、その足でオーストリアに高飛びし、「エッフェル塔を売った男」として知られるようになった。

この実話は、策略に策略を重ね、巧みに真実を隠す詐欺の典型だ（DDタイプ13「意図的なダークデータ化」）。しかしじつは、これにはさらにもうひとつの策略があった。ポアソンはだまされたことを恥じて、信用詐欺に遭ったことを誰にもいわなかったのだ。おかげでルースティックの犯罪は露見しなかった。

ルースティックを有名にした詐欺にはほかに「貨幣の印刷機」詐欺がある。それは100ドル紙幣を印刷できるという触れ込みの印刷機だった。ルースティックは相手にそれを信じ込ませるため、目の前で印刷を実演して見せた。印刷機からはとてもゆっくりと数枚の紙幣が吐き出された。印刷機を買わされた相手が、じつは印刷機から出てきたのが本物の紙幣だったことに気づいたときには、ルースティックは（印刷機の代金3万ドルといっしょに）姿を消していた。被害者は警察に被害を届け出るわけにはいかなかった。まさか偽札造りの機械を買おうとして詐欺の被害に遭ったとはいえなかったからだ。ここでも真実が明るみに出ないよう何重にも策略が凝らされていた。

ルースティックの狡猾《こうかつ》な手口に示されているように、詐欺で肝心なのは、ほんとうのことを明らかにする情報をいかに隠すか、つまりデータをいかに隠すかだ。しかしそのような策略が成功するのはたいてい、すぐにその場でものごとを判断しようとする人間の心理的な傾向のおかげだ。わたしたちはじっくり証拠を検討し、データを入念に調べてから判断せず、すぐに判断を下してしまいやすい。ノーベル経済学賞を受賞した心理学者、ダニエル・カーネマンは、この人間の傾向を深く掘り下げ、ベストセラー『ファスト&スロー』で紹介している。カーネマンによると、人間の思考は「システム1」と「システム2」に分類できるという。「システム1」はすばやく、直感的で、感情に左右される思考であり、「システム2」は遅く、入念で、論理的な思考だ。「システム1」の思考のおかげで、わたしたちは環境の変化にすばやく対応でき、正しいと信じる判断をすみやかに下せる。ただしそのような即断は、誤っていることがある。また第2章で紹介したようなさまざまな認知バイアスの影響も受けやすい。逆に、「システム2」の思考は、証拠に目を向け、事実をバランスよく取り入れ、いろいろな証拠をじっくり比較検討したうえで、結論を下す。「システム2」では、データに実態が反映されていない可能性があること、データに欠けている部分があるかもしれないことが考慮されている。

『オックスフォード英英辞典（*The New Oxford Dictionary of English*）』で詐欺は、「金銭的または個人的な利得を目的とする不当または違法な策略」と定義されている。詐欺の目的はたいていが金儲けだが、別のことが目的とされることもある。権力や名声の獲得のほか、性的関係を持つことや、テロを実行することが目的の場合もある。また悲しいことに、詐欺は人間のあらゆる活動の中で生じうる。あとで見るように、クレジットカードの不正利用からインサイダー取引まで、さまざまな金融取引で起こる。偽物を本物と思い込ませるため、ほんとうの姿を隠そうとする偽造でも起こる。偽造は美術や銀行券、薬、ハンドバッグや衣服などの消費財など、数多くの分野で見られる。インターネットでも起こる。剽窃《ひょうせつ》という形で文学でも起こる。ほんとうの投票結果を隠して、権力を握ろうとする選挙でも起こる。第7章で論じるように、科学ですら起こる。科学界の詐欺行為は、名声を高めることが動機の場合もあれば、自説の正しさを立証するデータがなかなか得られないのに、自分は絶対に正しいと信じる自信過剰が背景にある場合もある。

ヴェロニク・ファン・ブラッセラールの研究グループは、社会保障詐欺を摘発する手法について述べる中で、違う角度から詐欺を論じ、詐欺犯罪には次のような特徴があると指摘している。「ふつうとは違う。よく考えられている。しだいに進化する。綿密に計画されている。気取《けど》られないよう隠されている」(1)。最後の「隠されている」という特徴は、詐欺にはダークデータの側面があることを物語るものだ。詐欺犯たちは少なくともしばらくは自分たちのしたことが表面には見えないようにする。バート・バーセンスもこの点について共著『詐欺分析（*Fraud Analytics*）』で次のようにいっている。「詐欺犯はあらゆる策を弄して、巧みに環境に溶け込もうとする。そのような手口は軍や動物のカムフラージュの技術を思い出させる。まるでカメレオンか、ナナフシのようだ(2)」。つまり人間だけの行為ではないということだ。実際、動物界にはバーセンスの著書で触れられていた昆虫から、縞模様のあるトラやモクズショイ（フィンチなどの鳥と同じように、周りにあるものを身にまとって姿を隠すカニ）まで、ほとんどあまねく見られる。それとは反対に、丸見えの状態で自分の正体を隠そうとする動物もいる。例えば、無毒のキングヘビがそうだ。キングヘビは猛毒を持つサンゴヘビと同じ輪形の模様をまねることで、自分の正体を悟られないようにしている。

現在、詐欺は最も多い犯罪だと考えられている。『2017年6月期イングランド-ウェールズ犯罪白書』には次のような報告がある。「最新の調査では、2017年6月までの1年間に発生した犯罪件数は580万件とされるが、それらには詐欺やコンピュータ不正使用の犯罪は含まれていない。〔……〕詐欺とコンピュータ不正使用の犯罪を含めると、2017年6月までの1年間の犯罪件数は1080万件と推定される(3)」。詐欺とコンピュータ不正使用の犯罪件数は、ほかのすべての犯罪件数を足した数とほぼ同じだったわけだ。2007年の電子商取引詐欺の被害額は1億7800万ポンドだったが、2016年には3億8000万ポンドまで上昇した。2009年、当時博士課程の学生だったゴードン・ブラントとわたしが行ったメタ分析では、英国で発生したあらゆる種類の詐欺犯罪の被害総額は、詐欺をどう定義するかで大きく異なるが、最低でも70億ポンド〔約9300億円〕、最高では700億ポンド〔約9兆3000億円〕と推定された(4)。

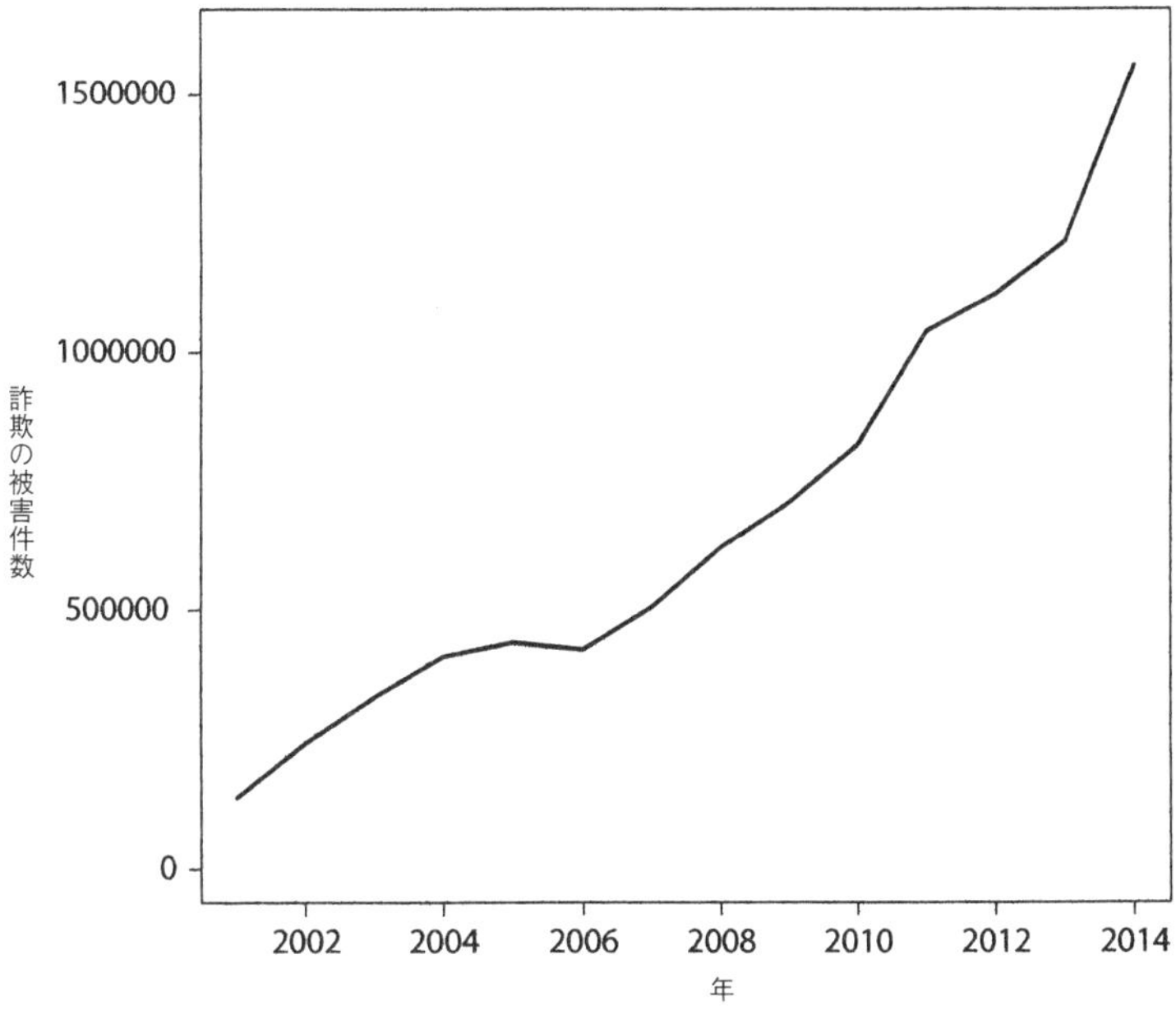

図５　消費者から届け出があった詐欺の被害件数（2001 ～ 2014 年）

インターネットは世界じゅうに広まっているシステムなので、詐欺の増加に見舞われているのが英国だけではないことは容易に想像がつく。米連邦取引委員会の報告書『消費者監視ネットワークデータブック』には、２００１年から２０１４年にかけて、詐欺の被害届が増えたことが記されている[5]。そのような傾向は図５を見れば一目瞭然だろう。

　詐欺にはダークデータの２つの相補的な側面がある。詐欺犯は自分の正体やほんとうの状況を相手から隠そうとする（ルースティックとカモにされた鉄くず業者の例を思い出してほしい）。そのいっぽうで、わたしたちは詐欺を防ぐため、ある種のデータ（自分のパスワードなど）を他者から隠しておこうとする。本章ではこのうちの前者を掘り下げる。詐欺が生じる領域は無数にあるが、そのうちのいくつかを見てみたい。後者については第9章で取り上げるつもりだ。

なりすましとインターネット詐欺

ニューヨーカー誌に1993年に掲載され、その後、世界じゅうに広まったピーター・スタイナーの有名な漫画がある。パソコンの画面に向かっている2匹の犬を描いた漫画だ。1匹がもう1匹にいう。「インターネットじゃ、おれたちが犬だって誰にもわからないぜ」。事実、ワールド・ワイド・ウェブ（www）の世界では、正体を隠すのは朝飯前だ。ゆえに詐欺の温床になりかねない危険がある。加えて、難なく他人にもなりすませる。

他人になりすますのに使える個人情報の入手は、インターネットによって格段に簡単になった。しかしそういうはかりごとは、今に始まったことではない。実際、「なりすまし犯罪（identity theft）」という言葉は1960年代から使われている。インターネット時代以前には、電話をかけたり（当時は最も頻繁に用いられた手口だった）、ゴミ箱をあさったりすることで、他人の個人情報が盗まれていた。インターネットの登場によって、それらの方法が使われなくなったわけではない。電話は今でもしばしば詐欺に使われている。よくあるのは、偽の銀行の電話番号に電話をかけさせて、パスワードなどの個人情報を聞き出すというパターンだ。

以前からなりすましに使われている手法にはほかに、「ジャッカルの日」詐欺と呼ばれるものがある。フレデリック・フォーサイスの同名のベストセラー小説の中に出てくる手法だ。この手法では、すでに死亡している人物の出生証明書を手に入れたうえで、その証明書を使って、パスポートなど、ほかの個人文書が盗み出される。この場合、身分を盗まれた本人が被害を受けることはないが、犯人はその身分を自由に使って、ほかの悪事を働くことができる。39歳の詐欺犯ジェラルド・ダフィーが盗んだのは、1972年に3歳で交通事故死したアンドリュー・ラピンという人物の身分だった。ダフィーはその偽の身分を使って、銀行口座を開設し、クレジットカードを作った。

いくらか変わった事例では、ニュージーランドの国会議員で弁護士でもあったデイヴィッド・ギャレットという人物が、死児の出生証明書を手に入れたうえで、その名前でパスポートを取得したことがあった。ギャレットはフォーサイスの小説を読んで、ほんとうにそんなことが可能かどうか試してみたかっただけだと主張した。

死んだ人——もしくは殺した人——の身分を乗っ取るのは、ワールド・ワイド・ウェブの登場以前、他人になりすますための常套《じょうとう》手段だったようだ（人を殺す必要をなくしてくれただけでも、インターネットに感謝しなくてはいけないかもしれない）。

子どもの身分が盗まれたときには、いっそう問題は深刻になる。長いあいだ、気づかれにくいからだ。場合によっては、おとなになるまで気づかれない。ニューヨーク・タイムズ紙で以前、ガブリエル・ヒメネスという少年の一件が報じられたことがある。(6) ガブリエルが11歳のとき、母親がそのチャイルドモデルとしての仕事の納税の申告をしようとしたところ、驚いたことに、すでに申告はすまされていた。調べてみると、不法移民がガブリエルの社会保障番号を使っていることが判明した。また、そういう事例とは逆に、犯罪者が目をつけたあどけない子どもに近づくために、偽の身分が用いられることもある。

調査会社ジャヴリン・ストラテジー・アンド・リサーチの2017年の調査によると、米国では2016年、消費者の6％がなりすまし犯罪の被害に遭い、被害総額は約1500万ドルにのぼったという。(7) 保険情報研究所は、米国の州ごとのなりすまし犯罪の件数を発表している。[8] ２０１６年の上位３州は、ミシガン州（10万人当たり１７６件）、フロリダ州（同１６７件）、デラウェア州（同１５６件）。最下位は（むしろ最上位というべきかもしれないが）ハワイ州で、同55件だった。

毎年毎年、新たななりすまし犯罪が報じられる。データシールド〔個人情報保護ソフト〕のウェブサイトには、「史上最悪のなりすまし犯罪」のワースト５が紹介されている。[9] もちろん、何を「ワースト」とするかは基準しだいだが、この５件はどんな観点からいっても、確かにひどいものばかりだ。例えば、フィリップ・カミングスという人物はかつての雇用主から３万３０００件のログインＩＤとパスワードを盗んで犯罪者に売り、その犯罪者たちがそれらの情報を使って50ドルから１億ドルまで盗んだ。あるいは、２児の父であるマルコム・バードという人物はコカイン所持で逮捕され、留置場に入れられたとき、自分の名前が盗んだものであり、犯罪のために使っていたものであることを警察に白状したという。

なりすまし犯罪の本質は、自分の正体を隠して、別人のふりをすることにある。ふつう犯人は、人目を引く行動は極力つつしんで、目立たないようにし、自分が身分を乗っ取った相手ともたいがい直接会わない。しかし例外もある。２０１８年３月４日の英サンデー・タイムズ紙は、デートサイト「ズースク（Zoosk）」に写真つきの紹介文が掲載された、58歳のデンマーク系米国人寡夫、マーティンの一件を報じている。マーティンは魅力にあふれ、パートナーを探している女性たちには理想的な男性に感じられた。ただし、ふしぎなことがひとつあった。容姿や経歴が「エリートシングルズ」に写真つきで紹介されている寡夫クリスチャンとも、フェイスブックに登録されているセバスチャンとも瓜二つだったのだ。しかしこの類似は驚きでもなんでもないことがわかった。それらの写真と経歴は全部、46歳のスティーヴ・バスティンという人物のものだった。スティーヴは幸せな結婚生活を送っていて、それらのサイトは閲覧したことさえなかった。どこかの誰かがスティーヴの写真と人生の記録を苦労して集めたらしかった（一から架空の人物をこしらえるよりははるかに楽だったはずだ）。何人かの女性がこの計略に引っかかって、少なくともしばらくは相手を本物だと信じ込まされたという。残念ながら、このような信用詐欺はめずらしくない。新聞には頻繁にそういう被害に遭った人（たいていは女性）の記事が出ている。詐欺犯に大金を貢いでいる被害者が多く、実際には行われていない手術の費用を支払ったとか、遺産を相続するまでのあいだ、生活の面倒を見てやったとか（実話だ！）、架空の事業の継続を支えたとかいう事例もある。

なりすまし犯罪の本質は、他人に知られたくない個人情報、いい換えれば、ダークデータにしておきたい個人のデータ、少なくとも利用中のサービスの提供者以外には秘密にしておきたいデータを奪われ、利用される点にある。なりすまし犯罪のような問題が生じるのは、それらのダークデータが盗まれるなどして可視化されるときだ。したがって、ダークデータそのものは、必ずしも悪いものではない。秘密にしておきたいデータを守る方法については第9章で取り上げる予定だが、身の回りで次のようなことがあるときには、なりすまし犯罪の被害に遭っている可能性がある。クレジットカードの購入履歴に記憶にないものが含まれている、申し込んでいないクレジットカードが送られてくる、あるいはもっと明白なものとしては、預金が何者かによって勝手に引き下ろされている、などだ。

現在、銀行などの金融機関には、不正が疑われる取引があれば、ただちに検知できるシステムが備わっている。しかしそれも完璧ではない。つねに人的な要因がある。わたしのある同僚は、メルセデスの新車を購入したとき、この車は絶対に盗まれないと自信満々だった。電子キーからカメラやGPS追跡送信機まで、最新の盗難対策が施されていたからだ。しかし車に乗り込もうとしたところを襲われたときには、対策はどれも役に立たなかった。

ここまでの例では、なりすまし犯罪にあえて重点を置いてきたが、インターネット詐欺にはほかにもありとあらゆる形態がある。どれもなんらかの情報を隠すことを土台にしている。そのひとつは、おそらくみなさんも出くわした経験があるであろう「前払い詐欺」だ。

前払い詐欺では、多額の謝礼を払うので、取引を手助けしてほしいというメールが被害者に送りつけられる。その「手助け」には、送料やら取引手数料やらといった初期費用の負担が含まれている。たいていはその後、同じような要求が何度も繰り返され、詐欺であることに相手が感づき始めるまでそれが続く。おそらくこの種の犯罪でいちばん有名なのは、ナイジェリア刑法第４１９条にちなんで「４１９詐欺」と呼ばれている詐欺だろう。典型的な「４１９詐欺」では、アフリカの国から外国へ巨額の送金を行うのを手助けしてほしいというメールが被害者に送られてくる。世界全体の被害総額に関してはさまざまな推計があるが、最大では30億ドルにもなる。それはすべて情報を隠したり、歪めたりする手口で得られたものだ。

個人金融詐欺

以前、金融分野などの不正検知を研究していた頃、銀行幹部のある会合で、クレジットカードの不正利用を検知する方法について話したことがあった。話が終わると、かなりの年配の重役が声をかけてきて、こういった。「弊行で詐欺はいっさい起きていないと断言できますよ」。わたしにはこの発言の真意をつかみかねた。最大限に好意的に解釈すれば、これはジョークに違いなかった。しかし、彼は銀行の公式見解を述べただけで、文字どおりの意味で受け止められることを期待してはいなかったのかもしれない。実際、詐欺の被害に遭っていることが広く知られたら、銀行の評判に傷がつくだろう。詐欺被害については黙っておくほうが――顧客にとってはともかく、彼にとっては――賢明だった。つまりそれはデータを隠しておくということだ。もちろん、第3のもっと由々しき可能性もある。それは自分の銀行で生じている詐欺に気づいていないという可能性だ。彼は本気で詐欺は起きていないと信じていたのかもしれない。それはつまり、少なくとも彼が知る範囲では、データがほんとうに隠されていたことを意味する。もしそうだとすると、それは問題だった。現実に、すべての銀行で詐欺や詐欺の未遂は起こっているからだ。

金融分野でダークデータがいかに大きな役割を果たしているかは、アーヤン・リウリンクの金融詐欺の定義に見事にいい表されている。それは次のような定義だ。「金融市場の参加者が他の参加者に、故意または軽率に、金融商品や投資機会に関する誤った情報や不完全な情報、あるいは改竄された情報を、規制であれ成文法であれ、民法であれ刑法であれ、なんらかの法律や法的基準に違反する形で提供することで、他の参加者を誤った判断に導いたり、惑わせたりしようとする行動や発言」(10)。リウリンクがここでいっているのは金融市場のことだが、誤った情報や不完全な情報によって誤った判断に導くという部分はまさにダークデータの特徴だ。

金融詐欺の種類は、犯罪者が手口を思いつく限りいくらでもありうる。しかしどんな種類でも、土台となるのは真実を隠すことで相手に誤った判断を下させることだ。ではそのうちのいくつかがどのように生じるかを見るため、まずは身近なところとして、クレジットカードやデビットカードなどのカードの不正利用という詐欺を取り上げてみよう。

カード決済の技術の進歩は著しい。初期のカード決済は、カードの印字と署名にもとづいたものだった。それがやがて、ユーザーの情報がカードの磁気ストライプに書き込まれるシステムに取って代わられた。

その後、ヨーロッパでは10年ほど前から、米国ではもっと最近になってから、カードにチップを埋め込む方式に変わり、個人識別番号（ＰＩＮ）と呼ばれる暗証番号と組み合わされた。さらに最近では、少額の取引に非接触型決済が導入され始めた。この非接触型決済には、ユーザーがカードやスマートフォンなどのデバイスをカードリーダーにタップするだけで決済ができる、無線自動識別や近距離無線通信の技術が使われている。この決済では本人確認が省かれているので、カードを盗まれることは、カードの利用を停止しない限り、お金を盗まれること（少額だが）を意味する。ただし取引が一定回数を超えるときには、ＰＩＮの入力が求められることになっている。

クレジットカードの番号とＰＩＮは、わたしたちがダークデータにしておきたいデータであり、信頼できる人や機械にしか提示したくないデータだ。しかしデータ泥棒はそういうデータを狙ってくる。カードそのものを盗む必要はなく、カードの情報や、カード決済が行われたときに使われた情報を手に入れればよい。テクノロジー（例えば、カード情報を不正に読み取る「スキマー」と呼ばれる装置など）とソーシャル・エンジニアリング（例えば、相手をだましてＰＩＮを聞き出すなど）を組み合わせて、データ泥棒はそれらの情報を盗もうとする。そのような泥棒の手口を知っていれば、犯罪の被害に遭わないためにどういう対策を取ればいいかもわかる。例えば、ＰＩＮを入力するときに誰にも番号を見られないようにすることと、他人に自分のカードを自分から見えないところに持って行かせないことは、標準的な対策だ。

クレジットカードの不正利用にはさまざまな手口があり、どういう手口が盛んになるかは、新しい防止技術の導入に伴って変化している。根本的な問題は、不正利用の検知なり防止なりの新しい手法を導入することで、一部の者たちに犯罪を思いとどまらせることはできるが、すべての者に犯罪を思いとどまらせることはできない点にある。とりわけ組織的な犯罪は防げない。つまり、ある種類の不正利用を検知する手法を導入すると、別の種類の不正利用が増えてしまうということだ。この「ウォーターベッド効果」――ある場所で犯罪を抑止すると、別の場所で犯罪が増加する現象――がまざまざと起こったのは、英国でヨーロッパ諸国に先駆けてチップとＰＩＮの技術が導入されたときだった。英国でそれらの技術が導入された結果、英国では盗難カードによる犯罪が減るいっぽうで、フランスでそれが増えてしまった。カード情報は英仏海峡を越えて送られていたからだ。

今、最も頻発しているカード犯罪は、「非対面取引」でのものだ。非対面取引では、インターネットや電話やメールなどを介して、カードやカードの持ち主が見えない状態で、商品の売買が行われる。そのような取引にはより高いリスクが伴うので、インターネットで受けた注文の品を新規の住所に送ろうとするような場合、どうしても安全対策の手続きは増える。売り手がそのような対策を施すことで初めて、見えない相手との商取引は成立する。

しかし残念ながら、どれだけ技術が進歩しても、人間の性質ゆえに詐欺は完全にはなくならないだろう。みなさんも、外国にいる友人や同僚の名をかたる人物から、お金や書類を盗まれたので、帰国に必要なお金を送ってほしいと求めてくるメールを受け取ったことがあるだろう。あるいは、フィッシング詐欺の被害に遭ったことがあるかもしれない。本物のように見せかけたメールで、銀行やクレジット会社のサイトにそっくりの偽のサイトに導き、カード情報を引き出そうとする詐欺だ。あいにく、詐欺犯と詐欺を防ごうとする者の戦いは軍拡競争さながらの様相を呈し、どちらの側も負けじと年々、技術を進歩させている。実際、フィッシング詐欺のメールの文章といえば、ついこのあいだまで、スペルも間違っていれば、文法的にもおかしいものだった。ところが今ではスペルミスは見られなくなってきている（スペルミスは意図的なものだという説もあるようだ。スペルに間違いがあるような文章を真に受ける相手のほうがだましやすいと考えて、そうしているのだという。わたしにはこれはいささか詐欺犯を買い被りすぎている気がするが)。

新しい技術の波が起こるときはいつも、ユーザーの利便性やセキュリティの向上が図られるが、いいことばかりではない。例えば、磁気ストライプから埋め込みチップに移行したことで、レジでのカードの支払いに以前よりいくらか時間がかかるようになった。急いでいる人は、そのせいでいらいらさせられるかもしれない。手続きがあまりに煩瑣《はんさ》なものになれば、客は別の店に行ってしまうだろう。どこまでセキュリティを厳重にするかは店の判断による。パスワードも、ダブルキー認証も、指紋や虹彩や音声の生体認証も、すべて詐欺犯からデータを隠すため、データをダークデータにしておくための手法だが、どの手法を使うにしても、アカウントの利用時にそれだけ手間が増えることは避けられない。自分のお金へのアクセスに鍵をかけられることに加え、不正利用の疑いが検知されれば、カードの所有者のもとに確認の電話がかかってくる。ある程度までこれは便利な仕組みだ。銀行が不正利用にほんとうに目を光らせてくれていることがわかり、安心できる。しかし、たびたび電話がかかってきたら、煩わしいだろう。

金融市場詐欺とインサイダー取引

2011年、スイス金融大手UBSグループの英国支社で、グローバル・シンセティック・エクイティーズに所属していたガーナ人金融トレーダー、クウェク・アドボリが帳簿外の取引を行って、約23億ドルの損失を出した。これは英国史上最大の不正取引による損失額だったが、世界史上最大ではない。1990年代、住友商事の銅のトレーダーだった浜中泰男が、不正取引で自社に26億ドルの損失をもたらしている。さらに、ダークデータや不正取引によるものではないが、それをも上回る損失が出たこともある。2000年代初め、モルガン・スタンレーのハワード・ハブラーが手がけた、合法的だが危険なサブプライムローンの取引では、同社に約90億ドルの損害がもたらされている。チャンスとリスクは表裏一体であり、ときに悪い結果が出ることは避けられない。ただハブラーは社内の人間に取引の収支状況はたいへん良好だとうその話をすることで、事実を隠してはいた。

悪徳トレーダーの中には初めから不正を働くつもりだった者も確かにいるが、大半はそうではないようだ。最初は、とことん儲けまくれという社内の風土にけしかけられて、許可された範囲以上の取引に手を染めてしまう。その後、損失が出始めたとき、そこであきらめて精算し、損失を計上しようとせず、逆に取引を拡大して、利益を出すことで損失を埋め合わせ、無許可の取引がばれないようにしようと図る。するとリスクが増大し、事態は深刻化し、明白な不正取引をせざるをえない状況に追い詰められる。そこから先は転落の一途だ。最後には10億ドルの損失を出して、200年以上の歴史を誇る英国の名門投資銀行ベアリングス銀行の破産を招いた、ニック・リーソンの一連の不正取引はその典型といえる。

ここまで何度も出てきた何十億という数字は、いったいどれぐらいの規模のものなのか、あまりぴんとこないかもしれない。イリノイ州の上院議員エヴァレット・ダークセンの言葉として誤って伝えられている名言を借りて、「あっちに10億、こっちに10億というが、いったいそれはいくらなのかね」と茶化したくなるかもしれない。では、10億ドルとは実際にはどれぐらいのお金なのか。米統計局によれば、2016年の米国人の所得の中央値は、3万1099ドルだった。したがって、モルガン・スタンレーの損失額90億ドルは、およそ30万人分の年収に相当する。

「インサイダー取引」とは、内部の機密情報を利用して、株式市場で不公正な取引を行うことをいう言葉だ。「機密情報」とは、一般には公開されていない情報であり、つまりダークデータを意味する。それは同時に、取引のいっぽうの側には知られ、もういっぽうの側には知られていないという点で、第5章で論じた非対称な情報（DDタイプ12「情報の非対称性」）でもある。

おそらくご想像いただけると思うが、インサイダー取引を摘発するのはむずかしい。摘発のこつは、情報の公表前に大量の取引が行われているなど、異常な動きを見抜くことにある。

米国のトレーダー、アイヴァン・ボウスキーが関わったインサイダー取引事件はとりわけ有名だ。1975年、ボウスキーは企業買収の投機を専門に手がけるアイヴァン・F・ボウスキー&カンパニーを設立した。華々しい成功を収めて、10年で2億ドルの資産を築き、タイム誌の表紙を飾りもした。しかし1980年代、大型買収の予測がことごとく当たっていることに、証券取引委員会が不審を抱き始めた。ボウスキーの取引はあまりにタイミングがよいことが多すぎるようだった。たいがい買収で株価が高騰する直前に、株式が購入されていた。これはふしぎな予知能力を持っていたからでも、高精度の予測アルゴリズムを駆使したからでもなく、単に投資銀行の社員に金を渡して、間近に迫った買収案件の情報を聞き出していたからだった。つまり、隠しておかなくてはいけないデータを利用したのだ。ボウスキーは1億ドルの罰金を科されて、投獄された。「強欲は善である」というセリフで有名な映画『ウォール街』の主人公ゴードン・ゲッコーのモデルは、ボウスキーだといわれている。

インサイダー取引だからといって必ずしもボウスキーの例のような大金が絡むわけではない。オーストラリア人、レネー・リヴキンはインパルス航空の会長ジェリー・マゴワンとの内密の会話で、カンタス航空がインパルス航空を買収することを知ると、その情報にもとづいてカンタス航空株を5万株購入した。しかし得られた儲けは2665ドル（「万ドル」ではなくただの「ドル」）だった。とはいえ、何百万ドルの利益を上げられなくても、不正行為を許してもらえるわけではない。気の毒ながら、のちにインサイダー取引で有罪になり、禁固９カ月の判決をいい渡された。２００５年、リヴキンは自殺によりこの世を去ったが、没後の調査で、株式取引を禁止されたあとも、ひそかに株で儲けていたことが判明した。

ここまでの例はどれもいわゆるビッグデータやデータサイエンス革命以前に起こったものだった。したがって当局が不審な動きに警戒するには、内部密告者や、ほかの規制機関や、金融取引所の協力が頼りだった。しかし近年、ビッグデータや、機械学習や、人工知能の時代に入り、アルゴリズムが異常な動きを見抜いたり、隠された活動を察知したりするうえで、大きな力を発揮することがわかってきた。２０１０年には、米国の証券取引委員会が「分析検知センター」を立ち上げ、何十億件もの取引記録の分析から異常な取引行動を見つけ出す試みを始めた。

分析検知センターの活動はさまざまな不正行為の告発につながっている。例えば、２０１５年９月、証券取引委員会は分析検知センターの調査結果にもとづいて、弁護士２人と会計士１人を告発した。容疑は、ニュージャージー州の製薬会社ファーマセットの株式を購入するにあたって、事前に同社の取締役から、取締役会で身売りの話し合いがなされているという内部情報を得ていたというものだった。３人とほかの共犯２人は50万ドル近い罰金を払うことになった[11]。

インサイダー取引の要をなすのは、ほかの人が知らないことを知っているという点だ。そのような情報の非対称性は、もっと一般的には不正会計であらわになる。企業がデータを隠したり、虚偽の会計情報を発表したりすることで、自社の実態を隠すことは、金融詐欺の世界で最もありふれたダークデータの表れ方のひとつだ。投資の成果や計画を偽ることもあれば、投資家や規制当局をだますために不適切な取引を隠したり、売上や利益を改竄したりすることもあり、さまざまなうそがつかれる。

事例は選ぶのに困るほどたくさんある。一般に広く知られているのは、史上最大規模の企業倒産につながった2001年のエンロンの例だろう（当時は文字どおり「史上最大」だったが、翌年、ワールドコムの倒産がそれを上回った）。エンロンは1985年、ヒューストン・ナチュラル・ガスとインターノースの合併で生まれた。CEOにはヒューストン・ナチュラル・ガスのCEOケネス・レイがほどなく就任した。エネルギー、通信、パルプ、製紙の分野で世界最大級の企業に成長し、売上高は1000億ドルを超えた。会社の複雑さがあだとなり、最高執行責任者ジェフリー・スキリングと最高財務責任者アンドリュー・ファストウが会計基準の抜け穴をついて、エンロンを財務リスクから切り離すための会社を特別につくり、何十億ドルという負債の存在を取締役会から隠した。しかし2001年、フォーチュン誌の記事で、エンロンの収益源が不明瞭であること、したがって収益の55倍もの時価総額の根拠も不明瞭であることが指摘された。しだいにそのほかの疑惑も浮上してきた。録音されている電話会議でスキリングがジャーナリストに八つ当たりするという余計なことまで起こった。スキリングはほどなく辞任した。当初は一身上の理由と説明していたが、のちに自社の株価が半分まで下がったことがきっかけだったと明かした。

2001年8月15日、経営企画担当副社長シェロン・ワトキンスが匿名でケネス・レイに手紙を送り、不正な会計処理が疑われることを告発した。「不正会計のスキャンダルが巻き起こり、わたしたちは破滅するのではないかと心配でなりません」とワトキンスはその中で綴っていた。この言葉は的中した。会社はがたつきながら営業を続けたが、投資家の信頼は損なわれ、メディアから集中砲火を浴び、経営の不透明さを批判された。2000年半ばに90・75ドルだった株価は、2001年11月には1ドルまで下がった（株主から400億ドルの訴訟を起こされた）。レイは力戦奮闘したが、最終的には信用格付けが「ジャンク」まで下がり、エンロンは倒産した。

このような事件が起これば、規制が強化されて、企業の経営実態を隠すことは以前よりもむずかしくなってよさそうなものだが、現実にはそうなっていないようだ。2014年、エコノミスト誌の記事は次のように警鐘を鳴らしている。「もはや2001年から2002年にかけてエンロンとワールドコムが相次いで倒産したときのように、不正会計事件が大々的に報じられないのは、根絶されたからではなく、常態になったからではないか[12]」。この記事では続けて、ほかの不正会計事件が列挙されている。2011年、スペインのバンキアが発足にあたって、財務情報を偽った事件、日本のオリンパスが何十億ドルという損失を隠していた事件、2008年、米国の地銀大手コロニアル・バンクが破綻に追い込まれた事件、インドのIT企業大手サティヤムが10億ドルを超す現金の粉飾会計を行った事件などだ。このような不正が世界じゅうで起こっていることは間違いないし、それは巨大企業による巨額の不正に限ったことではないだろう。大規模な不正ですらもう大々的に報じられなくなったのだとしたら、小規模な不正の扱いは推して知るべしだ。

保険詐欺

資金洗浄とか企業の不正会計とかに直接関わっている人はめったにいないだろうが、わたしたちの誰にとってても身近な保険でも、お金にまつわる不正は頻発している。ローマ神話の神ヤヌスのように、保険詐欺には2つの顔がある。ひとつは保険会社から金をだまし取ることに向けられた顔、ひとつは保険の顧客から金をだまし取ることに向けられた顔だ。どちらも情報を隠す詐欺だが、誰から情報を隠すかが違う。どちらも意図して計画的に実行されることもあれば、単に偶然の機会を利用して実行されることもある。

計画的に行われるほうは「悪質詐欺《ハード》」、偶然の機会を利用するほうは「便乗詐欺《ソフト》」とも呼ばれる。

顧客から金をだまし取る手口のひとつに、架空の保険契約を交わし、保険料を払い込ませるというものがある。顧客が保険金や給付金を請求するまでは気づかれにくく、場合によってはいつまでもばれないこともある。さらに高度なものになると、架空の保険会社の保険契約を結ばせようとする。そのようなダークデータ詐欺は当然、組織でなくては実行できないし、綿密な計画を必要とする。いうまでもなく、インターネットはそのような悪巧みを隠すには理想的な環境だ。

「チャーニング」と呼ばれる手法も、顧客から金をだまし取るのによく使われる。不要または必要以上の売買や取引を行って、その手数料を取るという手法だ。これも組織的な連携を必要とする。保険の場合、仲介者が複数あいだに入り、それぞれ手数料を取る。それぞれの仲介者との取引だけに目を向けている限り、そこに不審な点は見られない。全体に目を向けたときに初めて不正が行われていたことがわかる。実際、ネットワークの個々のメンバーが個別には合法的な行動、または合法的に見える行動を取ると詐欺がばれにくいことが、広く詐欺犯罪に利用されている。

わたしも以前、大手銀行で、住宅ローンの申し込み者の中に詐欺集団が紛れ込んでいないかどうかを検知するツールの開発を手伝ったことがある。さまざまな人間がぐるになって価格を操作すると、不正な価格操作が気づかれにくくなる（ただし、試してみようと思うかたには警告しておくが、最近は、不正を見つけるデータマイニングツールの性能がどんどん向上している。きっと発覚は免れないだろう）。

おそらくもっと一般的なのは、もうひとつの保険詐欺の顔、顧客が保険会社をだまそうとするほうだろう。保険契約者が保険料を安くしようとして、過去の請求や、病歴や、あるいは自動車の改造などをごまかそうとすることはめずらしくない。建物などの所有物に価値以上の保険をかけて、それを燃やしてしまうという手口もよく知られている。そのような詐欺には明らかに計画が必要だ。少なくとも、前もって考えなくてはできないことだろう。

さらに大胆な手口としては、自分や他人の死亡を偽装して、生命保険の保険金を受け取ろうとする詐欺もある。詐欺に関する著書があるエリザベス・グリーンウッドによれば、毎年、そのような手口の詐欺犯罪が何百件も発生しているという[13]。死亡偽装詐欺が企てられることが多いのは、死亡証明書が取得しやすい国への旅行中だ。例えば、フロリダ州ジャクソンヴィルのホセ・ランティィガという人物は、ベネズエラへの旅行中に死んだと偽って、660万ドルの保険金をせしめ、金銭トラブルを解決しようとした[14]。その後は偽名で暮らしていたが、ノースカロライナ州で逮捕された。それに比べると慎ましいが、英国のある母親と息子は、母親がザンジバル旅行中に交通事故で死んだことにし、14万ポンドの保険金を受け取ろうとした[15]。この母親はカナダへ移住したが、そこで保険調査員に見つかった。外務省に死亡記録がなかったことから、疑念を持たれたのだった。

もちろん、自身の死亡を偽装することには、二度と姿を見せてはいけないという大きな欠点がある。グリーンウッドが述べているように、それまでの人生で関わりのあったすべての人、すべてのものに別れを告げられるかどうか、また、別人としてその後の生涯を送れるかどうかが問われる。

この種の詐欺でもう少し穏健なのは、食中毒で旅行を台無しにされたと訴えを起こすものだ。英国リヴァプールのポール・ロバーツとデボラ・ブリトンは、スペインへの2回の旅行で、そんなうその訴えを起こして、2万ポンドを得ようとした。しかし愚かにも、ブリトンがソーシャルメディアに次のように旅行の感想を書き込んでいた。「太陽と、笑いと、楽しさと、涙の2週間だった。旅先ではすてきな人たちに巡り合えた。みんないい人たちばかりで、おかげですばらしい旅行になった。これまでの人生で最高の旅行から今、帰ってきたところ」。目も当てられないとはこのことだろう。ダークデータを守りたかったら、絶対にダークデータを口外してはいけないと諭してやりたくなる。ソーシャルメディアは最近、そういう詐欺がいちばん発覚しやすい場になっているようだ。そういう犯罪を企てる者たちの常識の程度、少なくとも捕まった者たちの常識の程度がそこにはうかがえる（もっと賢く、ことを露見させない者たちもたくさんいるだろうが）。件の事例では、ロバーツもブリトンも刑務所送りになった。

　計画的に実行される詐欺で近年、英国でしばしば話題になるのは、故意に自動車事故を起こして、けがの賠償を請求する「当たり屋」と呼ばれる詐欺だ。「けがをした」という同乗者は複数いることも、架空の人物であることもある。「けが」で多いのは、圧倒的にむち打ち症だ。いちばん簡単に装えるからだろう。支払いの金額は平均で１５００～３０００ポンド〔約20万～40万円〕。アビバ保険のトム・ガーディナーによると、２００５年から２０１１年にかけて、交通事故が30％減るいっぽう、事故でむち打ち症になったという訴えは65％増えており、明らかに怪しいという[16]。

　自動車事故の偽装は英国に限られた話ではない。例えば、大掛かりなものでは、１９９３年、ニュージャージー州で十数件ものバスの偽装事故が摘発されたことがある[17]。思い浮かべるといくらか滑稽だが、そのうちの1件の犯行現場を捉えたビデオには、バスの「事故」後、17人がどやどやとバスに急いで乗り込んで、事故による負傷という名目で保険の給付金を請求するため、警察の到着を待つ姿が収められていた。しかもこの犯行では、医師までが加担し、架空の治療の請求書を発行していた。保険の請求件数は合計で１００件以上にのぼった。人間は根本的にあさましい生き物なのかと、この事件からは思わされる。

　まったくの第三者が便乗してお金を請求する詐欺は、交通事故に限られていない。２００５年のハリケーン・カトリーナの災害では、不正請求が約60億ドルに達したといわれている[18]。２０１０年、メキシコ湾でＢＰ社の石油掘削基地ディープウォーター・ホライズンから原油が流出した際は、１００人以上がＢＰ社に不正な請求をした罪で逮捕された。フィナンシャル・タイムズ紙によると、「２０１３年、ＢＰ社が不正請求のために支払った金額は、同社の推定では週最大1億ドルにのぼる」という[19]。

保険詐欺にはほかにもいろいろなバリエーションがある。英国で２０１６年に発覚した保険の不正請求の総額は13億ポンド〔約１７００億円〕、件数は約12万５０００件にのぼる。さらに、発覚していない不正請求がそれと同程度あると考えられている[20]。ＦＢＩによると、米国でも医療以外の保険詐欺の被害総額が４００億ドル〔約４・３兆円〕を超えるという（英米の金額に人口差以上の著しい差があるのは、おそらく定義の違いによるもので、国民一般の正直さの差ではないはず！）。

どのような種類の詐欺であっても、個人の銀行取引であれ、保険であれ、ほかのなんであれ、詐欺の防止にかかる費用と、詐欺で発生する損害とのバランスを考えるのが、詐欺対策の一般的な原則になる。１ドルの損害を防ぐために、10億ドルを投じるのは無意味だろう。とはいえ、詐欺の大半を防げる基本的な手法はあり、それは取り入れたほうがいい。例えば、財務会計であれば、照合を行うことだ。口座から出ていった額と支出の総額とが合うかどうか。使途の不明な出費はないかどうか。確実にすべてのデータに目を通すためには照合作業が欠かせない。みなさんもおそらく毎月、支出の記録と口座の明細とをつき合わせているだろう（もしていなければ、ぜひそうするべきだ）。計算が合わない部分があった場合、タイムラグなどの理由で説明がつくこともあるが、説明がつかなければ、不正の疑いがある。同じように、複式簿記というシステムも、お金の出入りを正しく把握するため――すべての取引が見えるようにするため――に使われている。複式簿記の起源は15世紀のイタリアにあるようだ。１４９４年に刊行されたルカ・パチョーリの『算術、幾何、比及び比例総覧』が、世界で初めて複式簿記について解説した出版物といわれる。その本の存在は複式簿記に長い歴史があることを示している。

保険詐欺に関しては、次のような現象が見られるときには、不正データが隠されている可能性がある。請求件数がむやみに多い、請求に特定のパターンが見られる、請求者が大きな請求をしながらやけに落ち着いている、紛失した品物や盗まれた品物の領収書が手書きである、請求の直前に保険金が増額されている、季節労働者が健康上の理由で仕事を辞める。いうまでもなく、これらは保険詐欺に特有の兆候だ。これらのことに気をつけても、ほかの分野で詐欺を見抜くのには役立たないだろう。そこで役に立つのがダークデータのDDタイプだ。第10章で紹介するように、DDタイプには、具体的な事例がどのように生ずるかではなく、15種類にまとめられたダークデータのそれぞれの特徴が描き出されている。

そのほかの詐欺

資金洗浄は違法な手段で得た収益の出どころをわからなくする行為のことだ。麻薬密売から、奴隷売買、違法ギャンブル、恐喝、脱税、人身売買などまで、あらゆる犯罪がその出どころになる。それらの悪事に関わるデータはなんとしても隠しておきたい。2016年のPwC（プライスウォーターハウスクーパース）の調査によると、毎年、世界全体で1兆〜2兆ドルが資金洗浄のために金融機関で処理されているという。[21] これは世界のGDPの2〜5%に相当する額だ。

資金洗浄は次の3段階で行われる。

- 「預入」――金融システムの中に金を入れる。

・「分別」――複雑な金融取引を行って、金の足取りを消す。
・「統合」――合法的な手段でその金を使って、合法的な金と混ぜ合わせ、クリーンに見えるようにする。

最初の2段階、特に第1段階でダークデータは使われる。金融機関の口座に出どころの不明な巨額の入金が突然あれば、当然怪しいので、大口の取引については当局への報告が反資金洗浄規制で義務づけられている。したがって資金洗浄ではふつう、大金は少額に分けられて、口座に預け入れられる。例えば、1万ドル以上の取引に報告義務が課せられていれば、1万ドル未満に分けられる。このように金を小分けにして、規制当局のレーダーに映らないようにする行為は「スマーフィング」と呼ばれている。

収入の大部分を現金で得ている合法的な商売が、違法な手段で得た資金を金融システムの中に入れるのに使われる。その方法は、単純に後者の金を前者の金に組み入れるだけだ。そうすることで合法的に得た金であることが装われる。このようなことがいちばんしやすいのは、レストランやカジノ、バー、洗車など、サービス業だ。ただし、今後、現金払いから電子決済への移行で取引が見えやすく、追跡しやすくなるにつれ、このような手口は使いにくくなるだろう。

ギャンブルも、「預入」によく使われる。個々の賭けの勝算は低くても、続けていればいくらかは勝てる。勝てば、不正に得た金を合法的なギャンブルでの儲けとして申告できる。賭けで出る損失は、資金洗浄のためのコストと見なされる。

ダークデータは「ポンジ・スキーム」という投資詐欺の手口でも核をなしている。詐欺師チャールズ・ポンジが1920年代に用いた手法であることからその名で呼ばれるが、ポンジがこのスキームを考案したわけではない。現に、その手口は19世紀のチャールズ・ディケンズの小説『マーティン・チャズルウィット』や『リトル・ドリット』でも描かれている。ポンジ・スキームでは潤沢なリターンを約束して、出資が募られるが、集めた金は実際には運用に使われない。新しい出資の一部を古い出資者に配当として支払うことで、あたかも運用で利益が出ているかのように見せかける。当然、いつかはこの手法は行き詰まる。経済状況の悪化などによって、新しい出資が得られなかったり、出資者たちに払い戻しを求められたりすれば、おしまいだ。投資会社の実態が白日の下に晒され、いかなる運用が行われていたかが明るみに出る。第1章で触れたマドフの詐欺は、ポンジ・スキームの一例だった。２００８年の金融崩壊をきっかけに多くの投資家が払い戻しを求めた結果、集められた資金がすっかり消えていることが発覚した。このような詐欺を防ぐには、透明性を高めることが欠かせない。とりわけ出資者から集められた金がどのように使われているかを開示させる規制が肝心だ。

インサイダー取引についてはすでに見たが、インサイダー詐欺には横領という犯罪もある。この詐欺は摘発がむずかしいことで知られる。横領に手を染めるのは、会計業務に携わっていて、不正にお金を引き出せる立場にある社員だ。目の前の大金を操作できると知ったとき、その誘惑に抗《あらが》えない者も中にはいる。実際、横領が起こるのは往々にして、お金に困った社員が「借りる」つもりで、雇用主に内緒で会社の金に手をつけるときだ。そのときには本心から、いずれ状況が改善したら返すつもりでいるのだが、得てして状況は悪化し、かえって深みにはまり、最後には刑務所に送られるはめになる。

しかし横領は組織犯罪の一部としてもっと大きな規模で起こり、ときに長期にわたることもある。手が込んでいて、しかも悲しい、次のような横領事件の話を聞いたことがある。ひとりの貧しい学生が無名の財団から奨学金を得た。それは授業料に加え、家賃も負担してくれる奨学金だった。卒業時には、銀行への就職も手伝ってくれた。勤勉で誠実なその学生は、やがて出世し、大金を管理する地位に就いた。すると財団から連絡があり、ある口座への多額の送金を依頼された。その送金にはまったく違法性はないように見えた。ところが送金が済むと、財団も、金も消えてしまった。心の純粋な、人を疑うことを知らない行員は、横領の罪に問われることになった。

ダークデータを使った金融詐欺の種類も、具体的な手口も無数にある。すでに見たもののほかに、脱税に関わるものもあれば、ボイラールーム詐欺と呼ばれるタイプのものもある。ボイラールーム詐欺とは、詐欺犯が投資家に電話をかけて、価値のほとんどない株式や債券を不当に高い値で売り込もうとする詐欺だ。

これらの詐欺では必ずなんらかのレベルで情報が隠されている。手口が多様であるぶん、それらを防ぐには同じようにさまざまな対策が求められる。高度な統計学の手法を用いて徹底的に記録をチェックすることから、異常な取引を検知する機械学習やデータマイニングツールを使って標準的な顧客行動をモデル化することや、特定の取引形態の発生を検知したときに注意を喚起することなどまで、対策は多岐にわたる。ダークデータに関しては、常識もしばしば役に立つ。もし話がほんとうとは思えないほどよくできていたら、その話はおそらくほんとうではない。真実が隠されていることを疑ったほうがいい。

第7章　科学とダークデータ――発見とはいかなる営みか

科学とはいかなる営みか

科学とは、ものごとの性質や仕組みを突き止めようとする営みだ。隠された謎を解き明かそうとする営みにほかならない。しかし科学の根本には、きわめて実際的な意味で、ダークデータが横たわっている。科学の実践においては、カール・ポパーがいったように、「検証可能性」または「反証可能性」が基本になる。つまり簡単にいえば、研究している現象についてなんらかの説明（理論、推測、仮説）を考えついたら、次に、その結論や予測が実際に起こることと合致するかどうかを調べ、その説明が正しいかどうかを検証するのが科学であるということだ。わたしたちの言葉でいい換えるなら、隠されたデータがどのようなものであるかが理論的にはわかっているとき、実験でデータを集め、その予測と照らし合わせる。もし理論による予測が現実と合わないことが、それらのデータで明らかになれば、過去の観察結果を正しく予測できたように、新しい観察結果も正しく予測できる理論に改良するため、理論を書き換えたり、修正したり、拡大したりする。これはある意味でDDタイプ15「データ外の外挿」の一例だといえる。ただし、ここでの外挿は、理論にもとづいて、予想どおりの答えが出るかどうかを確かめるために行われる。

少なくとも科学革命以前は、理論と矛盾するデータを（ふつうは無意識のうちに）集めようとしないせいで、理解の進歩が妨げられていた。確証バイアスについてはすでに触れたとおりだ。つまり、ダークデータをあらわにすることに消極的だったせいで、進歩は阻まれていた。実際、何世紀にもわたって正しいと信じられている理論があったら（例えば、瘴気説《しょうき》がそうだ。ヨーロッパ、インド、中国で古代から19世紀まで、腐敗物から発散される毒気によって、伝染病が広がると信じられていた）、あえてその間違いを証明するデータを探そうとしないだろう。

この問題を指摘した歴史上の人物でわたしがとりわけ注目しているのは、17世紀の哲学者フランシス・ベーコンだ。ベーコンは次のように書いている。「人間の知性はいったんある考えを抱くと、その考えに合致することばかりを見つけてこようとする。その考えとは反対のことを示す事例のほうが多かったり、重要だったりしても、それらの事例は無視されたり、軽んじられたり、あるいは別のこととして退けられたり、拒まれたりする」。ベーコンはデータを無視することの危険について説明するため、難破事故で祈ったおかげで助かったという生存者だけの話を聞いて、祈りには効果があると認める人を例にあげている。祈っても助からなかった人の話がそこでは忘れ去られている。

理論の検証のためにデータを集めるという作業の有名な事例には、サー・アーサー・エディントンとフランク・ダイソンがアインシュタインの一般相対性理論を検証するために行った大がかりな恒星の観測がある。アインシュタインの理論では、光は巨大な物体の近くを通るとき、その重力の影響で曲がると予測されていた。そのような巨大な物体として理想的なのは、太陽だ。もし太陽の近くに見える恒星の位置が、本来の位置よりずれて見えれば、恒星から放たれた光が太陽の近くを通過するときに曲がっていることが明らかになる。問題は、太陽の光で恒星の光が紛れてしまうことだったが、それは太陽の光が月で遮られる日食時であれば回避できた。そこで1919年、サー・アーサー・エディントンはアフリカ大陸西海岸沖のプリンシペ島へ、フランク・ダイソンはブラジルへ、それぞれチームとともに渡って、5月29日の皆既日食を観測した。こうして写真と、恒星の位置の計測から、アインシュタインの予測が正しかったことが確かめられた。これはニュートン力学がじつは単純化ないし近似値であったこと、アインシュタインの相対性理論によって現実がより正確に描き出されることを意味した。文字どおり隠されていた事実が「光で照らされた」事例だ。

このような科学の営みはある重要なことを示唆している。それは、ある現象の「真の」メカニズムを突き止めたという確証はいつまでも得られないということだ。科学は説明をもたらし、その説明は理解の進歩にともなってしだいに強化されもする。しかしいかなる説明であっても、つねに新しい実験結果によって覆される可能性がある。ただし、過去に積み重ねられた実験の結果が多いほど、従来の説明を覆すのはむずかしくなるだろう。この「条件つき」という科学の性質、つまり新たに取得されたデータによって理論を書き換えられるという性質が、証拠よりも信仰を重んじる宗教などとは科学が異なる点だ。だから本書でも、ときどきある科学的な理論を「正しい」といっているが、それらの理論もつねに新しい証拠によって変更を迫られうるものであることを忘れないでいただきたい。

要するに、科学とは「過程」なのだ。けっして、単に既知の事実を集めただけのものではない。しかし往々にしてそういうものだと教えられ、そのようなものだと単純化されている。例えば、子どもたちが学校で科学を学び始めるとき、元素周期表とか、ニュートンの法則とか、虹の発生の仕方とかは教わるいっぽうで、定説が正しいかどうか観察によって検証するという考えはあまり教わらない。確かに子どもたちに身の回りの世界を理解させることはたいせつだが、こういう教育には残念な面もある。将来、おとなになったときに、いわれたことを鵜呑《うの》みにせず、ほんとうかどうかを自分で考えられるよう、科学教育では子どもたちの批判的な思考力も養うべきではないだろうか。

反証可能性——理論から予測される結果と、実際に計測されたデータとを比較して、理論が正しいかどうかを確かめられること——という科学の基準は古くから使われている。重い物体は軽い物体より速く落下するという素朴な思い込みは、観察によって簡単に覆される。例えば、有名なのはガリレオのピサの斜塔での実験だ。ガリレオは重さの違う2つの球を塔の上から落として、2つの球が同時に地面に落ちるのを確かめたといわれている。

同じように、地球は平らだということも、日常の感覚では事実に思える。現に、車で長旅をしても、途中、丘やら谷やらは通るかもしれないが、球体の表面を走っているという感覚はないだろう。しかし事実はそのような見た目どおりではないことを示すデータや現象はたくさんあるし、人々は大昔からそのことに気づいていた。例えば、沖合のかなたにある船がしだいに消えるのを眺めていると、船体から徐々に見えなくなり、最後にマストのてっぺんが見えなくなる。

いい換えるなら、科学とは根本的には、以前はダークデータだったことを観察することで、理論の正しさを検証する営みであり、そこで生じた理論とデータのずれによって理論は否定されたり、修正されたりする。ただし気をつけなくてはならないのは、その理論とデータのずれには、理論の誤り以外にも理由がありうることだ。理論とデータが一致しないとき、それはデータのせいかもしれない。ここまで数々の事例を紹介してきたように、データには誤りや、計測の不正確さや、サンプルの偏りなど、さまざまな問題が存在する可能性がつねにある。したがって、「データのせい」ということはいつでもじゅうぶんにありうる。だから科学者は精度の高い計測器具を開発したり、厳密にコントロールされた条件下で計測を行ったりすることに力を注いでいる。それは計測するのが重さでも、長さでも、時間でも、宇宙空間の距離でも、知能でも、意見でも、幸福でも、GDPでも、失業率でも、インフレでも、そのほかどんなことでも変わらない。信頼できる正確なデータがあって初めて、健全な科学は成り立つ。

反証可能性の基準は、科学と疑似科学とを分かつものでもある。説明すること自体はむずかしくない（例えば、「魔法で生じた」というのも説明だ）が、じゅうぶんに検証された説明でなければ、当てにできない。また、あらゆる起こりうることの説明になっているような理論にも、意味がない。それは科学とは呼べない。例えば、物体はときに下に落ち、ときに上に昇り、ときに横に動くと推測する重力理論があったとして、ある物体が落下したとき、それをその理論から予測された結果だといっても、何の意味もないだろう。対照的に、ニュートンの理論では、物体どうしのあいだには引きつけ合う力が働いており、ゆえに物体は落下すると説明される。これは科学的な説明といえる。実験で正しさが検証できるからだ。理論の一般的な正しさが観察によって繰り返し確認されれば、その理論は知識の仲間入りを果たし、以後はそれにもとづいて予想が立てられたり、機械が製造されたりする。

あまりに包括的すぎて科学とは見なせない、あるいは役に立たないという批判を浴びている理論のひとつに、精神分析がある。実際、フレデリック・クルーズが著書『フロイト――錯覚の作り方（*Freud: The Making of an Illusion*）』でずばりと論じているように、精神分析はダークデータの賜物だ。選別された集団を一般化する（標本がフロイト本人ひとりだけという場合もある）ところもそうだし、反証となる事実を集めようとしないのも、実際に起こっていることから目を背ける（「マジシャンであれば誰しも、観客がフロイトのようにものを見る人間ばかりならよかったと望むだろう」とクルーズは辛辣《しんらつ》ない い方をしている）ところも、なかったという発言を実際にはあったことの証拠と見なす（「いいえ」を「はい」の意味に受け取る）ところもそうだ。おそらく何より示唆的なのは、フロイトがけっして自分の誤りを認めなかったことだろう。自分の理論が間違っている可能性があることを積極的に認められない科学者は、反証可能性の原則にまず従えないだろうし、そもそも科学者と呼ぶことすらできない。何よりフロイト本人の次の発言がすべてを物語っている。「わたしは科学者ではないし、観察者でも、実験者でも、思想家でもない。わたしは気質的には、コンキスタドール、つまり冒険家なのだ[1]」。あるいはこのフロイト自身の否認からは、少なくとも問題の一端はフロイトにではなく、ひとりの人間の意見を無批判に事実と受け止めた者たちにあるといえるのかもしれない。

もし知っていたら

科学的なプロセスとは、ある説明が正しいかどうかを実際のデータで検証する作業からなっている。したがって、そこでは説明の誤りが明らかになることもめずらしくない。もしそうでなかったら、科学は単純きわまりないものになるだろう。偉大な科学者たちが歴史に名を残しているのは、もちろん、経験的に知られている現象について、正しい説明をしたからだが、それらの科学者も、その説明にたどり着くまでには相応の数の誤った理論を生み出している。なぜならそれまで知られていなかった何かが発見される、あるいは新しいデータが得られることで初めて正しい説明にたどり着けるからだ。

チャールズ・ダーウィンに舌鋒《ぜっぽう》鋭く批判を浴びせた人物のひとりに、のちに爵位を授与されケルビン卿（温度の単位「ケルビン」の由来）と呼ばれるようになったサー・ウィリアム・トムソンという科学者がいる。トムソンは22歳でケンブリッジ大学の数学の教授に就任した当代切っての著名な科学者だった。その遺骸はアイザック・ニュートンとともに（最近では、スティーヴン・ホーキングともともに）ウェストミンスター寺院に埋葬されている。その頃の物理学者たちは太陽の寿命を算出するにあたって、太陽では化石燃料が燃えているという仮説を立てていたが、ケルビン卿はそれでは数千年しか燃え続けられないことに気づいた。そこで、太陽はゆっくり収縮しており、太陽の熱と光はその収縮で生じる重力エネルギーが変換されたものだというヘルマン・フォン・ヘルムホルツの説にもとづいて、計算を行った。しかしそれでも、地球上で生命の進化が起こるのに要するだけの年数、太陽が燃え続けることは不可能だったことから、ダーウィンの進化論はデータと合致しないと主張した。

しかしケルビン卿は間違っていた。決定的なデータ——もっと時代が下ってから初めて得られたデータ——が欠けていたからだ。それらのデータには、太陽エネルギーの背後にあるメカニズムは化学的な燃焼でも重力でもなく、核融合というまったく新しいタイプのものであることが示されていた。

核融合とは、原子核どうしが強くぶつかり合って、融合し、ひとつのより重い原子核になる現象をいう。その過程で、原子核から失われた質量の一部がエネルギーに変換されて、放出される。そのエネルギー変換率はすさまじく、水素爆弾の爆発に見られるように、ごくわずかの質量からきわめて莫大なエネルギーが発生する。水素爆弾などの核融合反応の材料には、重水素（陽子を1個持つ水素原子に中性子が1個加わった構成〈の同位体〉。ふつうの水素の原子核には中性子はない）と、リチウム6に中性子を当てて作られるトリチウム（陽子1個をもつ水素原子に2個の中性子が加わった構成〈の同位体〉）が使われる。そこから生まれるエネルギーがどれぐらいすごいかというと、理論上、バスタブ半分の水と、ノートパソコンのバッテリーほどのリチウムから、石炭40トンを燃やすのと同じだけの発電ができる。このようなエネルギー源は人類のエネルギー問題を解決し、環境汚染につながる化石燃料による発電も無用にする。核融合反応はしかも核廃棄物を出さないという意味でも「クリーン」だ。こういう核反応が太陽のエネルギー源になっている。

ただし、地球上でそのような核反応を起こそうとすると、原子どうしを圧縮して融合させられるだけの、とてつもなく強い力と高い温度を人工的に作り出さなくてはならないという困難に直面する。現在のところ、いちばん効果的なその方法は、原子爆弾の周りに重水素の層を置くことだが、原子爆弾を使うというのは通常のエネルギー供給の方法として、いうまでもなく、便利でも実用的でもない。したがって今も世界各地で、制御された核融合に必要な力と温度を作り出す方法や、核融合で発生する高エネルギープラズマを安全に閉じ込める方法についての大がかりな研究プロジェクトがいくつも進められている。そのプラズマはどんな物質も溶かしてしまうので、閉じ込めるためには、磁場を築いてバランスを取り、物理的に容器の壁に触れないようにしなくてはならない。研究プロジェクトは長年にわたって続けられているが、いまだに投入されたエネルギー以上のエネルギーを生み出せていない（核融合は「いつになっても30年後の技術」と揶揄《やゆ》されるゆえんだ）。

ケルビン卿が間違ったのは核融合を知らなかったせいだが、誤ったデータのせいで核融合について間違った科学者もいる。1989年、マーティン・フライシュマンとスタンレー・ポンズというふたりの物理学者が、材料を極端に高温にせず、酸化重水素にリチウム溶液で電流を流すだけで、核融合反応を起こすこと（いわゆる「常温核融合」）に成功したと発表した。酸化重水素は水の一形態なので（「重水」と呼ばれる）、もしそれがほんとうなら、無限にエネルギーを供給できることを意味し、社会を劇的に変える可能性を秘めている。この発表は当然、大きな話題を呼び、世界じゅうの実験室で再現実験が試みられた。中には成功したように見えたものもあった――モスクワで1件、テキサスで1件など――が、ほとんどの再現実験は失敗に終わった。

報道発表から数日後、英国のハーウェル原子力研究所で開かれた講演会で、聴衆のひとりがフライシュマンに、対照実験は行ったかと尋ねた。それはフライシュマンとポンズの実験の場合、ふつうの水（分子に中性子を含まない水）でも実験を行ったかという意味の質問だった。ところがなぜか、フライシュマンは質問への回答を拒んだ。この回答の拒否はいかにも怪しい感じがする（ダークデータがあるのではないか？）。ふつうの水を使った比較実験の結果がなければ、ポンズとフライシュマンの実験結果を生み出したメカニズムがどういうものであるかを解明するために絶対に必要不可欠なデータが欠けていることになる。のちにポンズとフライシュマンの実験結果に対して別の批判もなされ、ときの経過とともに、再現実験に成功したという報告も撤回された。現在では、常温核融合は現実的ではないというのが専門家の一致した意見だ。ただし、まだ希望を捨てていない科学者もいる。人類に新しい夜明けをもたらしうる技術を、そう簡単にあきらめるわけにはいかないという思いなのだろう。

ノーベル化学賞とノーベル平和賞の両方を受賞している化学者ライナス・ポーリングも、データ不足のせいで誤ったことがある。歴史上最も偉大な科学者のひとりともいわれるポーリングは、化学や生化学の分野にきわめて幅広く貢献し、１０００本以上の論文を発表している。20世紀半ばに、ＤＮＡの構造を解明しようとした数多くの科学者のひとりでもあり、電子顕微鏡の画像をもとに、ＤＮＡはらせん構造をしていると推測した。らせん構造はポーリングにとっては初めてではなかった。長年の綿密な研究を通じてすでに、ほかの分子にらせん構造が存在することを明らかにしていた。Ｘ線画像もなければ、大きさや原子の接続角度の確かなデータもまだない中で、ＤＮＡは3重らせん構造であると、ポーリングは考えた。計算の結果には、自分の理論で推定される原子の位置と、それまでに得られていたデータとが完全に一致しないことが示されていたが、それは細部の選び方の問題だろうと感じた。同じ問題に取り組んでいる研究チームがほかにもあることを強く意識していて、なんとしても最初に発表したい、とりわけケンブリッジ大学のキャヴェンディッシュ研究所には先を越されたくないという思いがあったことから、1952年12月31日、ロバート・コリーと連名で『米国科学アカデミー紀要』に「核酸の推定構造」と題する論文を提出した。

キャヴェンディッシュ研究所の2人の研究員、フランシス・クリックとジェイムズ・ワトソンも以前から、DNAは3重らせん構造だろうと推測していたが、化学者でX線結晶学者のロザリンド・フランクリンから提供されたデータにもとづいて、みずからその推測を退けた。クリックがポーリングに書簡を送り、3重らせんモデルの問題点を指摘すると、ポーリングはまさに先ほど述べたような科学者のすべきことをした。データに従って、理論を修正しようとしたのだ。しかしクリックとワトソンはいっぽうで新しいモデルも探っていて、水素結合の研究者ジェリー・ドナヒューからさらに別のデータを受け取ると、すべてのデータと合致するモデルを考案した。それが2重らせん構造だった。

ポーリングはすぐには自分の間違いを認めなかった。どちらのモデルが正しいかを確かめるのが楽しみだとクリックに返事を書き送って、1953年4月、ケンブリッジを訪れた。そこでクリックとワトソンの2重らせん構造モデルを自分の目で確かめ、X線画像を吟味し、2人と議論を交わすと、正しいのは2人のほうだとポーリングも納得した。

どんなに優秀で著名な科学者であっても間違えることがあるのが科学の科学たるゆえんだ。とりわけすべてのデータが揃っていないときは誰でも間違いうる。例えば、先ほどのケルビン卿も一流の科学者だったが、何度となく誤った見解を示している。ヴィルヘルム・レントゲンがX線の発見を発表したときには、当初、それをでっち上げと見なしていたし、「気球も飛行機も、実際には空を飛べないだろう」と書いたこともある。また、アルバート・マイケルソン（アインシュタインの特殊相対性理論の正しさを裏づけたマイケルソン－モーリー実験で有名）は1894年に、つまり量子力学や相対性理論がこれからまもなく登場するという時期に、「物理学の基本原理はもうおおかた確立されたようだ」と述べている。

理論予測とデータの不一致によって自説を覆された著名な科学者にはほかに、重元素の起源の研究などで宇宙研究史上に巨歩を残したサー・フレッド・ホイルがいる。元素は宇宙の初期に形成されたというホイルの当初の理論は、計算の結果、誤っていることがわかった。その理論だと、いくつかのステップが不安定すぎて、軽い元素が集まって重い元素になることは不可能だった。そこでホイルは別の説明を考えた。それは重い元素どうしが融合によって――まさに先ほど述べた現象によって――どのようにひとつに固まり、恒星になったかを示す説明だった。ホイルによれば、初期の星の核をなしていた元素が超新星爆発によって宇宙じゅうに飛び散り、やがて惑星や、衛星や、さらにはわたしたち人間を形成することになったとされる。この理論はときの試練に耐え、20世紀半ば、ホイルを英国随一の物理学の権威に押し上げた。しかしホイルの考えがいつも見事な成功を収めたわけではない。次のような失敗談もある。

地球から星までの距離のデータによって宇宙が拡大していることが明らかになったとき、ベルギーの物理学者ジョルジュ・ルメートルはそこから論理的に推理し、次のような考えを提唱した。何十億年も前、誕生時の宇宙は超高密度・超高温の極小の点だったのではないか。科学では検証可能性が要になるが、この理論は検証のしようがなさそうだった。また競合する理論もなかった。そのため、あまり広く関心を持たれなかった。しかしホイルは、ビッグバン理論と呼ばれたそのルメートルの理論に異を唱え、みずから別の宇宙論を立てた。それは宇宙には明確な始まりはなく、宇宙はたえず生成状態にあり、宇宙のいたるところでたえず新しい物質が生まれているという理論（定常宇宙論と呼ばれる）だった。競合する2つの理論が登場すると、それぞれの証拠や反証になるデータが盛んに集められ始めた。少なくともどちらかの理論は間違っているはずだからだ。データが積み重なるにつれ、しだいに優位に立ったのはビッグバン理論のほうだった。それでもホイルはあきらめず、さまざまな修正を施して、定常宇宙論の生き残りを図った。しかし最終的には、圧倒的に不利な証拠の前に屈することになった。

アルベルト・アインシュタインですら、のちに新しいデータによって誤りが判明することになる理論を提唱している。アインシュタインの一般相対性理論では、質量を持った物体によって時空が歪むことが明らかにされた（先に述べたように、だから巨大な物体の近くでは光線が曲がるという現象が起こる）。当時、宇宙は静的なものだと考えられていた。しかし、あらゆる物体があらゆる物体を引きつけるのなら、宇宙がいつまでもそこにずっとあるのはおかしい。宇宙はいつか自壊しなくてはいけない。この矛盾を解消するため、アインシュタインは方程式に、重力の作用を相殺する「宇宙定数」なる係数をつけ加えた。しかし、のちに新しいデータによって宇宙は定常ではなく膨張していることが明らかになり、このような係数は無用だったことがわかった。アインシュタインはこの係数の導入を「一生の不覚」といったと伝えられている。しかしそれはやや自分に厳しすぎるいい方だろう。当時わかっていたデータにもとづけば、そのような係数をつけ加えるのは、しごく理にかなったことだった。一般に、新しいデータ（それまでダークデータと化していて、想像だにされなかったこと）が理論と一致しないからといって、必ずしも従来の理論が「まずい考え」だったわけではない。とはいえ、アインシュタインの話には続きがある。

さらに新しいデータでは、宇宙はただ拡大しているだけではなく、拡大のスピードを速めていることもわかってきたのだ。これは宇宙定数か、少なくともそれに近いもの（「ダークエネルギー」と呼ばれる）

の導入が必要なことを意味している。おそらくアインシュタインはそもそも間違っていなかったのだ。ついでにいうと、宇宙物理学者マリオ・リヴィオは好著『偉大なる失敗』の中で、アインシュタインがほんとうに「一生の不覚」という言葉を使ったのかどうかに疑問を投げかけている。リヴィオによれば、実際にはそれはジョージ・ガモフ〔20世紀米国の著名な物理学者〕の言葉ではないかという。

ではここで純粋な科学から医療に目を転じよう。人類は有史以前から、植物でも、土でも、魔術でも、使えるものはなんでも使って、苦しみを和らげる方法を探求してきた。しかし治療法の効果を正しく評価できるようになったのは、比較的最近のことだ。生物学や生理学、遺伝子学、薬学の理解が大きく進んだことでそういうことが可能になった。したがって、医療の現場では今も科学的に検証されていない治療が行われているのもふしぎではない。わたしがここでいおうとしているのは、瀉血とか、ホメオパシーとかのことではなく、一般の医療界で効果があると信じられ、行われていながら、少なくとも最近まで、無作為化《ランダム》比較試験などの方法で精密な検証がなされていない治療法のことだ。

その最たる例としては、前頭葉切截術《せっせつ》（ロボトミー）があげられる。この脳神経外科手術は世界じゅうで、統合失調症や双極性障害などの精神疾患の治療のために、数十年にわたって行われてきた。簡単にいえば、前頭葉の神経回路を脳のほかの部分から切り離す手術だ。当初は、頭蓋骨にドリルで穴を開け、エタノールを注入して、脳の一部を破壊するという方法で行われていたが、のちにはワイヤを挿入し、回転させる方法で実施できるようになった。さらにその後、眼窩《がんか》から前頭葉まで器具を差し込む方法が開発された。その開発者アントニオ・エガス・モニスは１９４９年、その功績によりノーベル生理学・医学賞を受賞している。ただし当時からすでに手術の効果を疑問視する声はあった。１９４１年の『米国医師会雑誌』には次のような指摘が記されている。「そのような手術で精神病的な人格を正常な人格に変えられるとは考えるべきではない。前頭葉について詳しいことがわかっていない現在ですら、非精神障害者が前頭葉を失った場合、深刻な弊害が出ることは数々の証拠に示されている」[2]。実際、吐き気や失禁、倦怠感《けんたい》、無気力をはじめ、数々の副作用があることは確かだった。しかしそのいっぽうで、手術を受けた患者はおとなしくなり、家族にとっては扱いやすくなった（サイバネティックスの提唱者、ノーバート・ウィーナーは次のように述べている。「ちなみにいわせてもらうと、「そういう患者を」殺してしまえば、世話はもっと楽になるぞ」[3]）。幸い、20世紀半ば頃から、薬物治療が進歩するにつれ、ロボトミーは減り始めた。現在では、かつてよりはるかに脳の仕組みが解明されており、脳神経外科的な処置は精確に行われている。高度なスキャン技術を使えば、脳の三次元構造も見られ、データを可視化できる。

最近の事例では、膝の変形性関節症を和らげるための関節鏡視下手術もそうだ。関節鏡視下手術は、痛みを緩和する手段として、広く治療に取り入れられている。しかしブルース・モーズリーの研究チームがプラシーボとの比較によって無作為化比較試験を行って、その効果を調べたところ、「痛みの緩和においても、機能の回復においても、介入群とプラシーボ群とにいっさい差は見られなかった」という[4]。治療効果について誤った思い込みが広まっていたことがこれで明らかになった。治療の効果がどれほどあるかを知るためには、治療を行わなかった場合の結果も明確にしなくてはいけない。

医療の周辺分野には、効果の疑わしい「〇〇療法」がたくさん見られる。例えば、ジュンソク・キムのチームが行った最近のメタ分析では、「[ビタミンやミネラルの] 補給による心臓血管の改善効果は一般集団には見られない」[5] ことが判明した。しかし世の人々を説得するのは容易ではない。たいていは自分たちの誤りを認めようとするよりも、証拠を疑おうとする。確証バイアスのせいだ。おそらく今、最もそういう現象が顕著なのは気候変動に関するものだろうが、医療分野に関しては、ジョン・バーンが次のように指摘している。「否定的な研究結果という厳然たる事実を突きつけられたとき、多くの人は素直には受け入れられないものだ。たいていは慣れたやり方を捨てようとはしない。いまだに風邪をひいた人にビタミンCが処方され、咳《せき》止め薬が推奨されている。いまだに膝の関節鏡視下手術が行われている（熱烈な擁護者もいる）。フェノフィブラート〔高脂血症治療薬〕はこれからもしばらく何十億ドルという売上を維持するだろう。懐疑的な医者になるとは、たとえ（初めは）自分の考えにそぐわないものであっても、証拠に従うということだ。正しい比較は、正しい事実によって可能になる」(6)。そして正しい事実はデータによって明らかになる。

ダークデータに出くわす

幸運に恵まれるときもある。ダークデータはふつう問題をもたらす。もし知っていたなら、理解が変わり、おそらく行動も変わったであろう何かがダークデータには隠されている。しかしたまたまダークデータに出くわしたおかげで、知らなかった世界が突然、目の前に現れることもある。

古典的な例は、宇宙マイクロ波背景放射の発見だ。１９４８年、ラルフ・アルファーとロバート・ハーマンによって、宇宙はビッグバン直後の初期宇宙の名残である低温放射に満ちているという予測が立てられた。それから16年後の１９６４年、アーノ・アラン・ペンジアスとロバート・ウッドロウ・ウィルソンというふたりの天文学者が、ラッパの形をした長さ6メートルのディッケ型マイクロ波放射計で宇宙を観測しようとした。その装置はもともと衛星通信のテストのために作られたものだったが、ふたりはそれを電波望遠鏡として使った。しかしどうしてもノイズが混ざってしまった。アンテナを冷やしても、ノイズは取り除けなかった。

アンテナに鳩の糞が付着していたので、そのせいかもしれないとも考え、糞をきれいに拭き取ってみたが、それでもだめだった。そんなあるとき、宇宙空間にはビッグバンの放射が残っているという説を裏づける証拠を探していたロバート・ディッケが、ふたりの研究所を訪れた。ふたりと会って話をしたディッケは、ふたりが見つけたものは自分が探していたものだと気づいた。ふたりはディッケの研究とは無関係なことをしようとしていたので、これはまったくの偶然だった。ペンジアスとウィルソンは１９７８年、低温物理学の研究者ピョートル・カピッツァとともにノーベル物理学賞を受賞した。

この話から学べるのは、データに見られる異常やずれはたいてい、実験の誤りや計測ミスによるものだが、画期的な発見につながることもあるということだ。以下にいくつかその例を紹介しよう。

B・C・サバ・ラオは57個の物質の実験を行い、1個にだけ異常な反応が見られたとき、その1個の結果を無視し、一貫性を示している残りの56個の結果だけを発表しようとした。これはいんちきではなかった。56個の実験が厳密な手順で行われるいっぽう、57個めの実験は違う手順で行われていたからだ。しかしいっしょに研究に取り組んでいた英国生まれの米国人化学者ハーバート・ブラウンは、その1個の結果を無視せず、さらに詳しく調べて、原因を突き止めようとした。それがやがてヒドロホウ素化と呼ばれる化学反応の発見をもたらし、ひいてはノーベル賞の受賞につながった。

ドイツの機械技師で物理学者だったヴィルヘルム・レントゲンは、真空管で真空中の放電現象を観察していたとき、3メートル近く離れた場所にあるシアン化白金バリウムを塗った蛍光紙が、その放電で光っていることに気づいた。真空管は厚い黒色のボール紙で覆われていたにもかかわらずだ。これがX線の発見の瞬間だった。

天王星が発見されたのもやはり偶然だ。ドイツ生まれの英国の天文学者ウィリアム・ハーシェルが天体観測中、たまたま、動かない星々の中にひとつだけ動く天体があるのを見つけた。

アレクサンダー・フレミングがペニシリンを発見したのは、ペトリ皿でブドウ球菌を培養中、培地に誤ってカビを混入させてしまったとき、カビの周囲だけブドウ球菌が消えているのに気づいたことがきっかけだったといわれている。

哲学者トーマス・クーンは先駆的な名著『科学革命の構造』で次のように述べている。「それは事実や理論の根本的な新奇さのなせるわざだ。一定のルールのもとで行われていたゲームから意図せずして、新しいものが生まれれば、それを取り入れるには、また別のルールを一から築かなくてはならない。そういうものが科学の一部になれば、科学の営みが一変する」[7]。ただし注意しなくてはいけない。確かに、新奇さとか、異常さとか、意外さとか、衝撃とかは、それまでダークデータだったものを照らし出す光であることもあり、その場合には、それによってものごとの理解が深まる。しかし、単なる計測の不正確さや実験の誤りの結果にすぎず、データが汚れて見えにくくなっているだけの場合もある。

ダークデータと再現性

スタンフォード大学の医学と統計学の教授ジョン・ヨアニディスが、有名になった論文で次のように述べている。「ほとんどの研究結果は間違いであることが証明されうる」[8]。ヨアニディスはこの大胆な主張により、最も広く論文が引用されている科学者のひとりになった。

この主張の根拠となる事実はよく知られており、実際、何十年も昔から知られている。ヨアニディスによって関心を呼び起こされるまであまり理解されていなかったのは、科学や医療研究の文献へのその影響の大きさだ。その主張がおおぜいの人々に多大な興味や関心を持たれたことも意外だった。しかし、それよりもさらに驚きだったのは、それによって沸き起こった論争によって、科学的なプロセスがどういうものであるのかについて、基本的な誤解が広まっていることがわかったことだ。本来もっとよく知っているはずの人たちですら、しばしば誤解しており、次のようなことが問われた。なぜ科学は再現性の基準を満たせないのか。科学は崩壊してしまったのか。科学はほんとうに再現性の危機に直面しているのか。

以下にいくつか、ヨアニディスの主張の背景にある数字を紹介しよう。ただし分野によって数字にはかなりの開きがあることは注意していただきたい。

生命科学分野のベンチャーキャピタル、アトラス・ベンチャーのパートナー、ブルース・ブースは次のようにいっている。「発表された研究の少なくとも5割は、たとえ一流学術誌に発表されたものであっても、企業の実験室で再現できないと考えよという〝暗黙のルール〟が、アーリーステージの企業を手がけるベンチャーキャピタルのあいだにはある」。だからアトラス・ベンチャーはベンチャー企業に対し、出資の条件として独立機関による科学的な検証（バリデーション）を要求している。[9]

ネイチャー誌の調査によると、1576人の回答者の70％以上が、過去に他人の研究結果を再現しようとして失敗しているという。[10] もちろん、本書をここまで読んできたみなさんはこの調査結果を額面通りに受け取らないだろう。この数字はダークデータによって歪められたものかもしれない。例えば、過去に再現実験に失敗している研究者のほうが、そうではない研究者よりも、このアンケート調査に回答する割合が高くなるのではないだろうか。あるいは、多くの回答者たちが再現しようとして失敗した研究結果の中には、同一のものも含まれるのではないだろうか（常温核融合の例を思い出していただきたい）。とはいえ、70％以上というのは尋常ではない高さだ。

さらに極端なケースもある。C・グレン・ベグリーとリー・M・エリスの調査によると、がんの臨床前研究の「画期的な」論文53本のうち、研究結果が再現されたのは、わずか6本、つまり11％だったという[11]。レナード・フリードマンの研究チームは、再現できない臨床前研究の割合について、51〜89％という推定値を引用したうえで、研究結果が再現できないことでもたらされる経済的な損失を年間280億ドルと見積もった[12]。

ヴァージニア大学のブライアン・ノセックがこのような結果に触発されて立ち上げた、有名な「再現可能性プロジェクト」がある。2008年に発表された心理学の論文を100本選んで、みずからその研究結果の再現を試みるというプロジェクトだ[13]。統計学的に有意*な結果が示された97件の研究のうち、ノセックたちが同じ結果を再現できたのは、35件だけだったという。このプロジェクトが物議を醸したことは想像に難くないだろう。一部の研究者からは、100本の論文の選び方など、手続きに重大な欠点があるという指摘がなされた。これは要するに、ダークデータを調べること自体にすら、ダークデータの問題はつきまとうということだ。どこにでもダークデータは生じるというのは誇張ではない。

このような結論は確かに由々しいものに感じられるが、同時に忘れてならないのは、科学のプロセスは「選り分け」の繰り返しであることだ。批判者の多くは科学に対して幼稚な理想を抱いているように見受けられる。一回きりの実験で、ある現象が「ある」か、「ない」かを証明するのが科学だと思っているようだ。科学はもっと複雑なものだし、複雑でなくてはならない。科学的な研究は、未知との境界の、不確かさに支配された領域で行われる。研究者が大量のノイズの中でかすかなシグナルを読み取ろうとするときには、ノイズのせいでシグナルを見誤ることがあってもおかしくない。むしろ、再現テストに失敗するような実験結果が得られないようであれば、科学者の務めを果たしていないといってもいい。既存の知の限界を超えようとする冒険的あるいは独創的な研究であれば、そのような失敗は避けられないからだ。

ここでわたしがいいたいのは、科学的な手続きは崩壊していない、ということだ。再現実験の失敗は、科学が正しく行われていること、主張が適切に検証されていること、誤りは誤りとして最終的には退けられていることを示している。さらにいうなら、重要なのは、科学が現に成果を上げていることだ。そのことはちょっと周りを見回すだけでわかるだろう。自然についての理解は深まり、素材でも、機械でも、医療でも、先進のテクノロジーが次々と登場している。

もちろん、たとえ科学が崩壊していなくても、誤った結論は少ないほどよいのは確かだ。正しい科学理論であれば、頻繁に反証を突きつけられない。そういう理論を築けるかどうかは研究をいかに設計するかにかかっている。しかしそれでもなお、科学の文化には、リスクを取ることを奨励したり、あえて限界を超えるよう促したりする側面がある。ヨアニディスやその追随者たちが強調しているのもその点だ。この点についてはあとで考えてみたい。

しかしその前に、米国の宇宙事業との類比に着目したい。宇宙事業の初期、ロケットのエンジンやシステムを改良し、ロケットの動きに関する知の境界を押し広げようとしていたときには、当然、失敗は何度も繰り返された。トム・ウルフの小説『ザ・ライト・スタッフ』第10章のペシミスティックな表現を借りるなら、「われわれのロケットはいつも爆発する」ような状況だった。境界を越えようとするときは必ず、境界のこちら側と向こう側を行ったり来たりすることになる。境界線上にいれば、おそらく半分はこちら

＊統計学の用語。のちほどあらためて説明する。

側、もう半分は向こう側で探求が行われるだろう。それらの探求の結果（ロケット工学ではそれはおそらく「失敗」だが、科学では単に「結果」）を土台にして、わたしたちは工夫を重ね、目的地にたどり着こうとする。ロケットであればそれは爆発しないことであり、科学であれば、正しい結論を導き出すことだ。しかしそのような営みにはどうしてもリスクが伴う。リスクを負わなければ、境界がどこにあるかがわからないからだ。

では、研究者に誤った冒険をさせて、偽りの主張をさせたり、再現できない結果を発表させたりするのは、科学文化のどういう側面なのだろうか。

発表された論文には「出版バイアス」と呼ばれるバイアスがかかっていて、実際に行われている研究の全体は正しく反映されていない。研究結果の多くは公表されず、世に知られないまま、書類棚やハードディスクの中にしまい込まれている。それらの隠された結果は無作為に選ばれたものではなく、さまざまな要因で選ばれたものだ（DDタイプ３「一部の例だけを選ぶ」）。例えば、新奇さを好む学術誌の傾向が、その要因のひとつとしてあげられる。誰も予想しなかったような結果が出る実験のほうが、「やっぱり、そういう結果になるよね」といわれる実験よりも、興味を持ってもらいやすい。

このような「お蔵入り」を防ぐために創刊された学術誌が、『有意差なしジャーナル』（*Journal of Non-Significant Differences*）』だ。「有意」とは統計学の用語であり、詳しいことはのちほどあらためて論じるが、大まかにいえば、「有意な結果」とは、ある仮説が正しければ起こらない可能性が高いことを意味する。逆に、「非有意な結果」とは、仮説どおりの結果を意味し、前の段落の表現を使えば、「やっぱり、そういう結果になるよね」といわれるような結果だ。『有意差なしジャーナル』には、非有意な結果をもたらす研究の論文だけが掲載されている。その狙いは、「有意な研究でなくても、学問の発展につながる貴重な洞察を得られる」[14]ことを知らしめることにある（1955年刊行の『再現できない結果ジャーナル（*Journal of Irreproducible Results*）』という雑誌があるが、こちらは科学ユーモア雑誌だ。[15]混同しないようご注意あれ）。

では、なぜ新奇さが好まれることが、再現できない結果が生まれることにつながるのか。確かに、極端に異常な値を示すような現象がほんとうに観察されることもある。例えば、この薬は従来のものよりはるかに効くとか、この金属は従来のものよりはるかに腐食しにくいとかいう場合もあるだろう。しかしそのような際立った値は純粋に不規則変動から生まれている場合もある。偶然生じた特殊な状況（薬や金属にある不純物が含まれていたとか、心理学の実験なら、被験者の気分がその日の天候の影響を受けたとか）や、単純な計測ミスのせいで、信じられないほど高い値や低い値が出たのかもしれない。そもそもこれまで何度も見てきたように、どんな計測も完全には正確ではないし、2つの実験の環境や標本がまったく同じということはありえない。

偶然生じた状況や計測ミスは、ふつうは再現されない。また、平均への回帰を取り上げた第3章で述べたように、あることが繰り返されるときには、繰り返されるたび、その値は極端から遠ざかって、平均値へ近づく。特異な結果が消えたとしてもふしぎではないし、ヨアニディスが指摘したように「ほとんどの研究結果は間違い」であると覚悟したほうがよい。わたしたちの言葉でいえば、極端な値は、ほんとうの値を歪めるなんらかのダークデータ（つまり計測の不備）のせいで生じるものだということになる。

学術誌の編集者たちが刺激的な研究結果を好むというのは、あくまで最後の段階にすぎない。もっと前の段階では、研究者たちがしばしば論文の投稿をあきらめている。興味を引く意外な研究結果でなければ、掲載されないだろうと思っているからだ。

インパクトファクターが大きい一流の学術誌（ネイチャー誌やサイエンス誌など）に論文が掲載されれば、科学者としての箔がつくと考えられている（「インパクトファクター」とは学術誌の重要度の尺度としてよく使われる指標だ。掲載論文が何回引用されたか、つまりどれぐらい注目されているかにもとづいて算出される）。研究者たちは権威のある一流学術誌に、目を引く「画期的」な研究結果を投稿しようとする。ありきたりの研究結果よりもそういう研究結果のほうが掲載されやすいと知っているからだ（DDタイプ4「自己選別」）。そうすると、それによってますます一流学術誌に掲載される論文には刺激的な内容のものが増える。そのような連鎖現象が一流学術誌のインパクトファクターを高める要因のひとつにもなっている（DDタイプ11「フィードバックループとつけ入り」）。しかし前に述べたように平均への回帰のメカニズムが働くので、研究結果は特異なものであるほど、再現されにくい。しかも、掲載される確率を高めようとして、研究者たちは研究結果の細部に「手を加える」こともある（のちほどあらためて論じるが、往々にしてデータの選別はどこまでが正当で、どこからが不当かを見きわめるのがむずかしい）。このことは、一流学術誌ほど、掲載されている研究結果に不正が多いことを示唆している。

驚くべきことだが、実際に著名な学術誌ほど、掲載された研究結果に間違いが含まれる可能性が高いようだ。さまざまな研究者によってその証拠が提出されている。フェリック・ファンたちの報告によると、「学術誌のインパクトファクターと、不正や不正の疑い、あるいは誤りによる撤回論文数とのあいだには明白な相関関係が見られる」[16]という。

だとするなら、誤りの多い媒体からの発表を避けたかったら、一流学術誌は真っ先に避けなくてはいけないことになる。まったくおかしな話だ。しかし、因果関係がどちらを向いているかは容易に決められないことも忘れてはならない。著名な学術誌には、当然、おおぜいの読者がいるので、掲載論文はそれだけ多くの人に読まれて、吟味される。したがって疑わしい箇所があれば、なかなか見逃してもらえない。問題のある論文の割合は発行部数のもっと少ない学術誌と同じでも、それが明るみに出やすいのが読者の多い一流学術誌の宿命だ。

この問題のひとつの対策としては、まったく新しい研究結果を発表するときには、複数の研究にもとづくことを義務づければいい。つまり発表前に、第三者によって再現実験が行われていることを発表の条件にするということだ（ブルース・ブースの「暗黙のルール」を思い出していただきたい）。例えば、医療分野ではそういうことがすでに行われている。新薬が規制当局の承認を得るためには、複数の臨床試験によって効果が確かめられていなくてはならない。しかしほかの場面では――とりわけ学術的な研究の世界では――誰よりも先に発表することが業績の重要な基準になっている。だから研究者たちはほかの研究者に先を越されるリスクを負いたがらない（DNAの3重らせん構造説を唱えたときのライナス・ポーリングがそうだった）。たとえ、あとで誤りが見つかるリスクがあっても、画期的な研究結果をいち早く発表したいと考える。

まったく新しい発見をしなくてはいけないというプレッシャーは、なんらかの重要なデータが見つかるまで、データを何通りもの角度から眺めたり、データセットのさまざまな部分に注目したりする慣行も生み出している。例えば、2つの患者グループを比較するときには、まず患者ごとに100もの属性を計測したうえで、属性ごとに平均値を割り出し、各グループのそれぞれの属性の平均値を比較する。そのような比較を行えば、どこかで計測ミスが生じるので、少なくともいくつかの属性で両グループに大きな差が生じないほうがおかしい。このような手法は「p値ハッキング」と呼ばれることもある。これから説明するが、この風変わりな呼び名は統計学に由来している。

ここでまず初めに認識しておかなくてはいけないのは、いろいろな角度からデータを見れば――データセットの規模が大きければなおのこと――単なる偶然によって、なんらかのふつうではない現象がほぼ確実に見つかるということだ。たとえ実際にはそのデータにはそういう現象が存在しなくてもだ。例えば、たくさんの変数があれば、たいてい何組かの変数のあいだに高い相関が見いだせる。たとえ実際に相関はなくても、偶然や測定誤差のせいで、相関があるように見える。あるいは、たくさんの事例（人など）を集めれば、たいていその中には、偶然によって、互いに驚くほどよく似ているもののグループが何組か含まれているだろう。

単純な例だが、1000個の数字を無作為に並べたとしよう。最初の30個だけを書けば、次のようになる。

678941996454663584958839614115

では、まず、それらの1000個の中に同じ数字が10個続いている箇所を探そう。もしそれが見つからなければ、代わりに9個の数字が順序よく並んでいる箇所（123456789）を探そう。もしそれも見つからなければ、232323233のように、2つの数字が交互に並んでいる箇所を探そう。もしそれも見つからなければ――というように続けていけば、いつかは必ず、データの中になんらかの構造を発見できるだろう。しかしそこには重大な問題がひとつある。わたしたちが見つけたその特異なパターンは、現実をまったく反映していないということだ。そのことは別の無作為に選ばれた1000個の数字を調べてみればわかる。その別の1000個にも同じ構造が見つかる保証はまったくない。この発見はきっと再現できないだろう。

経済学者ロナルド・コースがかつていみじくもいったように、データもしつこく拷問にかければ、やがては白状する。しかし拷問で引き出された自白の内容がしばしば事実ではないのと同じで、その白状も真実を語っているとは限らない。先ほどの例でいえば、1000個の数字はあくまで無作為に選ばれたものだった。そこにどんな構造が見つかっても、その構造に隠された意味はいっさいない。

p値ハッキングはこういう現象を利用した手法だ。科学研究では「有意性検定」が基本的なツールとして使われている。有意性検定とは、仮説や推測をテストする統計学的な手続きだ。まず最初に、標本の要約統計量を算出する。標本の要約には、平均値を使うこともあれば、中央値や分散を使うこともある。どれを使うかは、データのどの面に光を当てようとしているかで決まる。さらにまた別の標本を調べれば、要約統計量の値は違ったものになるだろう。そのようにして繰り返し標本を変えて、同じ計算を行うことで、標本の統計値の分布が得られる。統計学的な手法を使えば、ある仮説が正しいという前提のもとで、その分布の形を割り出すことができる。

次に、実際に観測された要約統計量の値とその分布を比べれば、標本の要約統計量の値がどれぐらいの頻度で、仮説が正しい場合に実際のデータから得られる値以上に甚だしい値になるかがわかる。標本の要約統計量の値が実際に観測される値以上に甚だしい値になる確率のことを、その検定のp値という。例えば、p値がとても低く、1%なら、仮説が正しい場合に標本の値が実際のデータ以上に甚だしい値を取る確率は、100回に1回になる。この数字は、仮説は正しいがきわめてまれな現象が起こったか、あるいは仮説が間違っているかのどちらかを意味している。

p値と従来の閾値との比較が役に立つことは多い。もしある分析を行って、閾値以下のp値が割り出されたら、その結果はその閾値では「統計的に有意」だといえる。例えば、閾値を5%にし、p値がその値以下になれば、「5%水準で有意」といえる。

具体的な例で考えてみよう。今わたしの手元にあるコインは公正であるという仮説を立てたとしよう。つまり、投げたときに5割の確率で表（または裏）になるということだ。この仮説を検証するため、わたしは何度もコインを投げて、表が出る割合を調べる。その際、公正なコインであるという仮説にもとづき、およそ5割の確率で表が出るだろうと予測する。実際にはきっかり5割にならず、いくらか差は出るだろうが、公正なコインである限り、5割という確率から大きく外れることはないだろうと予測する。有意性検定では、コインが公正である場合に、予測される差が、実験で実際に観測される差以上になる確率が示される。仮説が正しければ甚だしい値は出にくいとするなら、甚だしい値が出れば、当然、仮説の正しさが疑われる。例えば、公正なコインを１００回投げて、90回表が出る確率は、桁違いに小さい（この確率がp値になる）。したがって、もしコインを１００回投げて、90回表が出たら、コインの公正さは疑われるだろう。

ついでにいえば、p値はひどく誤解されている概念だ。p値とは、仮説の正しさの確率だと思われがちだが、そうではない。p値で示されるのは、仮説が正しいかどうかではなく、仮説が正しかった場合に甚だしい値が生じる確率だ。

では、p値ハッキングの「ハッキング」とはどういう意味なのか。

この用語は、検定数を考慮せずにむやみに多くの有意性検定が行われていることに由来するものだ。そのような有意性検定の行い方がなぜ問題かはすぐにわかる。１００個の仮説の検定を行うとしよう。それらの仮説はすべて正しく、互いに無関係であるとする。また、１００個のどの仮説についても、p値が2%で仮説の正しさが疑われるとする。1個1個の有意性検定に関しては、これでまったく問題はないだろう。誤って仮説の正しさを疑ってしまう確率はわずか２%であることを意味している。しかし２%水準で

１００件の検定を行えば、仮説の正しさを1個以上誤って疑ってしまう確率は、87％になる。これでは、仮説がすべて正しくても、少なくとも1個の仮説については、疑わしいという判断を下してしまうだろう。データを拷問し続ければ、やがて白状させられるのと同じ道理だ。１００回検定を行ったという事実を隠し、ダークデータ化すれば（ＤＤタイプ２「欠けていることがわかっていないデータ」）、その結論は誤解を招くものになるだろう。

科学の論文ではこのような不手際が昔から何度も繰り返されている。有力医学誌4誌に掲載された無作為化比較試験の調査（１９８７年）では、「全試験の74％において、1件以上の比較が損なわれ、60％において、1件以上の主要な比較が多重比較の統計学的な問題によって損なわれていると判断された。比較が損なわれていると判断された試験では、多重比較の問題が結論に及ぼす影響がまったく論じられていなかった」という。「多重比較［……］によって損なわれている」とは、つまり、複数の検定が行われていることが考慮されておらず、偽陽性を含む可能性が高いという意味だ。この調査以降、こういう問題の発生が減っていることを期待したいが、わたしが知る限り、いまだにじゅうぶんに認識されていないようだ。[17]

この問題を論じたクレイグ・ベネットたちの有名な論文「タイセイヨウサケの死体における種間視点取得の神経相関――多重比較の適切な補正について」の内容は、タイトルから想像されるよりはるかに興趣に富んでいる。[18] この研究で俎上《そじょう》に載せられたのは、「死んだサケに、人間のいろいろな社会的な場面の写真を見せ［……］その人間がどのような感情を抱いているかを答えさせ」たときの、サケの脳のＭＲＩスキャンの結果だ。死んだサケの脳がそういう写真を見せられたとき、どういう反応を示すかはきっと想像がつくだろう。しかしＭＲＩスキャンはおよそ13万もの要素（「ボクセル」といわれる）からなっており、それぞれのボクセルに電気活動が生じる可能性がわずかながらある。もちろん死んだサケの脳がほんとうに反応するわけではなく、装置のバックグラウンドノイズが発生するからだ。1個1個のボクセルが偽の信号を発する可能性はきわめて低いが、ボクセルの数は膨大だ。ひとつひとつの可能性は小さくてもそれらが積み重なれば、少なくとも1個、おそらくはもっと多くのボクセルに電気活動が見られるだろう。そうすると、サケは死んでいるのに、サケの脳内のニューロンが発火しているかのような現象が観察される。実際、ベネットたちはいくつかのボクセルから偽の信号が発されるのを確認して、次のように結論づけた。「これは魚類の死体の認知機能に関して、驚くべき発見をしたか、それともわれわれの統計学的な手法にいささか欠陥があるかのどちらかだ。これらのデータにもとづいて、サケは視点取得の課題に取り組んでいると結論づけられるだろうか。当然、できないだろう。被験者の認知能力を踏まえ、われわれはそのような可能性は完全に排除していた」

ベネットの論文は2012年、「人々を笑わせ、さらには考えさせた功績」を称えるイグノーベル賞を受賞した。

こんなジョークがある。実験者AがBに、Bの実験結果を再現するのに手こずっていると打ち明ける。「だろうね」とBがいう。「わたしも最初の100回は失敗したんだよ」

セルジオ・デラ・サラとロベルト・クベリも、p値ハッキングが疑われる報告に注目している。[19]「聴覚などの感覚現象を伴う未知のエネルギー源」にさらされたせいで、ハバナ駐在の米国人外交官たちが脳に損傷を負った可能性があるというランデル・スワンソンの研究グループの報告だ。スワンソンたちは次のように結論づけていた。「これらの外交官たちは、頭部に外傷歴がないにもかかわらず、脳内ネットワークに広く損傷を負っているようだ」[20]

しかしそのことをどのように調べたのか。スワンソンの論文の補遺の表2には、神経心理学による37通りの検定の分析結果がまとめられていて、表の脚注に「太字の強調箇所は、異常または40パーセンタイル未満であることを示す」とある。これはどの検定でもスコア分布の40パーセンタイル未満のスコアだった人は「異常」に分類されるといっているように受け取れる。デラ・サラとクベリもそのように解釈した。しかし、もし37通りの検定が完全に相関していたら（どの個人についてもすべての検定で結果が同じだったら）、40パーセンタイルの閾値を超えるスコアをつけ、「正常」と分類される人の割合はわずか60％になる。逆に、もし検定のスコアが完全に独立していて、互いにまったく相関していなかったら、単純な計算でわかるとおり、どの検定でも「正常」と分類される人は1億人に1人未満になってしまう。スワンソンは苦労して無理に、少なくとも一部の人は脳に損傷を負っていることを示そうとしているように見える。デラ・サラとクベリが指摘するように、「異常」の基準をもっと厳しく――40％ではなく5％などに――するほうがはるかによかっただろう。しかし最大の問題は、37通りの検定のひとつでもスコアが閾値を下回ったら、「異常」と見なしてしまったことだ。

誤解がないようにつけ加えておくと、これらのことは脳に損傷を負った人はじつはいなかったといっているわけではない。そうではなく、脳に損傷を負った人がいるという結論は、実態とは無関係に導き出せるということ、健康な人の集団からですら導き出せるということだ。

しかしときに、データセットをほんとうにさまざまな角度から見たい場合もある。例えば、2グループの患者を比べる臨床試験で、患者の100の属性を計測するようなときには、いかなることでも違いがあれば知っておきたい（そもそも多額の費用をかけてそのような試験を実施するのであれば、同時に数多くの計測を行いたいだろう）。

幸い、p値ハッキングを防いで、多重検定から再現性のない誤った結果が生じるのを減らす方法はある。

その最も古い方法である「ボンフェローニ補正」は１９３０年代まで遡る。これは検定回数に合わせて、個々の検定のp値を調整する方法だ。例えば、１００個の仮説を検定するとき、個々の検定のp値が２％ではなく０・１％（つまり１０００分の1の確率で正しい仮説を誤って退けてしまうということ）になるよう調整すれば、すべての仮説が正しかった場合、有意性を示す結果が1件以上出る確率を、87％ではなく10％にできる。つまり、１００個の仮説がすべて正しかった場合、そのうちの1個以上の仮説が誤りとして退けられる確率を、10％に抑えられるということだ。これなら許容範囲といえるだろう。

過去30年のあいだには、この多重検定の問題を抑制するさらに強力な手法がいくつも開発されている。その多くは、検定の実施順序をコントロールするなど、ボンフェローニの手法を拡大したり、精密にしたりしたものだ。しかし飛躍的な進歩は、ヨアヴ・ベンジャミニとヨセフ・ホックバーグの研究によってもたらされた。ふたりが着目したのはp値（仮説が正しいときに誤った結論が導き出される確率）ではなく、「偽発見率」だった。偽発見率とは、誤りと判定された仮説のなかに間違って誤りと判定された仮説が含まれる割合だ。おそらくこれはp値よりも有効な基準になるだろう。わたしたちがある仮説を誤りだと判断するときに、その判断が間違っている確率がどれぐらいかがわかる。

p値以外で、研究結果が再現できないことの原因になっている、むしろもっと根本的な原因になっているのは、実験条件の違いだ。論文では実験についての説明は簡潔にまとめなくてはいけない（学術誌のページ単価のせいで以前は特にそうだった。近年のインターネット時代にあっては、そのような制約は薄れてきてはいる）。したがって、どのような研究でも実験の手続きが事細かく論文に記されることはめったにない。しかし、研究とは、未知との境界で行われるものなので、実験の手続きのわずかな違いで結果が大きく変わってしまうことがある。

誤った結果をもたらす原因にはそのほかに、「ハーキング（HARKing）」と呼ばれる悪しき手法もあげられる。ハーキングとは、Hypothesizing After the Result is Known（結果がわかってから、仮説を立てる）の頭文字からなる造語だ。

初めから仮説のとおりになっていることがわかっているデータを使って、仮説の検定を行うのが、ハーキングだ。あるデータを見ていて、ある発見をし、なんらかのアイデアがひらめいたとき、そのアイデアが正しいかどうかを確かめるのにそのデータを使うのは、公正とはいえないだろう。アイデアがひらめいたのとまったく同じデータによって、そのアイデアが否定される可能性はきわめて小さい。例えば、ある砂浜から採取した１０００粒の砂の平均重量と、別の砂浜から採取した１０００粒の砂の平均重量とを比べて、前者のほうが重かったら、わたしは前者の砂浜の砂粒のほうが重いと推測するだろうが、その同じ２０００粒の重さを使って、その仮説を検定するわけにはいかない。仮説を支持する結果が出ることが初めからわかっているからだ。考えが正しいかどうかは、別の独立したデータセットによって確認されなくてはならない。そのためには、以前に目にしたことのないデータ、すなわちそれまでダークデータになっていたデータを見つける必要がある。

もちろん、データを選り分けたり、ためつすがめつしたり、分析にかけたりして、興味深いパターンを見出そうとすることにはまったく問題はない。そのような予備的な調査は、新しい仮説を立てるうえでも、新しいアイデアを思いついて、それまで知られていなかった現象を発見するうえでも、重要な（むしろ根本的といってもいい）方法だ。ただし、そのアイデアが正しいかどうかを確かめるのに、その同じデータを使ってはいけない。

ハーキングを防ぐには、データを集める前に仮説を発表するよう、研究者に求めるという方法が考えられる。一部の学術誌はすでにそのような方向への転換を図ろうとしている。仮説が前もって発表され、その設計と方法が厳格な基準を満たすものであれば、どのような結果が出ても、論文の掲載は保証するというものだ。

事実の隠蔽

これまで見てきたように、科学の営みとは、要するに自己修正の繰り返しにほかならない。つねに予測がデータなり、結果なりと比較され、事実に合わないことがわかった理論は遅かれ早かれ、否定されるか、変更されるかする。逆にいえば、最終的には間違っていることがわかる理論も、それまでのあいだ、しばらくはデータによって支持されているということだ。しかしやがては科学の自己修正の性質に従って、より真実に近い方向への軌道修正を余儀なくされる。

すでに指摘したように、そのような修正がはっきりと行われるのは、当初のデータに問題が見つかったときだ。最初は観察が不十分で理論を否定できなかったということもあれば、単にデータに歪みや誤りがあったということも、データが不完全だったということもある。その例はこれまでにいくつも見てきたとおりだ。どの例も、いかにデータが隠されうるかを示していた。しかしそれらの歪みや誤りが故意の場合がときにある。つまりデータの改竄だ。

前の章で金融詐欺などの詐欺事件の数々を取り上げた。金融などの分野で詐欺が起こるのは、驚くことではないだろう。成功すれば、莫大な金を手にできる。しかし科学研究では、ふつうは大金持ちにはなれない。むしろ一般に抱かれている科学のイメージといえば、私心のない（おそらく白衣姿の！）研究者によって追究されるもの、もっぱら真理にしか興味がなく、俗世のことに関心がない研究者によって営まれるものといったものだろう。残念ながら、そういうイメージは現実を反映していない。科学者も人の子だ。ときに心に芽生える衝動や動機は世の中のすべての人と同じだし、金や、権力や、名声や、仲間からの尊敬が重要であることは、ほかの職業の人たちと変わらない。欲望や、おごりや、妬みに駆られることだってある。

しかし金融と科学とでは決定的に違う点がひとつある。金融取引の詐欺は見つからないこともあるが、科学の誤った理論は、いつか必ず、誤りを暴かれるということだ。それは科学には自己修正の性質が備わっていることによる。ならば、いずれは露見することがわかっている間違った理論を発表することに、どんな意味があるのか。

ひとつには、その理論が崩れないという可能性がある。確かに、世の中にはまぐれ当たりも存在する。しかし科学の世界で実績をあげようとするなら、まぐれ当たりに期待するのは得策とはいえない。もうひとつには、本人の存命中や数百年間は、理論の誤りが明らかにならないという可能性がある。そのような可能性があることから、自説の正しさを確信している研究者は、きっとばれないだろうと考えて、自説に都合がいいようにデータを整えたり、あるいは捏造したりさえしてしまう。偉大な科学者の中にも、データを不正に操作したのではないかと疑われている者がいる。ロバート・ミリカンやルイ・パスツール、ジョン・ダルトン、グレゴール・メンデル、さらにガリレオやニュートンもそうだ。ここではミリカンの事例を詳しく見てみよう。直筆のノートが残っているおかげで、はっきりとしたデータにもとづいて、データの不正操作の疑いを検証できるからだ。しかしほかの事例では、せいぜい細切れのデータしか残っておらず、疑いを検証しようとすると、慎重な統計学的な手法に頼らざるをえなくなる。

ここでひとつおもしろいのは、わたしが今名をあげた人物がみんな「偉大な科学者」として歴史に名を残していることだ。そのように称えられているのは、それらの科学者たちが最終的に達した結論が、のちの人々による再現実験によって支持されたおかげだ。もしそうでなかったら、信頼できない科学者と見なされるか、悪ければ、歴史の闇に葬り去られるかしていただろう。ほかの科学者からすれば、これはなんとも不公平なことに感じられるかもしれない。

不正データで築かれた理論の誤りが明らかになっても、不正は気づかれないことがある。科学の性質ゆえに、科学では誤った理論がたくさん生まれる。最初はデータに合致するように見えた理論であっても、のちの再現実験で再現に失敗し、誤りがあらわになり始めるということはよく起こる。しかし過去のデータを振り返って、再検証する理由がなければ（それもデータが残っていればの話だが）、理論の間違いは単に、データ計測の不正確さとか、偶然の変動とか、あるいはほかのなんらかの不備のせいとされ、あえて不正行為が疑われることはない。

しかし、ときに不正が発覚することがある。そうなると、たとえ発表からかなりの月日が経っていても、輝かしい業績が台無しになりかねない。よくあるのは、最初は出来心からちょっとごまかしただけだったのが、それがうまくいったことに味をしめて、しだいに不正行為をエスカレートさせていくというパターンだ。不正行為を積み重ねていれば、やがてはそういう行為の一端が露呈し、それまでのデータや実験が徹底的に精査されることになる。そうなると、理論体系が根底から崩れ去るのはもはや時間の問題だ。

サー・シリル・バートはたいへん著名な心理学者だった。1968年には、米国人以外で初めて米国心理学会のエドワード・リー・ソーンダイク賞を受賞している。しかし1971年の没後、ほどなく、知性の相続可能性に関する研究に不正の疑惑が持ち上がった。複数の実験の相関係数（2つの変数の相関の程度を示す数値）が小数点第３位まで同じであることが、レオン・カミンという米国の心理学者によって指摘されたからだ。そこまで数字が同じになる確率はきわめて低い。心理学の権威の何人かは、バートが不正を行っていたと考えたが、別の権威からは、ほかにも似たような相関係数を導き出している研究者が複数いることが指摘された。アーサー・ジェンセンは「いくらかでも統計学の知識を持っていれば、データを捏造しようとするとき、あえて０・77という同じ相関係数を３回も続けて使わないだろう。ましてや統計学に精通していたバートがそんなことをするはずがない」[21]と述べている。これは興味深い意見だ。この意見は、科学で不正を働くのなら、あからさまにやるのがいい、そうすれば、まさかそこまで愚かではないだろうと思われ、かえって疑われないといっているように聞こえる。そのような手口がどこまで成功するかは、わたしにはわからないが。また、この事例で注目したいのは、証拠の隠滅が図られていることだ。バートの実験ノートはすべて焼却されていた。したがって、もはや相関係数を計算し直すことも、そのような係数のもとになったデータがほんとうにあったのかどうかを確かめることもできない。

不正につながる最初の行為は、だいたいは許容されうるものだ。科学者は誰でも、どのデータを採用し、どのデータを除外するかに関して、ある程度までは主観で判断せざるをえない。例えば、被験者が体重計に乗ったときにコートを着ていたとか、身長を測ったときに靴をはいていたとかいうことに、あとから気づいた場合、おそらく、分析からそのデータを除外することにやましさは感じないだろう。しかし、計測器が計測直後に壊れ、そのときの計測が正確かどうかに自信が持てないとか、被験者の身長を測る際、靴を脱いでもらったかどうかを思い出せないとかいう場合はどうか。このような疑念があるときには、それらのデータは除外するべきなのかどうか。その答えはきっと研究者によって違うだろう。

科学における不正行為は新しいことではない。「コンピュータの父」チャールズ・バベッジの１８３０

年刊行の古典的名著『イングランドにおける科学の衰退とその原因に関する考察（*Reflections on the Decline of Science in England, and on Some of its Causes*）』第6章第3節に、すでに次のような記述がある。「偽研究者がいちばん多くはびこっているのが、科学研究の分野だ。わたしは自分が本気で真理を追求している人々全員から感謝されていいだろうと感じている。その身にふさわしくない名誉を求める者たちがどういう方法で人の目を欺こうとしているかを明らかにした功績によってである。いっぽうで、手口が暴かれたことにより、今後はあえてそのようなことをしようとする者も減るだろう。［……］科学の詐術行為にはいくつかの種類がある。どれも当人たち以外にはほとんど知られていないものだが、ここではそれらを一般の人々にもわかるように説明していきたい。それらは〝ホーキシング hoaxing〟、〝フォージング forging〟、〝トリミング trimming〟、〝クッキング cooking〟の4つに分類できる[22]」。この4つはどれもダークデータを作る方法だといえる。では以下にひとつずつ詳しく見ていこう。

ホーキシング

ホーキシングとは、データをでっち上げて（DDタイプ14「データの捏造または合成」）、実際にはないものをあるように見せかけることだが、その目的は、最後に真実を明かして、相手をやり込めることにある。いわば科学的ないたずらだ。

科学的ないたずらは、尊大な人物を笑いものにするために行われることが多いようだ。例えば、18世紀初頭、化石収集が趣味だったヴュルツブルク大学の医学部長ヨハン・バルトロメウス・アダム・ベリンガーのもとに、見事な化石の数々が送られてきた。動物や昆虫や植物の化石もあれば、星の模様が描かれたものもあった。のちには「ヤーウェ」という署名が彫り込まれた化石まで届いた。ベリンガーは感動し、それらの本を出版しようとさえ考えた。化石にのみで彫ったあとがあるのは、神がそれらを創造したことの強力な証拠だと思い込んだのだ。典型的な確証バイアスだった。

じつは大学の同僚――地理学と数学の教授J・イグナツ・ロデリックと、諮問委員で司書のヨハン・ゲオルク・フォン・エックハルト――だったことがのちに判明したホーキシングの仕掛け人たちは、そこで度を越してしまったことに気づいた。ふたりはベリンガーに悪ふざけだったこと、高慢の鼻をへし折りたくてやったことを打ち明けた。ところがベリンガーはそれを信じず、発見の栄誉を横取りする気だと疑った。やっと納得したのは、自分の名前が彫られた化石を見せられたときだった。ロデリックとエックハルトは訴訟を起こされ、それまでの経歴を台無しにした。

同様のいたずらで、もっと深刻ではない事例もある。あるとき、ふたりの少年がチャールズ・ダーウィンをだまそうとして、ムカデの胴体にカブトムシの頭と、チョウの羽と、バッタの脚をくっつけたものを持っていき、それは何かと尋ねた。ダーウィンはじっくり観察してから、間を置き、ふたりにその虫は捕まえられたとき、ブンブンという音を立てていたかと質問した。少年たちがそうしていたと答えると、ダーウィンは、ではそれはブンブンムシだろうと教えてやった。

ホーキシングの仕掛け人は、データをでっち上げることで真実を隠し、ほんとうのデータがどういうものであるかを見えにくくする。

有名になったもっと最近の事例では、データがいっさいチェックされないで、論文が雑誌に掲載された。仕掛け人はアラン・ソーカルという物理学者だ。ソーカルはポストモダンの学術誌ソーシャル・テキスト誌の学術的な厳密さを試すため、「限界を超えるには――量子重力の革新的な解釈学の構築をめざして[23]」なるでたらめの論文を投稿した。ソーシャル・テキスト誌は「広い範囲の社会や文化の現象を取り上げ、最新の解釈手法で世界を斬る」[24]と謳《うた》う雑誌だった。ソーカルの論文が受理され、査読を受けずに掲載されると、ソーカルはそこで論文がでっち上げであったことを公表した。そのようなホーキシングは一種の悪ふざけなので、仕掛けられる側には不快に感じられるだろう（ベリンガーもそうだった）。しかしそれによって虚偽や不明瞭な部分が明らかにされるなら、有益といえる。「ソーカルは人文や社会科学の多くの研究者から感謝の意を伝えられた」[25]という。

ソーカルが仕掛けたようなタイプのホーキシングが出てきた背景には、論文掲載料を徴収する学術誌が増えてきた昨今の状況がある。そのことについてここでちょっと触れておこう。インターネットはわたしたちの暮らしを大きく変えたのと同じように、科学論文の出版の世界も大きく変えた。かつては、研究者や図書館が学術誌を購読し、その購読料が学術誌のビジネスモデルの土台をなしていた。しかしインターネットが普及し、誰もが無料でウェブサイトに自分の論文を発表できる時代になると、そのようなビジネスモデルは転換を迫られた。まだ状況は流動的だが、著者自身が論文の掲載料を払い、読者に無料で読んでもらうというモデルが広まりつつある。残念ながらこれには弊害もあり、掲載料を目当てにどんな論文でも掲載する自称「学術誌」が創刊されている。そのような雑誌にはいい加減な内容であろうと、不正が疑われるものであろうとおかまいなしに、なんでも掲載されてしまう。現に、ソーカルのやり方をまねて、故意にでたらめな論文を投稿し、論文が掲載されるかどうかを試す者たちによって、そういう雑誌のずさんな実態が次々と発覚している。

中でもとりわけ話題を呼んだのは、科学ジャーナリスト、ジョン・ボハノンがオコラフー・コバンという偽名を用い、ワシー医学研究所なる架空の機関から、３０４の学術誌にフェイク論文を投稿した試みだ[26]。ボハノンはその論文について次のように述べている。「査読者に高校程度の化学の知識と、基本的なデータプロットを理解する能力があれば、ひと目で論文の欠陥に気づいたはずだ。実験があまりにめちゃくちゃで、結果が意味をなしていなかった」。ところが、「半数以上の学術誌で、論文は受理され、その致命的な欠陥は見過ごされた」。

ほかにもこのような事例はたくさんある。例えば、デイヴィッド・マジエレスとエディー・コーラーの論文はもともとは学術会議に提出され、のちに学術誌に投稿されて、受理された[27]。査読されていないのは明白だった。論文に書かれていたのは、「おまえのメーリングリストからおれのアドレスを除外しろ」という一文の繰り返しだけだったのだから。論文のタイトルは、あえて記さないが、だいたいその一文から推察されるとおりのものだった。

学術誌のずさんさを暴こうとするそのような試みは、重大な障害にぶつかることもある。ポートランド州立大学の哲学科の助教授ピーター・ボゴシアンは、一連の論文の著者に名を連ねたせいで、今（本稿の執筆時点）、解雇の危機に直面している。学術レベルを風刺したそれらの論文（7本は受理された）は、次のようなことを目的とするものだった。「知識として扱われているものに偏見や意見が紛れ込むのを可能にする政治運動によって、われわれが〝苦情研究〟と呼んでいる学問分野が妨げられていないかどうかを確かめる」。リチャード・ドーキンスとスティーブン・ピンカーはボゴシアンを擁護している[28]。

フォージング

フォージングもホーキシングと同じように話をでっち上げることだが、ホーキシングとは違って、最終的にそのことを明かすことを意図していない。仕掛け人はやはり偽のデータと入れ替えることで、ほんとうのデータがどういうものであるかを隠そうとする。第2章で紹介した「縁石する《カーブストーニング》」（国勢調査などの調査員がデータを捏造する行為）も、フォージングの一例といえる。

フォージングで特に有名なのは、「ピルトダウン人事件」だ。1912年、アマチュアの考古学者だった弁護士チャールズ・ドーソンが、当時、ロンドンの自然史博物館で地質学の学芸員をしていた友人アーサー・スミス・ウッドワードに手紙を書き、イーストサセックス州ピルトダウン近郊の砂利採掘場で古い人類の頭蓋骨片を見つけたと伝えた。ふたりはその後、いっしょに調査を進め、ドーソンが下顎骨《かがくこつ》の一部と何本かの歯を発掘した。それらを頭蓋骨片と合わせて、塑造粘土で頭骨を復元してみた結果、ふたりが発見したのは、猿人と人類をつなぐミッシングリンクだったことが示唆された。

この発見は大騒ぎと少なからぬ物議を巻き起こした。その2つの骨は同じ個体のものではないという指摘もなされた。動物学者マーティン・ヒントンはいかさまだと強く確信し、不正を暴くため、わざわざ猿の歯を削って、ウッドワードの復元模型に合う形にし、同じ砂利採掘場に埋めた。

ヒントンの思惑どおり、偽の歯はドーソンによって発掘された。しかし、その発掘はドーソンの不正を暴くどころか、逆にドーソンが正しかったことの証拠にされてしまった。あきらめるつもりのないヒントンは、ゾウの絶滅種の脚の骨を手に入れて、それをクリケットのバットの形に削り、ふたたびピルトダウンに埋めた。しかしそれも失敗に終わった。ドーソンとウッドワードは地質学誌『ジオロジカル・マガジン』に、最新の発見に関する論文を投稿し、次のように書いた。「昨シーズン、われわれはピルトダウンの調査に長い時間を費やし、以前調査した区域の周辺をくまなく調べた。［……］しかし発見は少なかった。［……］人骨は見つからなかった。しかし、明らかに人間の手が加わっていると思われる大きな骨片が見つかったことで、落胆はかなり埋め合わされた。その骨片は特筆に値するほど貴重なものであることがわかった」

人間はふしぎなぐらい自分をあざむくことに長《た》けている。ドーソンとウッドワードの次のコメントは確証バイアスの好例だ。「道具らしきこの骨は、地味《ちみ》のよい黒い土壌で約30センチの深さから見つかった。［……］骨をきれいに洗うと、土のしみはまったく残らなかった。また、骨を覆っていた土は薄い黄色の砂質粘土で、砂利採掘場の底の火打ち石の出土層のものに酷似していた。したがって、この骨は発見された土壌に長期間、埋まっていたものではありえない。作業員が近くの穴で砂利を採掘していた際、ほかのごみといっしょにそこへ投げ捨てたものであることは、ほぼ確実だ[29]」

この人工物がどのような特徴を持っているかや、どのように作られたと考えられるかについて、科学的に詳しく説いたふたりの論文をきっかけに、さまざまな議論が交わされた。例えば、次のような意見が出た。

「G・F・ロレンス氏は、この道具は棍棒《こんぼう》だったことがその形から推測されると述べた」

「W・デイル氏は、その骨についている工具痕とよく似たものが、自身の持っている人工的に切られた骨片にもついていると述べた。その骨片は、サウサンプトンの港での掘削作業中、泥炭土から出土したもので、新石器時代の石槌《いしづち》と関連があるという」

「レジナルド・スミス氏は、この発見が新たな興味深い問題を提起してくれたことを祝いたい、この問題にはやがて創意に満ちた解答が与えられるだろうと語った」（まさにそのとおりだ！）

「F・P・メネル氏は、エオアントロプス〔当時ピルトダウン人につけられた学名〕のような古い人類がすでに道具を使えたことは注目に値すると述べた」

科学的な捏造という面では、ピルトダウン人は間違いなく大成功を収めたといえる。発表から40年以上経ってようやく、オランウータンの顎の骨と、チンパンジーの歯と、人間の頭骨の破片を組み合わせた偽物だったことが判明したのだから。やったことはダーウィンをだまそうとした少年たちと五十歩百歩なのだが。主犯と目されたのはドーソンだった。実際、考古学者マイルス・ラッセルによれば、ドーソンの私的なコレクションの中にはほかにも偽物があったという(30)。

考古学や古生物学で捏造が行われても、わたしたちの生活には直接影響しないかもしれない。しかしジョン・ダーシーの捏造は影響を及ぼしうるものだった。ダーシーはジョージア州随一の大病院グレイディー記念病院に研修医として勤めたあと、1981年、ハーヴァード大学へ移り、教員になった。ところが同年、同僚の一部がダーシーの実験結果の正確さに疑問を持ち、データの検証が行われた。米国立衛生研究所は広範囲にわたる調査のすえ、ダーシーの実験は実際には行われておらず、データは捏造されたものだという結論に達した。この上なく面倒で、時間のかかる実験を省いて、ただ数字をでっち上げるだけでよければ、研究もずいぶん楽になるだろう。

残念ながら、そのような事例は枚挙にいとまがない。循環器学者ボブ・スラツキーは卓越した研究により最高の賛辞を浴びていたが、のちにその研究にほころびが見え始めた。最終的には、さまざまなデータの改竄や捏造が行われていたことがカリフォルニア大学サンディエゴ校の委員会の調査で確かめられた(31)。医療研究者ヨン・スドベは、一流医学誌にがん研究の論文を発表していたが、ランセット誌に掲載された論文に使われていた900人の患者のデータがすべて捏造だったことが発覚した。米研究公正局は、がんの研究者アニル・ポティの研究に複数の不正なデータが含まれていると結論づけた（例えば、論文には33人の患者のうち6人にダサチニブが効いたと書かれていたが、実際には投与されたのは4人で、効果があった患者は1人もいなかった）。

2017年に報告された事例では、486人もの科学者が中国科学技術部（日本の科学技術庁に相当）によって不正行為を働いていたと見なされた。(32) それらの科学者たちは実験データを捏造したり、改竄したりしたわけではない。査読者に金を払って、自分の論文に高い評価をつけてもらうとか、編集者が論文に対する第三者の意見を求めたとき、架空の査読者を指名するとかの形で、ダークデータを利用していた。

このような事例はほかにもまだまだある。もっと詳しく知りたいかたは、研究公正局が医療研究の公正さを監視し、事例の要約を公開しているので、見てみるといいだろう。(33) 捏造は医療研究に限られたことではない。物理学者ヤン・ヘンドリック・シェーンは同じデータを複数の実験の結果として使い回していた。オランダの社会心理学者ディーデリク・スターペルは数々の研究データをでっち上げていたことが発覚し、58本もの論文の撤回を余儀なくされた。

科学者による捏造が跡を絶たない背景には、自分が気に入っている理論に都合のいいデータを自分で作り上げてしまったほうが、データを集めるより手間がかからず、安くすむという考えがある（そもそも理論の正しさを裏づけるデータが集まるとは限らない）。しかし実際には、本物に見えるデータを捏造するのは容易ではない。

実験のすべての計測から理想的な結果が出るならことは単純だが、現実のデータには必ず不規則な部分がある。物理の実験で重さなり、電荷量なり、圧力なりを計測すると、ふつう、高精度な計測器を使っても、背景条件の変動のせいで値には不規則なばらつきが生じる（もちろん、それらのばらつきが正しい値の周辺に留まることは期待できるが）。ある集団に属する人々の身長を測れば、ひとりひとり身長は違うので、やはり値にはばらつきが生じる。ある特定の植物の種子の数と重さを調べても、すべての個体で同じ値になることはない。したがって、本物に見えるデータを捏造しようとしたら、そのような不規則さも再現しなくてはならない。

しかし、人間は意図的に不規則に見えるデータを作り上げるのがとても苦手だ。どうしてもパターンができてしまう。例えば、ランダムに数字を並べよといわれると（２６２１７８３３３８３７７４８１１２５６……のように）、たいてい同じ数字の連続（３３３や、７７や、１１など）が少なくなりすぎ、上がったり下がったりする数字の並び（６５４や４５６７など）が多くなりすぎる。また同じ数字の並びを繰り返すなど、なんらかのパターンの使用頻度が多くなりやすい。現に、第１章で紹介したバーナード・L・マドフが使った数字には、８と６の組み合わせが目立って多かった（帳簿でも、いんちきをしたゴルフのスコアでもそうだった）。

もちろん、すべては本人にどれだけの知識があるかで変わってくる。統計学に詳しければ、偽のデータと本物のデータにどういう違いが生じやすいかがわかるから、そこをうまく繕おうとするだろう。あるいは、別の場所から実際のデータを引っ張ってくるかもしれない。さらには、引っ張ってきたデータにいくらか不規則なデータをつけ加えて、本物らしく見せようとするかもしれない。しかしそのように手口を洗練させていったら、そのうち実際に実験をするほうが、苦労してデータを捏造するより楽になりそうだ。

トリミング

トリミングとは、理論に合うようデータを調節することだ。バベッジはそれを「平均値を大きく上回りすぎている値を観測データのあちこちから切り取ってきて、平均値を大きく下回りすぎている値につけ加える」操作と表現している。これをうまくやれば、平均値を変えずに、実際よりも値の範囲を狭く見せられ、ひいては計測の不確かさを小さく見せられる。

じつはこれに似たことを行う統計学的なテクニックもいくつかある。（おそらく誤って）異常に高い値や低い値が出たとき、全体の結果に与える影響を抑えるために使われる正当な統計学の手法だ。そのひとつである「ウィンザー化」(統計学者チャールズ・P・ウィンザーにちなむ)では、極端な値を平均値から一定の割合だけ離れた値と入れ替える。例えば、平均値の標準偏差の2倍を超える値があったら、それは信頼できない値と見なされ、標準偏差の2倍の値と入れ替えられる。したがって結果データの平均値は生データの平均値よりも変動しにくくなる。しかし、データを修正していることを忘れてはならない。データにどういう手を加えたかを論文に記さなければ、真実を隠すことになる。念のためいい添えておくと、このテクニックはデータのある部分を切り取って、別の部分に貼りつけるというような不正な操作を行うものではない。

バベッジが紹介している大がかりなトリミングの事例では、大規模なデータセットの中で、ごっそりとデータが移されたり、コピーされたりしている。これもデータの単純な捏造と同じで、研究の手間は大幅に省ける。わたしはある不正の調査に携わったときに数字データのトリミングを見たこともあるが、わたしの印象では、ある絵について虚偽の説明をするなど、絵や写真で行われることが最も多いようだ。

本質的にトリミングと変わらない行為は、もっと高いレベルでも見受けられる。一流の学術誌に投稿された論文はまず、ほかの複数の研究者のもとに送られて、査読を受ける。その査読では、正確かどうかや、研究の手続きに不備がないかどうかや、掲載の価値があるかどうかが判断される。もしそこで論文に問題が見つかった場合、著者はそのことを知らされると、ほかの査読者(と読者)に誤りに気づかれないよう、その部分をぼかして書き直し、別の学術誌にその論文を投稿することがある。

例えば、統計的検定やモデル化手順の正当性の根拠になっている前提が、データの検証によって疑わしいことがわかり、論文の結論が覆されることがある。わたしが実際に出くわした事例をひとつ紹介しよう。

その論文には平均値と中央値の両方が記されていて、それらの相対値から分布の誤りが疑われた。その分布が誤っていれば、論文の後半の統計分析も誤っているはずだった。査読者だったわたしは査読報告書でその点を指摘したが、あえて分析をし直すことまではしなかった（きっとその分析からは別の結論が導き出されていただろう）。著者はわたしの査読報告書を読むと、中央値の記述を削除しただけで、論文を別の学術誌に投稿した。しかし、著者にはまことに不運なことに、新たに投稿し直した学術誌がその論文の査読を依頼したのは、前と同じ査読者だった（わたしだ！）。

クッキング

クッキングは観測をたくさん行って、理論にいちばん合った結果だけを使うことで、データを実際より正確で信頼できるものに見せようとする行為だ。バベッジは次のようにいっている。「観測を100回行えば、運が相当悪くない限り、役に立つ結果を15件ないし20件は得られるだろう」。この手法はp値ハッキングに似ている。

クッキングの事例で最も有名なのは、物理学者ロバート・ミリカンによるものだ。ただ、詳しい調査の結果、真相は見かけとは違うことがわかった。それはクッキングではなく、ダークデータの仕業だった。

1923年、電子の電気量の計測などの功績により、ノーベル物理学賞を受賞したロバート・ミリカンは、当初は博士課程の学生とともに、のちにはひとりで、電場で発生した力と、帯電した油滴の落下率を釣り合わせる実験などを、数多く実施した。油滴の終端速度の計測からは、重力と空気粘度とがどこで釣り合うかがわかり、ひいては油滴の大きさが割り出せた。さらに電圧をかけたときの速度の測定からは、油滴の電気量が算出できた。このような実験を数多く繰り返すことで、ミリカンは計測可能な最小の電気量、すなわち電子の電気量を突き止めることに成功した。

わたしたちにとって重要なのは、フィジカル・レビュー誌に掲載された1911年のミリカンの論文の次の記述だ。「そこには現在の手法で観測された大きさの油滴しか含まれていない。したがって、それらは選別したグループの結果ではなく、通常の観測における結果である。〔……〕また、これは選別した一部の油滴ではなく、連続60日間の実験で計測されたすべての油滴である。実験装置はそのあいだに数回、解体され、新たに組み直されている」[34]（強調は原典による）。この記述がいわんとしていることは明らかだろう。データの選別によるデータの歪みは、意図的なものも、意図せざるものも、ないといっているのだ。DDタイプ3「一部の例だけを選ぶ」は免れており、ダークデータは生み出していない、と。

ある事実が発覚していなければそのとおりだったが、実験ノートの調査から、じつはそれらのデータのすべてではないことが明らかになっている（ノートの実物の写真が以下のサイトで閲覧できる。http://caltechln.library.caltech.edu/8/）。論文には58滴の計測結果が報告されていたが、ノートには175件の計測が行われたことが記されていた。これはいかにもクッキングが疑われる状況証拠だ。場合によっては不正の可能性すらある。実際、『背信の科学者たち──論文捏造はなぜ繰り返されるのか？』の著者ウィリアム・ブロードとニコラス・ウェイドはそのように考えた[35]。

しかし、物理学者デイヴィッド・グッドスタインのさらに深く掘り下げた調査では、このデータ操作には表面に見えている以上のことがあったことが示唆されている。油滴の動きに影響する3つの要素のうち2つの要素──重力と電場──の影響については、よくわかっていたが、空気の粘度が油滴のような小さな物体に与える影響については、まだそれほどよくわかっていなかった。そこでミリカンは、実験結果を信頼できるものにするため、まずは計測の手順を確立するための実験を行わなくてはいけないと考えた。

論文で省かれたのは、この段階で行われた計測の結果だった（たとえ理論に一致するデータであっても省かれた。グッドスタインによれば、ミリカンは論文に含めなかったその計測結果について次のようにいったという。「どんぴしゃりだ。こんなにすばらしい計測結果は見たことがない!!!」[36]）。

計測結果のいくつかがデータから省かれた理由はほかにもある。油滴があまりに小さいと、ブラウン運動が生じやすくなり、油滴が大きすぎると、速く落下してしまって、正確に計測できない。したがって、そのような油滴の計測結果はデータに含めるべきではないとミリカンは感じた。こういう判断は前に見たように、すべての科学者がしている（せざるをえない）。感度の高い計測をしている最中に、もし誰かが誤って実験台にぶつかってしまったら、その計測結果は破棄するだろう。化学物質を調合しようとして、少しこぼしてしまったら、その結果は使いたくないだろう。ほかのあらゆる人生の場面と同じように、科学実験においても、完全な白から完全な黒までのあいだにはいろいろな濃淡がある。

バベッジはホーキシング、フォージング、トリミング、クッキングの4つをあげたが、ほかにも科学の不正行為はある。例えば、研究のほんとうの拠り所を隠し、他人の学説を自分のものとして発表する剽窃がそうだ。剽窃は、もとの文章をそっくりそのまま写すという形で行われることが多い。タイトルと著者名だけを変えて、他人の論文をまるごと自分の論文として投稿するなどということもある。最近は、投稿された論文と既刊文献とを照らし合わせて、剽窃を検出するソフトウェアが開発されており、以前よりも他人の論文を写すのはリスクの大きい行為になっている。

不正が発覚すれば、研究機関の信頼が損なわれるのは必至だ。だから研究機関としては、不正をできるだけ小さく見せたり、ごまかしたりしたいと考えるかもしれない。しかし不正を隠していることがあとからばれたら、さらに大きな痛手を被る。ふつうどの研究機関にも不正の疑いについて調べる独立委員会がある。わたしもそのいくつかに名を連ねている。

撤回

前に述べたように、科学の世界では「再現」によって、つまり理論とデータとの比較を繰り返すことによって、自己修正が図られている。しかし自己修正のメカニズムはそれだけではない。発表された論文に誤りが見つかったら、著者と掲載誌は論文を撤回して、不備があったことを認める。これは必ずしも論文の結論が間違っている場合だけではない。論証の仕方に問題があるときもそうされる。もちろん、不正や虚偽が発覚したときにも、論文は撤回される。

R・グラント・スティーンたちがパブメド（生命科学や生物医学に関する文献のデータベース）に登録されている文献について実施した調査によると、撤回率は「近年、急速に高まって」いて、「不正による撤回件数は、１９７５年と比べ、10倍に増えたと推定される[37]」という。これだけを聞くと、科学や科学者の劣化のひどさを嘆きたくなるかもしれない。しかし大局に目を向けてみると、じつは同時に、発表された論文の件数も爆発的に増えている。１９７３年から２０１１年のあいだにパブメドに登録された論文数は２１２０万本にのぼる。そのうち不正で撤回された論文は８９０本だ。つまり2万３７９９本に1本の割合でしかない。これはさほど悪い数字ではないだろう。スティーンたちは、「１９７３年から２０１１年までの期間を見ると、論文の掲載率の変化は、不正や誤りによる論文の撤回率の変化より大きい」と述べたうえで、同期間には、撤回率が急上昇している時期があると指摘している。この撤回の問題が複雑なのは、ひとつには、どうしても遡及的にならざるをえないからだ。ある論文で不正が発覚すると、編集者はそれ以前の論文も検証しなくてはならず、遠い昔に発表されたものまで撤回しなくてはいけないこともある。どういう論文がどういう理由で撤回されているかに興味があるかたは、http://retractionwatch.com というサイトをチェックしてみるといいだろう。ただし、撤回された論文がおそらく氷山の一角にすぎないことは申し添えておきたい。撤回に値しながら、見過ごされている論文がかなりあることは間違いない。

じつは、ここにはいかさまのためのヒントも隠されている（こんなヒントに触れるのにはためらいも感じたが、全体像を提示するほうがより誠実だろうと判断した。そもそも情報を隠すことは本書の精神にもとる）。無名の学術誌ほど、読者は少ない。また、読者が少ないほど、不正は発覚しにくい。この2つの事実からは、やましい論文を投稿するなら、読者の少ない無名の学術誌にしておけば、ばれにくくていいという結論が導き出せる。もちろん、それは著者の論文掲載率を高めるのに役立ついっぽうで、論文の影響力の指標である引用率を高める助けにはならないだろうが。

第3章で取り上げたように、米国で2000年以降、自閉症の診断が劇的に増えた背景には、自閉症に対する意識の高まりがあった。科学論文の撤回率が増えたことの背景にも、それと似たような現象が見られる。つまり、編集者と査読者、それに読者の側で不正や誤りに対する意識や警戒心が高まったことが、撤回率の増加の一因と考えられる。実際、同じことは科学全般の不正にも当てはまりそうだ。不正率が増加しているように見えるのは、単にそういう行為にみんなが用心深くなった結果、発見されやすくなり、報告される事例が増えているだけなのかもしれない。前に紹介したようなセンセーショナルな不正事件によって、世の中では不正が横行しているという印象が強まり、不正に対する人々の意識が高まったのは確かだろう。(38)

出どころと信頼——誰がいったことか？

数年前から世間を賑わせるようになったダークデータの一種がある。虚偽報道《フェイクニュース》だ（DDタイプ14「データの捏造または合成」）。ウィキペディアで虚偽報道は「意図的な誤報や作り話からなるイエロージャーナリズムまたはプロパガンダ」と定義されている。「イエロージャーナリズム」とは、19世紀末、ウィリアム・ランドルフ・ハーストとジョーゼフ・ピューリッツァーとのあいだで起こった新聞戦争の中で生まれた造語で、誇張された煽情的な記事を売り物にするジャーナリズムを意味する。語の由来は、最初にピューリッツァーの新聞ニュー・ワールド紙で連載され、のちにはハーストの新聞ニューヨーク・ワールド紙でも連載された漫画の登場人物イエローキッド（いつも黄色の寝間着を着ている）にある。虚偽報道は数字という形態ではないが、やはりダークデータの一種に分類できるだろう。そこでは事実とは違うと思われることが報じられているのだから。また、程度しだいだが、意図的なものであれば、不正の一種にもなる。

真実とうそをいかに見分けるかは、人類が太古の昔から頭を悩ませてきた問題だ。この問題に明確な答えはない。ただデータの領域に関しては、役に立つ手法がある。それは単純にデータの出どころを確かめるという手法だ。誰がそのデータを集めたのか、誰がそのデータを報告しているのかを確かめる。あるいは以前わたしがこのテーマについて論じた記事の中で述べたように、データを示されたら、「誰がそれをいったのか」を問う[39]。データの来歴を問いただすということだ。もしその情報が開示されないなら、その信憑性は推して知るべしだろう（ただし、情報源の保護が必要な場合はその限りではない）。実際的な観点からいうなら、これは新聞やウェブサイトはすべて、ジャーナリストや政治家はみんな、どこから情報を得たかを明かすべきであるということだ。そうすればいっていることが真実かどうかをチェックできる。特にそうしたいと思わないとか、そんなひまはないとかいう人もいるかもしれないが、チェックが可能になることが大事だ。これですべての問題が解決するわけではないし（それはかなりむずかしいだろう）、自分に都合のいいように情報を選別することは防げないだろう。それでも、ひとつの手立てになる。

ダークデータ対策として、とりわけ不正や詐欺にまつわるダークデータの対策としてよく出てくるのは「透明性」という言葉だ。情報を公開することで、何が行われているかが見えやすくなるという考えがそこにはある。していることをみんなに見られていたら、不正を働くのはむずかしい。これは前に取り上げた「光を当てる」という原則だ。西洋の民主主義では、さまざまな次元でそのようなオープンさが重んじられ、行政機関に積極的な情報公開が求められている。例えば、英国の地方自治体透明性条例に次のような文言がある。「透明性は自治体の説明責任の土台であり、市民に社会貢献に必要な手段と情報を与えるうえで、要となるものである。またデータが入手可能になることで、地元ビジネスや、非営利部門や、社会的企業に新しい市場が開かれ、事業の運営や公共財の活用が促進される。［……］地方自治体によって管理されているデータは、特別な事情がない限り、原則としてすべて、市民に公開されるべきである」(40)。さらに、次のようにも述べられている。「本条例により、市民は税金の使途［……］資産の活用状況［……］意思決定［……］市民にとって重要な問題に関するデータを閲覧できることが保証される」。例えば、グレーター・マンチェスターのテームサイド区では、自治体の500ポンド以上の支出の明細が四半期ごとに公開されている(41)。それらの詳細には供給業者名、部門名、モノやサービスの説明、数量、日付などが含まれる。

しかし個人の次元では、それとは反対に個人データの保護（つまりダークデータ化）が進んでいる。そういう流れの中で、第2章で紹介したとおり2018年5月25日には、EU一般データ保護規則（GDPR）が施行された。GDPRでは個人データを保管・利用する者の義務が定められ、個人データとその使途に対する本人の権利が強化されている。個人データとは、個人を特定することができるデータのことだ。GDPRのもとでは、個人データを収集ないし利用する団体はその理由を明らかにしなくてはならない。また、本人から明白かつ自由意志による同意を得ること（もしくは法律上の要請や人命の救助など、正当な理由があること）も求められる。個人は自分のデータにアクセスする権利を持ち、データの修正や削除、ほかのデータ管理者への移管を要求できる。ただそのいっぽうで、大量の個人データを扱う企業にとって、このような法的な義務を課されることは、かなりの足かせになることも指摘しなくてはいけないだろう。

ところで、わたしはここまで「透明性」という言葉を一般的に使われている意味で解釈してきた。データの透明性が高いといえば、それはふつうデータがみんなに開示されていることを意味する。しかし別の見方もできる。あるものの向こう側まで見通せるとき、そのあるものは透明といわれる。そこにそれがあることも気づかれない場合すらある。窓やめがねのレンズがそうだ。じつはそれは巧妙な不正や詐欺の特徴でもある。誰にも見られずにことを運び、まったくなんの問題もないように見せる。被害者が異状に気づく頃にはもはや手遅れで、取り返しがつかなくなっている。この意味での「透明性」は、「ダーク」と同じように由々しきものだといえる。

本章では、ダークデータの問題をいかに理解し、いかに克服すればいいかについて、科学研究を例に取って、深く掘り下げた。理論とデータを比較すること、データ不足のせいで誤りが生まれること、データを不当に操作すること、データを捏造すること、最大値にだけ注目させること、実験を数多く行って都合のいい結果だけを採用すること、「ほとんどの研究結果は間違い」であることを見た。また、データの出どころを確かめる、「誰がいったことか」を問うという一般的な原則も紹介した。

本書の第I部では、ダークデータによって引き起こされるさまざまな問題について論じた。第II部では、どのようにダークデータを見抜き、うまくつき合っていけばいいかを見ていきたい。さらにはダークデータを利用する方法についても考えてみたい。

第Ⅱ部　ダークデータを照らし出し、利用する

第8章　ダークデータに対処する——光を当てる

データを集めるのが基本

ここまで、ダークデータがさまざまな理由で生まれることや、わたしたちがデータに誤りがありうることはわかっているいっぽうで、自分たちにすべてが見えているわけではないことに無自覚であることを見てきた。また、そのような無知が深刻な結果をもたらしうることも見た。経済的な破滅を招くこともあれば、命を落とすことさえある。あまり明るい話ではなかった。それこそダークな話だったかもしれない。

では、わたしたちはこれにどう対処したらいいのか。本章では、暗がりを覗《のぞ》き込んで、そこに何が隠されているかを見きわめる方法、たとえ問題をはっきりと突き止められなくてもその影響を小さくする方法を考えていきたい。わからない部分が多いときにも、正しい答えを見つけるのに役立つ概念や、ツールや、手法や、戦略を紹介したい。本章では主にデータが欠けている状況について論じ（DDタイプ1「欠けていることがわかっているデータ」、DDタイプ2「欠けていることがわかっていないデータ」、DDタイプ3「一部の例だけを選ぶ」、DDタイプ4「自己選別」など）、最後に簡単に、データはあるがそれが誤解を招きうるものである場合について考察する（DDタイプ10「測定誤差と不確かさ」、DDタイプ9「データの要約」、ＤＤタイプ7「ときの経過とともに変化する」など）。とはいえ、問題の原因がなんであれ、解決の土台になるのは、用心だ。つまりつねに問題がないかどうかに目を光らせるということだ。特に、データそのものからは不測の事態の発生を知ることができないような場合には、用心がたいせつになる（ＤＤタイプ15「データ外の外挿」、ＤＤタイプ12「情報の非対称性」、ＤＤタイプ8「データの定義」など）。本書で紹介している数々の事例とＤＤタイプはきっとそういう用心を保つうえで助けになるだろう。少なくとも、注意を向けるべき点のいくつかがわかるはずだ。

しかし本題に入る前にひとつ、とても重要で根本的なことを確認しておきたい。それはダークデータは、けっして望ましいことではないということだ。データが間違っているときにはそれは明白だが、「（データが）欠けている」という言葉にもそのことは暗に示されている。「欠けている」とはつまり、ほんとうはもっとデータが必要なのだが、それが得られていないという意味だ。これから紹介する手法を使えば、間違ったデータや不完全なデータから生じる問題の影響を小さくできるのは確かだが、データが正しく、完全であるほうが望ましいことに変わりはない。したがって、次のようにいえる。誤りや不完全さを避けられるよう、データの収集方法を練る段階でも、実際にデータを集める段階でも、できる限りのことをするべきだ、と。

しかしそれでも誤りや不完全さを避けられない場合はどうすればいいか。それをこれから考えてみたい。

観察データと欠けたデータをつなぐ

完全なひと揃いのデータを集められないときには、ダークデータに対処しなくてはいけない。ダークデータへの対処で大事なのは、なぜそのデータが欠けているかを理解することだ。特に、データ間（観測されたデータも観測されていないデータも）の関係を探り、欠けている項目がないかどうか調べる必要がある。運がよければ、それによって、欠けた項目の値がどういうものであるかの見当がつき、ひいてはその値を補えるだろう。

そのとっかかりとしてたいへん役に立つ分類がある。米国の統計学者ドナルド・ルービンによって1970年代に考案されたものだ[1]。この分類では、観測されたデータと欠けたデータとの関係が3つに分けられている。例で見てみよう。

ボディ・マス・インデックス（BMI）という体格指標はおそらくご存知だろう。人間の体重を低体重、普通体重、過体重、肥満に分類するのに使われる指数で、体重（キログラム）を身長（メートル）の2乗で割って算出される。BMIが25以上で過体重、30以上で肥満だ。各種の調査では、肥満の人は健康的な体重の人に比べ、2型糖尿病、冠状動脈性心疾患、脳卒中、変形性膝関節症、がん、うつをはじめ、さまざまな病気にかかりやすいことが示唆されている。したがって、ダイエットに対する人々の関心は相当高い。

あるダイエットの研究では、6カ月間、1週間おきにデータを取り、どの程度の改善が見られるかが調べられた。計測データには体重、皮下脂肪厚、BMIが含まれているが、ここではBMIだけに注目しよう。

この研究では、被験者全員が6カ月間、最後まで計測を続けたわけではなかった。したがって離脱者の最終的な計測結果はない。こういう場合、離脱者のデータは無視し、最初から最後まで計測が行われた被験者のデータだけを分析すればいいのだろうか。離脱者の問題はすでに第2章で論じた。ここまで本書をお読みになったかたには、きっとこの問いの答えが「否」であることは明白だろう。離脱者を無視することはできない。しかし、その理由をもう少し詳しく考えてみよう。

このダイエットの研究では、決められた食事の計画をなかなか守れず、恥ずかしくなって離脱した被験者がいた。また、もともと極度に太っていたわけではない人の場合、体重がさほど減らず、やがて意欲を失う被験者もいて、それらの被験者の一部も離脱した。そのほかに、体重とは関係ない理由で、離脱する被験者もいた。例えば、転職したとか、多忙で研究所に来られなくなったとかの理由だ。

これらの離脱者の３グループのうち、第１のグループでは、離脱する確率と、もし最後まで計測されていた場合のＢＭＩの値に関係があることは明らかだ。決められた食事の計画を守れなかったことは、（もし計測を続けていれば）体重の減り方が本来より遅かったであろうこと、あるいは逆に体重が増えていたであろうことを意味する。ルービンはこのような状況、つまりデータが欠ける確率と、観測されていた場合に得られたであろう値とのあいだに関係がある状況を、「無視できない欠測」（または「情報に富んだ欠測」）と呼んでいる。いうまでもなく、このような状況に対処するのはむずかしい。ダークデータと、実験に最後まで参加した被験者から得られた観測データとが、違ったものになる公算が大きいからだ。

離脱者の第２のグループ、つまりもともとそんなには太っておらず、途中で意欲を失った離脱者のグループでは、離脱する確率と、計測された値（最初のＢＭＩの値）とのあいだに関係があった。最終的なＢＭＩの値は計測されていないが、それらの被験者が離脱したことはわかっているし、離脱には計測された値が影響したこともわかっている。ルービンはこれを「ランダムな欠測」と呼んでいる。このような欠測からは、データに誤りが含まれる、あるいは含まれるかもしれないことが示唆される。

最後に、研究とは無関係に離脱した第３のグループでは、離脱前に得られた計測結果も、離脱しなかった場合に得られていたであろう計測結果も、ともに離脱の確率とはまったく関係していない。ルービンはそういう場合を「完全にランダムな欠測」と呼んでいる。

ルービンのこの3分類を統計学に馴染みのない人にもわかるようにいい換えるなら、つぎのようになる。

「無視できない欠測」は、**「見えない従属データ」**といえる。ここでは観測されない値が生じる確率が、観測されていない値に左右される（つまり従属する）。この例でいえば、最終的なBMIの値が計測されない確率は、（計測された場合に）どれだけその値が高いかに左右される。つまり6カ月後にBMIを計測したとき、その値が高くなりそうな人ほど、離脱する確率は高い。

「ランダムな欠測」は、**「見える従属データ」**といえる。ここでは観測されない値が生じる確率が、観測されていた値に左右される。この例でいうなら、最終的なBMIの値が計測されない確率は、最初に計測された値に左右される。つまり最初にその値が小さかった人ほど、離脱しやすい。

「完全にランダムな欠測」は、**「非従属データ」**といえる。ここでは観測されない値が生じる確率が、データに左右されない（観測されたデータにも観測されていないデータにも）。この例では、最終的なBMIが計測されない確率は、ほかのデータの影響をまったく受けない。実際に計測されたほかの値とも、計測された場合に得られるであろう値とも関係がない。

ルービンの分類が役に立つことがわかるのは、データ欠測による影響を調整するにはどうすればいいかを考えるときだ。第3のグループのメカニズムがいちばん簡単なので、まずはそれから見ていこう。

　本来であれば、被験者全員が6カ月間、最初から最後まですべての計測をしていなくてはいけない実験だ。したがって、離脱者の計測結果を除外することで、結論がどう歪むかを考えなくてはならない。「非従属データ」の離脱者は、実験とは関係のない理由で離脱している。それらの離脱者と、予定どおり計測を行った被験者とのあいだには系統だった違いはいっさいない。いってみれば、もとから被験者数が少なかったようなものだ。平均では、計測されなかった被験者のデータを分析から除外しても、結果に影響は出ないだろう。したがってそれらの離脱者は無視することができる。これは例外的に単純な状況だ。おそらく、めったにそういうことはないだろう。そこではダークデータは問題にならない。

　しかし現実はいつもそんなに単純ではない。

　第2のグループ、つまり「見える従属データ」の状況はもっと込み入っている。そこでは被験者が離脱するかどうかは、最初に計測されたBMIの値に左右される。特に、最初の値が低いほど、途中で離脱しやすく、最終的なBMIの値が計測されないことが多い。逆に、最初の値が高かった被験者は離脱しにくい。

　ここで注目すべき重要なことは、そのようなデータの欠測によって、最初のBMIの値と最後のBMIの値との観測された関係が歪むことはないということだ。どんな値も、最初の計測時より最後の計測時のほうが、そのデータの個数は少なくなっている可能性がある。最後の計測ではそのいくつかは欠けるからだ。しかし計測された値は、その最初の値に対する最終的なBMIの値の正しい分布を示すものになるだろう。これはつまり、計測された値だけを使って、最初の値と最後の値の関係を正しく推定できるということだ。その関係が正しく推定できれば、それをもとに、すべての最初のBMIの値について、その最終的な値を推定することができる。

では、最後に第1のグループ、「見えない従属データ」の場合を考えてみよう。これは一筋縄ではいかないグループだ。ここでは「得られたであろう」ＢＭＩの値のせいで、データが欠けている。もちろん、その値が何であるかはわからない。それらのデータはランダムに欠けているわけでもなければ、ほかの観測値の程度によって欠けているわけでもない。それらの欠けたデータを推定するためには、ほかの場所から情報を得るか、もしくはそれらの値が欠けている理由について仮説を立てるしかない。

また別の事例を用いよう。

社会統計学者キャシー・マーシュが英国の成人から無作為に２００組の夫婦を抽出した１９８０年のデータセットがある。[2] その標本を使って、当時の英国の妻の平均年齢を推定するとしよう。マーシュのデータを詳しく見ていくと、欠けた値があることがわかる。その中には妻の年齢が記録されていない箇所もある。それらのダークデータはデータの分析に影響を与え、結論を無効にするのだろうか。ＢＭＩの例と同じで、その答えはデータが欠けている理由による。

記録されていない妻の年齢は、「非従属データ」かもしれない。つまりデータが欠ける確率が、いかなるデータの値とも関係していないデータだ。

もしくは「見える従属データ」である可能性もある。妻の年齢が記録されない確率が、見えているほかのデータの値に左右されているのかもしれない。話を単純にするため、ここでは、妻が年齢を明かすかどうかは夫の年齢だけに左右され、ほかの変数の影響はいっさい受けないことにしよう。例えば、夫が年上だと、夫が年下である場合に比べて、年齢を明かす人の割合が半分に減るというようにだ。夫は全員、年齢を答えているとする。

記録されていない妻の年齢は「見えない従属データ」の可能性もある。妻の年齢が記録されない確率は、妻自身の年齢によって決まるのかもしれない。これはじゅうぶんありうることだ。少なくともかつての西洋社会では、女性に年齢を尋ねるのは無作法なこととされたし、女性もあまり自分の年齢を口にしたがらなかった。1911年に刊行された英国の作家サキの短編集『クローヴィス物語』の一編「結婚仲介人」に次のような一節がある。

「夜遊びはあたしにふさわしくないなんていう理屈を急にこねだしたの。毎晩、午前1時前には帰りなさいって。そんなのってないでしょ。この前の誕生日で18になったのよ」
「この前の前の誕生日ね、正確には」
「あら、それはわたしのせいじゃないわ。お母さまが37歳でいる限り、あたしも19歳にはなれないんだから。見た目にも敬意を払うべきよ」

このような社会的な慣習でデータの欠測は説明できるかもしれない。おそらく年齢が高い女性ほど、答えたがらなかったのだろう。

ここでもやはり「非従属データ」に対処するのは簡単だ。データが欠けていることと、実際のデータの値とは無関係なので、妻の年齢が記録されていない夫婦のデータは無視でき、単純にそれ以外の夫婦の妻の年齢から英国の妻の平均年齢を推定することができる。そうすると、標本のサイズは当初の200より小さくなるが、推定には偏りや系統だった歪みはまったく生じない。もちろん、欠けた値が多すぎて、標本のサイズが極端に小さくなったら、信頼できる結論は導き出せないだろうが、それはまた別の問題だ。

しかし「見える従属データ」の場合はどうだろうか。自分の年齢を答えるかどうかは夫の年齢に左右されるので、妻の年齢の標本に歪みが生じうる。例えば、年上の夫を持つ傾向が見られる高齢の女性の年齢は、データに含まれにくくなる。そのような可能性を無視して妻の平均年齢を算出したら、その値は実際より低くなるだろう。

しかしそこには問題への対処の仕方も示されている。夫の年齢に関係なく、自分の年齢を答えない女性がいることは確かだが、年齢を答える女性は、その夫と同い年のすべての妻の無作為標本になっている。これはつまり、それらの妻の平均年齢は、その年齢の夫を持つすべての妻の平均年齢の推定値として使えることを意味している。さらにこのことは、夫婦の年齢の組み合わせを使って、夫の年齢と妻の年齢の関係を割り出せることを意味している。その関係がわかったなら、それにもとづいて、夫の年齢ごとにすべての妻の年齢を推定できる。ここまでくれば、既婚女性全体の平均年齢を推定するのはもう簡単だ。年齢を答えた妻の年齢と、答えなかった妻の推定年齢とを足して、平均を計算すればいい。

最後に、「見えない従属データ」の場合を考えよう。妻の年齢が記録されない確率が本人の年齢に左右され、例えば、年齢の高い女性ほど年齢を答えないなどの傾向が見られるとしたら、やはり年齢の標本に歪みが生じることになる。また「非従属データ」や「見える従属データ」の場合と違って、不完全な組み合わせ（夫だけが年齢を答えている夫婦）を無視できない。そもそも夫の年齢に関係なく、年齢を答えなかった妻は答えた人より年齢が高い傾向にあり、どっちがどっちだか（夫の年齢のせいで答えないのか、自分の年齢が理由で答えないのか）がわからなくなる。そのような歪みを無視した分析からは、深刻な間違いが生まれうる。このような「見えない従属データ」の場合には、ほかに解決策を求める必要がある。

欠けたデータへの対処方法の研究は、もともと経済学者たちの手で盛んに行われてきた。その理由はおそらく想像がつくだろう。経済学が特別むずかしい学問であるのは、人間が受動的に計測される対象物ではなく、計測されている状況に反応するからだ。計測されるのを拒むことさえある。とりわけ、自分が答えることになる内容のせいで質問に答えるのを拒む。

経済学でダークデータが重要であることは、米国の経済学者ジェイムズ・ヘックマンが１９７０年代に「選別された標本を分析する理論と手法を開発した」功績により、２０００年のノーベル経済学賞を受賞した事実にうかがえるだろう。「選別された標本」とは、すべてのデータが揃っていないことの別のいい方であり、つまり選別されたデータしかないということだ。ヘックマンの手法は「二段階推定法」（通称「ヘキット」）と呼ばれる。その手法で「見える従属データ」に対処するときには、まず、欠けているデータにつながるプロセスのモデルを構築し、次に、そのモデルを使って全体のモデルを修正する。キャシー・マーシュの事例で使われていたのと似た手法だ。ヘックマンの場合、関心を持っていたのは労働時間や賃金といった要素だった。今では古典的な事例になっている女性の賃金の事例では、女性の賃金には労働時間以外の変数が関係しているが、女性が就労しなければ、それらの変数は欠けてしまう（これは男性にも当てはまる！）。

経済の事例は本書でもすでにいくつか取り上げている。第2章で金融指標を見たときには、「見える従属データ」の欠測値について論じた。例えば、ダウ工業株平均は、ダウ・ジョーンズ社によって選ばれた米国企業30社の株価の合計をダウ除数で割って算出される株価指数だ。しかしそれらの銘柄には入れ替わりがある。１８９６年に算出が始まって以来今までに、構成銘柄は50回以上入れ替わっている。特に、業績が悪化したり、経済が変化したりしたとき、構成銘柄から除外される企業が多い。これはつまり、この指標がすべての企業の業績を代表しているわけではなく、あくまで堅調な企業の業績を示していることを意味する。しかし業績の悪化や経済の変化の兆候が現れた段階で、構成銘柄の入れ替えが検討される。これは「見える従属データ」だ。

同じように、S&P500（時価総額の大きい500社の時価総額加重平均）でも、他社と比べて業績の悪い企業は、構成銘柄から外される。どの企業を除外するかの判断は、除外前に入手可能なデータにもとづいてなされるしかない。したがって、除外された企業のデータ、つまり指標の算出から除かれたデータもやはり「見える従属データ」になる。

第2章では、生存者バイアスがダウ工業株平均やS&P500だけではなく、ヘッジファンドの指標に影響していることも見た。バークレイ・ヘッジファンド・インデックスは、バークレイのデータベースに登録されたヘッジファンドのリターンの単純平均にもとづいている。しかし、閉鎖されるほど運用成績が低下したヘッジファンドのデータはそこには含まれない。成績の悪化は閉鎖の数カ月前から明らかになっているはずだから、それらのデータもやはり「見える従属データ」といえる。

データが欠けるメカニズムを見きわめる

「非従属データ」、「見える従属データ」、「見えない従属データ」という分類がとても便利なわけは、データが欠けるメカニズムのタイプが違えば、ふさわしい解決策のタイプも違うからだ。これはつまり、どんなデータ欠測の問題でも、まずはどのタイプかを見きわめる必要があることを意味している。その判断を間違えば、正しい解決策にはたどり着けない。先ほどの妻の年齢の例でいうと、妻の年齢のデータが欠ける確率が本人の年齢とも夫の年齢とも関係ないという「非従属データ」の仮定が誤っていたら、その対処の仕方も誤るだろう。同じように、欠けているデータは「見える従属データ」だと思い、妻が年齢を明かすかどうかは夫の年齢だけに左右されると仮定したら、誤った結論が導き出されるだろう。とはいえ、これは驚くことでもない。どんな分析でもデータがどのように発生するかは必ず仮定される。その仮定が間違っていれば、当然、その分析からは間違った結論が導き出される。しかしこれは逆にいえば、できる限り仮定に確信を持ちたい、できるなら仮説を検証して、正しさを確かめる方法が欲しいということだ。そのためにさまざまな戦略が探求されている。

おそらく最も基本的な戦略は、データで描き出される領域に関して持っている自分の専門知識を活かすというものだ。例えば、センシティブなデータを扱う分野で仕事をしていれば、欠けているデータが「見えない従属データ」であることは想像しやすいだろう。例えば、コカインの服用に関するアンケート調査のほうが、公共交通機関の利用に関するアンケート調査より、「見えない従属データ」は生まれやすい。

一般に、同じテーマに関する別の研究や、関連分野の研究から、なぜデータが欠けているかのヒントが得られる。ハーヴァード大学の統計学者、孟曉犁（シャオリ・メン）がその手法を使って、欠けたデータが結論に与える影響を見事に数量化している。[(3)] 孟はまず、推定精度の測定をいくつかの部分に分解した。値が欠けているかどうかと、値そのものの大きさとのあいだの相関がそのひとつだった。次に、その相関の強さが何を意味するかが似た問題など、ほかのデータ源からわかることがあることを示した。

もっと能動的にデータが欠けている理由を調べる戦略としては、欠けているデータを集めようとする手法がある。この手法については次の節で詳しく掘り下げたい。

統計的検定が使われることもある。例えば、妻が年齢を答えたかどうかで、夫を2つのグループに分けられる。それぞれのグループの年齢分布の形状の違いからは、妻の年齢のデータは「非従属データ」ではないことが示唆されるかもしれない。欠けたデータの研究の第一人者である米国の統計学者ロデリック・リトルは、欠けたデータが「非従属データ」かどうかを確かめられる統計的検定の手法を開発している。[4]「見える従属データ」かどうかを確かめられる統計的検定も開発されているが、モデルについての仮定に影響を受けやすい。つまり、データに生じていることを説明するモデルが間違っていたら、結論も間違ったものになるということだ。これも特に驚くことではないだろう。

これまで見てきたように、データが欠けるメカニズムを見きわめること、特に、(観測されていたら)得られていたであろう値のせいでどの程度データが欠けているかを見きわめることが、誤った結果を避けるうえでは重要だ。はっきりとどのタイプの欠けたデータかがわかるときもあるが、複数のタイプが混ざっている場合もある。3つのタイプは互いに相容れないわけではない。欠けたデータの一部が「非従属データ」であっても、残りの部分は「見えない従属データ」かもしれない。それでも、そのように欠けたデータの分類ができれば、欠けたデータへの対処の方向性はしっかり定まる。

「非従属データ」、「見える従属データ」、「見えない従属データ」という欠けたデータの3分類を学んだところで、ここからダークデータに対処する実際の方法を探っていこう。まず最初に、単純で広く使われている方法を見ていきたい。この方法はしばしば誤解されてもいる。

ダークデータに対処する

欠けたデータのメカニズムを突き止めることは、問題への対処の強力ないとぐちになる。ただし、そのためにはかなり高度な理解を必要とすることも確かだ。そこで実際にはもっと簡単なさまざまな手法が使

表6　ダイエット研究のデータ例

年齢	身長(cm)	体重(kg)	性別
32	175	NA	男
NA	170	90	男
NA	180	NA	男
39	191	95	NA
53	NA	86	男
38	NA	90	女
61	170	75	NA
41	165	NA	女
NA	158	70	女
31	160	NA	女

われることが多い。それらの手法はたいてい単純明快で、統計ソフトに広く組み込まれている。といっても、「簡単」で「単純明快」であることは正しさを保証するものではない。では以下にいくつかそのような手法と特徴、さらにそれらが「非従属データ」や「見えない従属データ」、「見える従属データ」とどう関係するかを見ていこう。

表6は、ダイエット（体重を減らす食生活）に関する研究に先立って集められたデータからの抜粋だ。表の中にいくつかある「NA」は、値が記録されていないことを意味する。

完全ケース分析

まず、データ表の完全な行だけを使うという方法、つまりすべての属性の観測データが揃っている行だけを使うという方法がある。これはダークデータがすべて「非従属データ」なら、妥当な方法であり、「完全ケース分析」と呼ばれている。しかし表6でこの方法を使おうとすれば、すぐにある欠点に気づくだろう。ダークデータが「非従属データ」でなかったらその欠点はさらに避けられない。ご覧のとおり、ここでは全行に欠測値が1個以上含まれているのだ。もし不完全な行を省いたら、使えるデータがひとつもなくなってしまう。

確かにこれは極端な例かもしれない（白状すれば、意図的に選んだ例だ）。しかしここまで極端でない場合でも、この方法では標本サイズが著しく小さくなりうる。1000個の記録から結論を出すぶんには安心でも、わずか20個の記録からそうするとなったら、不安を感じるだろう。たとえデータが「非従属データ」で、20個の完全な観測記録が母集団の代表として適切であっても、標本サイズがそこまで小さいと、ばらつきの影響が大きく、結論の正しさになかなか確信は持てない。

それから当然、ダークデータが「非従属データ」でなかったら、標本サイズを少し小さくするだけでも、データセットに歪みが生じうる。

入手可能なデータをすべて使う

単純な方法の2つめは、得られたデータをすべて使うという方法だ。例えば、年齢の値が記録されている行が7行あったら、その7個の値だけを使って、平均年齢を算出する。やはりこの場合も、年齢の記録がないデータがほかのデータとなんらかの点で違っていないなら、つまり「非従属データ」なら、問題はない。しかし欠けた値になんらかの特徴があれば、誤った判断を招きうる。例えば、年齢を答えない人（年齢の値が欠けているデータ）は年齢が高いという傾向が見られたら、この方法では平均年齢が実際より若く推定されてしまう。

この方法からはさらに複雑な問題も生じる。どの属性の値が欠けているかは、行によって違う。ある行では年齢の値がなく、別の行では体重の値がないというふうにだ。これはつまり、この方法を使うと、平均年齢の推定と平均体重の推定とがそれぞれ別の人のデータにもとづいて行われることを意味する。もし太った人の体重の値が欠けていることや、背の低い人の身長の値が欠けていることが多いという傾向があったら、この方法では、長身のすらりとした人が多い集団という誤った印象がもたらされる。しかも、このような方法からは矛盾も生まれる。例えば、変数間の関係を調べると、年齢と体重の相関関係と、年齢と身長の相関関係から導き出された体重と身長の相関関係が、体重と身長のデータから直接算出された相関関係と矛盾することに気づくだろう。これではかえって混迷が深まるばかりだ。

データの欠測パターンによる分類

3つめの方法は、どの属性の値が欠けているかに応じて、データを分類するという方法だ。例えば、体重の値が欠けている人と、体重の値が欠けていない人とを別々に分析することができる。表6には、データの欠測パターンが5通りある。体重のデータだけが欠けている、年齢のデータだけが欠けている、体重と年齢のデータが欠けている、性別のデータだけが欠けている、身長のデータだけが欠けているの5通りだ。もちろん、わずか12件という標本サイズでは、各パターンのデータ数は多くない（それぞれ3個、2個、1個、2個、2個だ）が、もっと大きな標本なら、パターン別に分析できる。このような手法は、「非従属データ」、「見えない従属データ」、「見える従属データ」のどのデータ欠測のメカニズムでも使えるが、それらのすべての結論をひとつにまとめるのは容易ではない。また、データセットが大きく、計測された変数が多ければ、データの欠測パターンの数がむやみに多くなってしまうだろう。

このような手法が役に立つのは、値が欠けているのが、そもそもそういう値が存在しないせいであるときだ。例えば、第2章で紹介したように、調査で「配偶者の収入」のデータが欠けていたとき、それが回答者に配偶者がいないせいである場合は、役に立つだろう。そのような場合なら、はっきりと違う2種類のグループを分析の対象にできるだろう。配偶者がいる人（ゆえに回答している）のグループと、配偶者がいない人（回答していない）のグループだ。しかし、「配偶者の収入」のデータが欠けているのが、単に回答者がそういうことを答えたくなかったとか、答えるのを忘れたとかいう場合には、欠けた値の属性で分類しても、あまり意味はないだろう。

この例からは、欠測値の種類に応じてその記号を変えたほうがいいこともわかる。「ＮＡ（データなし）」という記号の背後には、いろいろな事情がありうる。単に「わからない」という分類では大雑把すぎるだろう。

追加データとゴールドサンプル

前に、母集団の多くの部分のデータが欠けている状況をいくつも紹介した。その原因には、アンケート調査での回答拒否から、罹患していないというスクリーニングによる判定や、複数のデータセットを統合したときに生じるミスマッチなど、さまざまなものがあった。データを提供しなかった人を特定できれば（例えば、それらの人がある基準を満たしているとか、標本抽出枠のリストがあるとかにより）、欠けたデータに対処する方法はいたって単純だ。データが欠けている人をあらためて調べればいい。うまくいけば、どんなデータ欠測のメカニズムから生じた問題でもそれで解決できるだろう。

現に、この方法はアンケート調査で広く使われている。調査対象者に連絡を取ることに力が入れられていることも多い。面接を依頼するため、繰り返し電話をかければ、調査対象者の属性と、面接の依頼回数との関係をモデル化することができる。そうすれば、そのモデルを使って、結果を調整することで、まったく連絡が取れなかった調査対象者の欠測データを補うことが可能になる。

追加データを使う手法にはさまざまな形がありうる。本書で前に取り上げた例では、次のようなものがある。

第2章で、個人融資におけるダークデータの事例に短く触れた。そこで見たように、すべての潜在的な融資申請者を対象にしたモデルを築くことはむずかしい。手に入るデータはふつう歪んでいるからだ。例えば、融資審査で落とされた人がもし融資を受けていたら、どういう結果になっていたか（債務不履行か、完済か）は知りようがない。個人融資の業界では、そのような人の結果を推測する手法は「リジェクト・インファレンス」と呼ばれる。この手法では融資を拒まれた人（「リジェクツ」）と、融資を認められた人（「アクセプツ」）とが対比される。リジェクト・インファレンスは、欠測値の基本的な対処方法である「インピュテーション（欠測値補完）」の特殊な一例といえる。インピュテーションについてはのちほどあらためて論じたい。

そのような観測されていない結果に関心が持たれるのには、さまざまな理由がある。基本的な理由としては、選別手法が有効かどうかを知りたいということがある。例えば、債務不履行にならなかったであろう人の融資申請を数多く拒んでいないかどうか。また、新規申請者の返済をより正確に予測できるモデルを築きたいという理由もある。そもそも母集団の一部（過去に融資を受けた人）だけにもとづいて築かれたモデルを、母集団全体に当てはめれば、誤った結論が出てもおかしくない。その問題は第1章で論じたとおりだ。

融資を受けられなかった人の未知の結果をいかに知るかという問題に取り組むため、わたしが協力したある銀行では、「ゴールドサンプル」と名づけたものが導入された。ゴールドサンプルとは、融資審査の基準を満たせず、本来なら融資を受けられない顧客の標本だ。銀行は債務不履行に陥る可能性が高いと考えられるそれらの人々の中から、無作為に少数の顧客を選んで、あえて融資に応じ、そのような顧客に実際に融資を行った場合の結果に関する情報を得た。そうすることで、ローンを返済できない可能性が高い人を見きわめるモデルの精度を高め、融資審査でより正しい判断を下せるようになった。

残念ながら、このように別の標本を用いて、母集団の欠けた部分を補うという方法はいつも可能なわけではない。しかし分布の全体の形がどのようなものになりそうかは、ほかの似た問題（似ている国の人口の年齢分布など）や、理論的な議論（物理学の知見にもとづいて、理論的に考えられた電球の寿命の分布など）からも推測できることがある。そのような場合、選択基準がわかっていれば、実際に観測できた分布の一部を使って、分布の全体を推定できる。ひいては、その平均値などの特徴も推定が可能になる。次節では、その手法の重要な事例を紹介したい。

データを超えて――あなたが先立ったらどうなるか？

わたしたちはよく、あることが起こるまでにあとどれぐらいかということに関心を持つ。例えば、いつまで誰それは仕事を続けるだろうかとか、結婚生活はいつまで続くだろうかとか、いつまでエンジンは故障しないだろうかとかいうようにだ。外科手術では、患者の血圧を降圧薬で下げておく必要があるときがあるが、手術後はできるだけ早く正常な血圧に戻さなくてはならない。したがって、正常な血圧に戻るまでにどれぐらいの時間がかかるかや、その時間には手術中の血圧が関係するかどうかを知っておくことが重要になる。もっと一般的な医療の場面では、患者があとどれぐらい生きられるかや、いつまで病気が再発しないかや、いつまで臓器がもつかなどにも、関心が向けられる。

このような種類の問題は、「生存分析」の問題と呼ばれている。その歴史は古く、特に医療分野では歴史が長い。例えば、どれぐらい人が生きられるかを扱う保険数理業務の生命表や、製品がどれぐらい長持ちするかを扱う製造業の信頼性解析と深い関わりがある。

「生存」できる時間を推定することのむずかしさは、ステージ3の前立腺がん患者の例によく示されている。ステージ3とは、がんが付近の組織に転移していることを意味する。2種類の治療法のうち、延命効果が高いのはどちらかを調べるためには、患者を無作為に2グループに分けて、それぞれにどちらかの治療を施し、2グループの平均生存年数を比較すればいい。しかしそれらの中には10年とか20年とか、あるいはそれ以上長く生きる患者が必ずいる。しかしどちらの治療法がいいかを知るのに、数十年も待ってはいられない。したがって、そのような研究はふつう、患者全員の死亡を待たずに終了することになる。つまり、研究の終了日に生きていた患者がその後、どれぐらい生きたかはわからないということだ。そのデータは欠けることになる。加えて、患者の中には前立腺がん以外の原因で死ぬ人もいる。そのような患者についても、がんで死ぬまでどれぐらい生きたかに関するデータは得られない。さらに、研究とは関係のない理由で観察から離脱する患者もいる。それらの患者がどれぐらい生きられたかも、やはりダークデータと化す。

容易に想像がつくとおり、どれぐらい生きられたかがわからない患者を無視したら、結論はかなりでたらめなものになる。例えば、いっぽうの治療法がとても効果的で、その治療を受けた患者は2人以外全員、研究の終了日以降も生きていたとしよう。その場合、その2人以外の全員を無視したら、治療法の効果をばかげたぐらい過小評価してしまうだろう。

しかし、研究の終了日以降も生きていた患者や、ほかの原因で死んだ患者や、別の理由で観察から離脱した患者がどれぐらい生きられたかはわからなくても、いつ観察が打ち切られたかはわかる。したがって、観察対象になった日から前立腺がんで死亡するまでの日数は、観察されていた日数よりも長いことはわかる。

１９５８年に米国統計学会ジャーナル誌に掲載されたとても重要な論文の中で、著者エドワード・カプランとポール・マイヤーは患者の観察期間より生存期間のほうが長いという事実を踏まえ、一定期間以上生きられる確率を推定する方法を論じている。[5] カプランとマイヤーのこの論文がいかに重要かは被引用回数にはっきりと表れており、ジョージ・ドゥヴォースキーによると、その被引用回数の多さは史上第11位だという。[6] 科学論文の数が５０００万本以上にのぼることを考えるなら、これはかなり抜きん出た数字といっていいだろう。

一定期間より長く生きられる確率以上のことを知りたい場合もある。例えば、平均生存期間を推定したい場合だ。生存期間の分布はふつう、正《せい》に歪む。つまり生存期間が長い人のほうが短い人より少ない分布になる。大多数の人が短く、ごく少数の人がとても長いということもある。統計学ではそのような分布を「ロングテール」と呼ぶ。正に歪んだ分布で上位の少数の値がほかの大多数の値よりはるかに大きい場合、それらの少数の値を分析に含めないと、平均値に大きな影響が出ることがある。例えば、米国人の平均資産額を計算するとき、ビル・ゲイツなどのビリオネアを全員計算に含めなかったら、どうなるだろうか。きっと算出される平均値は実際よりだいぶ小さいものになるだろう。生存期間もそれと同じだ。最も長生きした人を計算から除外すれば、実際とはかけ離れた結果が出るだろう。

では、このような問題にどう対処したらいいのか。

追加の標本を抽出するという理想的な手段（ここでは前立腺がんで死ぬ前に離脱した人の標本を抽出）

は、使えない。例えば、ほかの原因で死んだ人を観察し、もしほかの原因で死んでいなかったら前立腺がんで死ぬまでにどれぐらい生きられたかを調べるなどということは当然、不可能だ。

したがってここでは、観察できない人の分布をモデル化するという方法に頼るしかない。よく用いられるのは、生存期間の全体の分布はだいたい同じような形になるという仮定だ。この仮定は、過去の経験にもとづくこともあれば、ほかの病気の観察にもとづくこともある。ふつうは、生存期間の分布は「指数分布」になるという仮定が立てられる。指数分布とは、多くの小さな値と少数のとても大きな値からなる正に歪んだ分布のひとつだ。同じ形式の分布（指数型分布族）はいくつかあり、どの分布を使うかは、観察された生存期間のほかに、観察の打ち切りまでの観察期間は観察からの離脱までの観察期間より長くなくてはならない、という事実にもとづいて判断される。

この手法は多くのケースで有効だが、あくまで指数分布がふさわしいという仮定の上に立っていることは忘れてはならない。例によって、仮定が非現実的であれば、結論も誤ったものになりうる。

生存分析では、問題にしている原因で死亡したことが観察されている人の生存期間と、それ以外の人の生存期間はある一定の期間よりは長いという事実が組み合わされる。もし死亡が観察されていない人の生存期間を推定できれば、単純にそれらをすべて、つまり観察された生存期間と推定された生存期間をひとつにまとめればいい。そこで登場するのが、欠測値の代表的な対処方法であるインピュテーションだ。では次にいよいよそのインピュテーションを見ていこう。

データを超えて——インピュテーション

不完全なデータに対処しようとするとき、欠けた部分に代わりの値を入れることで、データを完全にしてはどうかと考えるのは自然だろう。そのような手法をインピュテーション（欠測値補完）と呼ぶ。欠けた値が補完され、データが完全になれば、欠測値のことを心配せず、どのようにでも好きにデータを分析できる。例えば、表6で年齢の値が欠けている欄に値を入れれば、単純に標本10人全員の平均年齢を計算できる。ただしこの手法はデータをでっち上げる行為のようにも見える。いかさまという指摘を受けたくなければ、データの補完の仕方に慎重を期さなくてはいけない。また、観測されていない値が「非従属データ」の場合と、「見える従属データ」の場合とでは違うし、「見えない従属データ」ではさらに違う。欠けている値が「見える従属データ」なら、どういう値を補完するかは、観測された値しだいで決まる。欠けている値が「見えない従属データ」なら、観測された値からはどういう値を補完すればいいかはほとんどわからない。いうまでもなく、不適切な値を代入したら、すべての結果が誤ったものになりうる。

欠けた値を補完すれば、たいていは分析を単純にできる。それはひとつには、多くの統計手法が「均衡」と「対称」にもとづいているからだ。例えば、わたしは以前、射出成形で自動車のプラスチック部品を製造しているメーカーから相談を受けたことがある。そのメーカーは3要素（温度、圧力、成形時間）のレベルをどのように組み合わせれば、最も製品の品質が高まるかを探っていた。そこで2つのレベルの温度、2つのレベルの圧力、2つのレベルの時間が試された（実際に試されたレベルは2つだけではないが、ここでは話を単純にするため2つにし、それぞれ「高」と「低」と呼ぼう）。レベルが2つで、要素が3つなので、それらの組み合わせは全部で8通りある。例えば、3要素とも「高」とか、最初の2要素が「高」で、もう1要素が「低」とかいうようにだ。メーカーはそれらの8通りの組み合わせで、実際にいくつかの部品を製作して、それぞれの品質を比べた。このような実験では、どの組み合わせでも同じ数の部品を製作すれば、数式を使って、結論を導き出せる。しかし組み合わせによって製作される部品の数が違ったら、分析はもっとむずかしくなる。とりわけ、もともと均衡の取れた数（どの組み合わせでも同じ数）での実験を計画していて、いくつかの値が欠けたら（例えば、停電で製造が中断したなどで）、均衡が崩れる。そうすると分析ははるかに複雑化し、もっと込み入った計算をしなくてはならなくなる。そういうとき、代わりの値を入れて、データの均衡を取り戻すという考えはとても魅力的だ。

欠測が生じたとき、欠けた値を補完するのは便利だが、容易に想像されるとおり、もし別の代入値で補完を繰り返せば、違う結果が出るだろう。代わりの値を入れる目的は、計算を簡単にするためであって、結果を歪めるためではないので、均衡がとれるよう補完されたデータの単純な計算から得られる結果が、不完全なデータを使った長くて複雑な計算から得られる結果と同じになるよう、代入値は選ばれる。

これはとても魅力的な考えだし、単純な状況では可能だろうが、循環論法のようにも感じられる。つまり、そもそも長くて複雑な計算をせずに、どうやって結果に影響を与えない代入値を見つけられるのか。この問いにはあとでまた戻ってきたい。この問いに答えようとすることで、データの補完の仕組みがさらに深く掘り下げられることになるだろう。しかしまずは、インピュテーションの基本的な方法をもう少し詳しく見てみよう。

平均値代入法

インピュテーションの数ある手法の中で、よく使われるのは、記録されている値の平均値で欠測値を代替するという手法だ。例えば、表6であれば、わかっている7個の値の平均値によって3個のわかっていない値を代替できる。この単純明快な手法は、数多くのデータ分析ソフトで用いられている。しかし本書をここまでお読みになったかたならきっと、このような単純なダークデータの対処方法には疑念を抱くだろう。なんらかの問題があるはずだと思うのではないだろうか。起こりうる問題のひとつは、ここまで何度も見てきたものだ。欠測値とほかの値とのあいだになんらかの系統だった違いがあるとき、ほかの値の平均値で欠測値を代替すれば、誤った結果が生まれるだろう。例えば、年齢のデータがない3人がじつはほかの7人より年上だったら、ほかの7人の平均年齢でそのデータを代替するのは得策ではない。つまり、欠けたデータが「非従属データ」であればこの手法は有効だが、そうでない場合には問題が生じうるということだ。

しかしあいにく、平均値を使うインピュテーションには別の問題もある。ふつう、すべての欠測値が実際に計測された場合に同じ値になることはまずありえない。これはつまり、すべての欠測値に同じ値を代入することで作られる「完全な」データは、人工的に均質化されたデータであるということだ。例えば、表6の年齢のデータでこの手法を使えば、補完された「完全な」データに見られる年齢のばらつきは、実際の年齢のばらつきよりも小さくなるだろう。

最終観測繰り越し法

表6のデータの欠け方はばらばらで、そこにはいかなるパターンも見られない。対照的に、時間の経過

につれて離脱者が増えることもある。その場合には離脱までは完全なデータがあり、離脱後からデータが欠け始める。第2章で紹介した図4はその極端な例だった。

そのような離脱のパターンが見られる場合には、「最終観測繰り越し法（ＬＯＣＦ）」と呼ばれるインピュテーションの手法が使える。この手法ではその名のごとく、欠測直前の最後に観測された値を使って、欠測値が補完される。ここで注意したいのは、最後の観測が行われたときと、欠測が生じたときとで状況が変わっていないことがこの手法の前提になっていることだ。これはかなり大胆な（はっきりいえば無茶な）前提だ。そもそも時間の経過とともに状況が変わると考えるからこそ、観測を繰り返すのだから、このような手法はばかげているとさえ思えるかもしれない。

それゆえ、案にたがわず、ＬＯＣＦには批判が加えられている。

- 「認知症の研究で最も不適切な分析手法に授与される賞があったら、文句なしに〝最終観測繰り越し法〟が受賞するだろう(7)」
- 「ＬＯＣＦを使った分析は、どれだけもっともらしく見えようとも、すべて信頼できない。［……］ＬＯＣＦはいかなる分析にも使うべきではない(8)」
- 「ＬＯＣＦと平均値の代入はどちらも、欠測で生じる不確かさを無視している。推定の精度が向上するのはまやかしだ。そういう方法で割り出された結果にはバイアスがかかっている(9)」
- 「ＬＯＣＦを使うことは統計学では倫理にもとる。ごくまれにしか正しいことがない仮定にもとづいているのだから(10)」

このような意見を聞かされたら、ＬＯＣＦの使用は躊躇《ちゅうちょ》するだろう。

ほかの変数から予測する

ここまで見てきたインピュテーションの手法は、観測された値の平均値を使うにしろ、直前に観測された値を使うにしろ、いたって単純なものだった。しかしもっと高度な手法では、欠測値の変数とほかの変数との関係をモデル化したうえで、それらのほかの変数の観測値を使って、欠けている値が予測される。モデル化にあたって土台にされるのは、すべての値が観測されているケースだ。じつはわたしたちはこの手法には、「見える従属データ」の欠測値の定義を論じたときにすでに出会っている。

例えば、表6には、年齢と体重の両方の値が揃っている行が4行ある。それらの年齢と体重の関係を図式化したのが図6だ。この図を使って、年齢と体重に関する簡単な統計モデルを作ることができる。図式化した点のあいだに直線を引けば、年齢の値が大きいほど体重の値が小さいという、このデータの関係を捉えたモデルができあがる（もちろん現実にはわずか4個の標本でモデルを作ることは推奨されない！）。そうすると、そのモデルを使って、年齢の値から未知の体重の値を予測することが可能になる。例えば、表6の8行めの人は、41歳であることはわかっているが、体重はわからない。図6の直線を見れば、91キロ前後だろうと予測できる。

これは観測された体重の平均値を代入する方法と基本的には同じ発想だが、表から得られるほかの情報を利用することで、もっと精巧な統計モデルを築いている。より多くの情報を使うぶん（体重だけでなく、年齢の値も使っている）、単なる平均値を使うより精度は高まる。特に、体重の欠測値が「見える従属データ」で、データが欠ける確率が年齢にだけ左右される場合には、信頼できる手法だ。ただし欠測値が

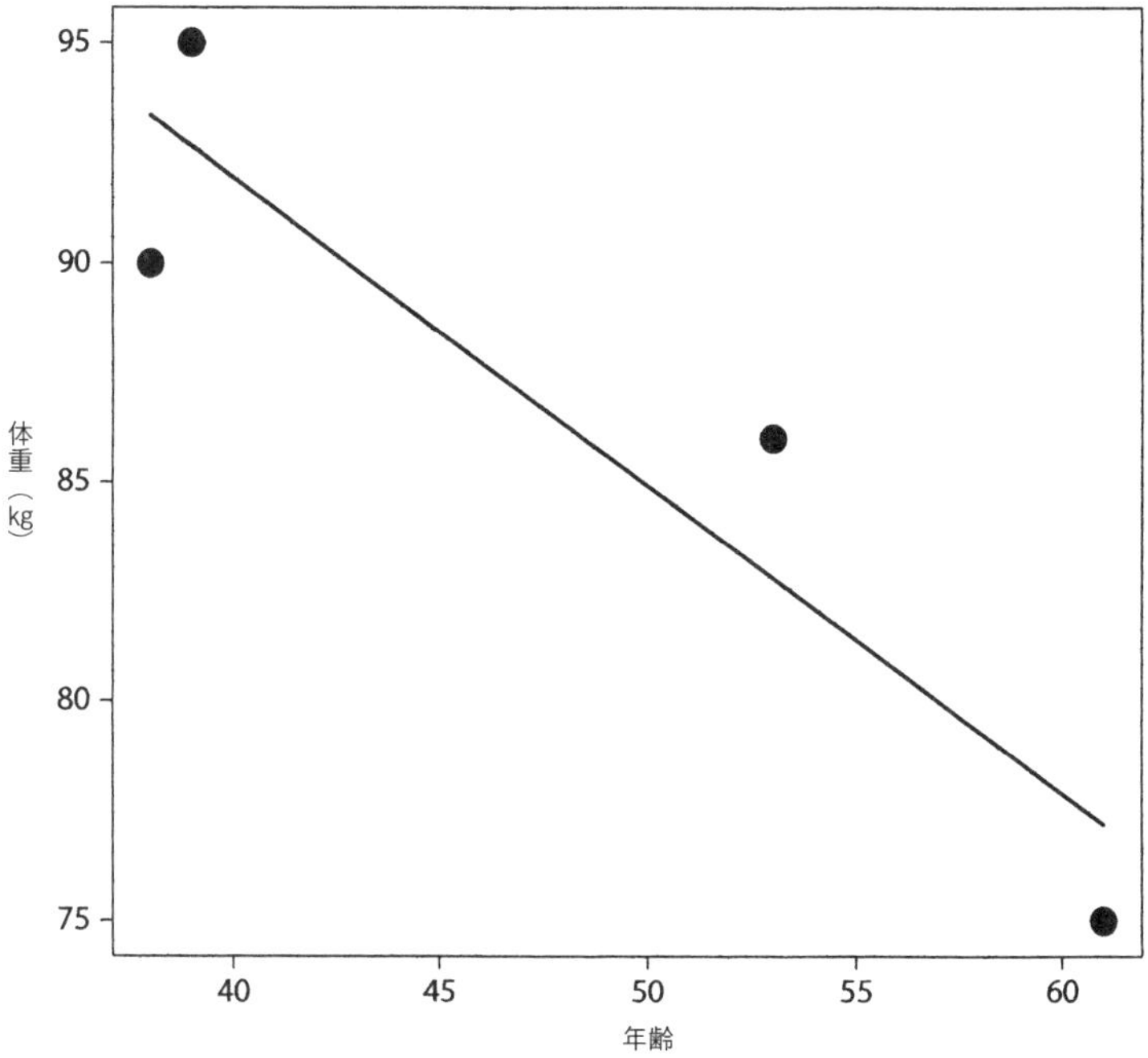

図６　表６で年齢と体重の両方の記録がある人の両者の関係

「見えない従属データ」のときには、問題がある。それでも、このようなモデル化と予測の手法が、あとで取り上げるとても強力な手法のもとになっている。

ホット・デック法

観測された値にもとづいた単純なインピュテーションの手法にはもうひとつ、「ホット・デック」なる呼び名で知られるものもある。この手法ではまず、欠測値の代わりに使う値を見つけるため、欠測値がある個体のデータと、共通の変数が記録されているほかの個体のデータとを照らし合わせる。次に、類似した個体の中から無作為にひとつの個体を選んで、その個体の当該値を欠測値に代入する。例えば、表６では、６行めの女性の身長の値が欠けている。その行とほかの行を比べると、6行めに似ている行が2つあることがわかる。8行めと10行めだ。どちらも女性で、なおかつそれぞれ41歳と31歳であり、6行めの38歳の女性と年齢も近い。そこで無作為にそのうちのひとりを選んで、その身長を38歳の女性の欠測値に代入する。8行めの女性の身長は165センチ、10行めの女性の身長は160センチ。したがって、もし41歳の女性を選べば、38歳の女性の身長の欠測値に165センチという値を入れる。

この手法の呼び名の由来は、パンチカードでデータが保存されていた時代（パンチカードの束を「デック」といった）に遡る。当時はこの手法がとても盛んに使われていた。ホット・デック法の魅力は、複雑な統計学をいっさい必要としないその単純さにある。個体間の類似の程度を計算するだけでいい。ただし「類似」をどのように定義するかで結果は違ってくる。類似の程度を測るのに、どの変数を使うか。それらの変数をどのように組み合わせて、最終的に類似しているかどうかを判断するか。どのように変数によって重要度に差をつけ、ある変数をほかの変数より重んじるか、だ。

多重代入法

すでに見たように、インピュテーションの明らかな欠点は、別の補完値を使って再度分析を行うと、結果も変わることだ。しかしじつは、この欠点を逆に利用することもできる。

補完された個々のデータセットにはそれぞれ観測されうるデータの一覧が示されている。そのような補完されたデータセットから要約統計量を計算すれば、データが完全だった場合に得られるであろう統計値が割り出せる。これはつまり、異なる補完値を使って、インピュテーションを繰り返せば、補完されたデータセットの要約統計量の分布が得られるということだ。そうすると、この分布から要約統計量の不確実性やばらつきなど、さまざまなパラメータを推定できる。つまり、単純に1個の「ベストな推定値」を得る代わりに、可能な推定値にどれほど確信が持てるかの尺度が得られる。

インピュテーションを繰り返すこの手法は、「多重代入法」と呼ばれる。現在、欠測値の対処方法としてとても広く使われている手法だ。

反復

以上、まずは別の値で欠けた値を代替するという単純な方法をいくつか見た。観測された値の平均値を代入する方法などだ。次に、ほかの観測された変数を使って、欠測値を推定するもっと複雑な方法も見た。この後者、つまり推定された関係をもとに、同じ変数の観測値から欠測値を予測するという考えは、「尤《ゆう》度《ど》（起こりやすさ）の原理」にもとづいた強力な反復手法につながる。

なんらかのデータセットと、それらのデータセットを生み出したメカニズムの統計モデルがあるとき、その統計モデルを使って、そのようなデータセットが生み出される確率を計算できる。さらに、尤度の原理によれば、2つの統計モデルのうち、それらのデータを算出する確率が高いほうを選ぶべきだとされる。もっと一般的にいうなら、もしいくつか、あるいはたくさん、または無数に、データセットについての可能な説明があるときには、その中で最もそのデータを割り出せる確率が高い説明を選ぶべきだとされる。

反復手法とは、欠測値が「非従属データ」か「見える従属データ」のときにそのようなモデルを見つけるための方法だ。

反復手法ではまず初めに、欠測値に最初の代入値を入れる（最初の代入値はなんでもかまわない。あてずっぽうでもいい）。次に、その補完されたデータセット（観測値と代入値からなる一揃いのデータセット）を使って、変数の関係を推定する。その推定には最尤《さいゆう》法と呼ばれる方法が使われる。次に、その推定された関係を使って、欠測値の新しい代入値を導き出す。そうすると、その新たな代入値によって補完された新しいデータセットができるので、その新しいデータセットを使って、また同じ作業をする。それを何度も何度も繰り返す。一般的な条件下であれば、代入値の変化は回を追うごとに小さくなり、最終的に推定された変数間の関係が最も尤度の高いモデルになる。

このように代入値を選び、補完されたデータで変数間の関係を推定し、また新たな代入値を導き出すというループを繰り返すというのは、数々の研究で発見されている強力なアイデアだ。しかし1977年に発表された画期的な論文の中で、3人の統計学者、アーサー・デンプスター、ナン・レアード、ドナルド・ルービンがそれらのアイデアを見事に統一して、それらの共通点を示すとともに、もっと抽象的な形態に仕立てることで、広く応用できる手法に発展させた。3人はその手法を「期待値最大化法（EMアルゴリズム）」と名づけた。そのような名がつけられたのは、ループが「期待値」と「最大化」の2段階からなるからだ。ループの第1段階では、データの欠けた項目の「期待値」が計算され、第2段階では、補完されたデータセットを使って変数間の関係が推定され、尤度の期待値が「最大化」される。

じつは3人は、データの欠けた項目の代替値を探す必要がないことまで明らかにした。必要なのは、欠測値に関わる分布をモデル化することだけだった。これと同じ手法は、前に生存分析のところでも見た。そこでは観察期間終了後まで生きた人の生存期間を推定しようとせず、一定期間より長く生きる確率だけが用いられた。

期待値最大化法はその後もますます進化を遂げている。デンプスターたちによって期待値最大化法の基本となる2段階ループの理論的な仕組みが示されると、じつはあらゆる場面で使える根本的な手法であること、しかもしばしば思いもよらぬ形で使えることが明らかになった。加えて、さまざまな形で改良もされている。例えば、導き出される代入値（と変数との関係）がほとんど変化しなくなるまで、つまり最適なモデル（尤度の最大化という意味で）に行き着くまでに必要なループの回数を少なくできるよう改良もされた。

期待値最大化法の理論的な説明はさらに大きな洞察にもつながった。例えば、第1章で、母集団の未知の属性はすべて、欠けたデータつまりダークデータと見なせるという話をした。これはとても強力なアイデアだ。背後にある属性は単にひとつの値（母集団の平均身長など）にすぎないこともあるかもしれないが、もっとはるかに複雑なこともある。想定される変数が複雑に絡み合っているかもしれない。古典的な例は、動く物体の軌道だ。動く物体の位置はけっして厳密には観測できず、つねに測定誤差をはらむ。そのように多くの場合、背後にあるダークデータは単に観測されていないというだけでなく、そもそも観測ができない。それらは隠されており、「潜在」している（そこから「潜在変数モデル」といわれる）。しかしだからといって光を当てられないわけではない。それらに光を当てることこそ、統計手法の最大の目的だ。隠された現実から生まれたデータを、統計手法を使って読み解くことで、その現実が見えてくる。隠された現実という暗闇に一筋の光が差し込む。

本章では、どのようにデータを分析すれば、データ（ダークデータであっても）の発生のプロセスがわかるかを見てきた。得られたデータを使う手法から、不完全なデータをすべて捨てる手法、さらには、欠測値がもし計測されていたらどういう値を取りうるかを推定するインピュテーションのさまざまな手法まで、一般的な手法を幅広く取り上げた。また、欠測データの重要な3分類も紹介した。それは欠測データが観測されたデータと関係しているかどうかに応じて分けられたものだった。その3分類——「非従属データ」、「見える従属データ」、「見えない従属データ」——によって、ダークデータ対策のために何ができるかについての理解が深まった。次の章では、話の方向を変えて、ダークデータを利用する方法について考えたい。特に、最初は本書で前に述べたいくつかのアイデアを取り上げて、それらを新しい観点から吟味し直し、じつはそれらがダークデータに依存していたことを明らかにするつもりだ。しかしその前に、見えているのにだまされてしまうデータについて、いくつか一般的な話をしておこう。

間違ったデータ

本章ではここまで欠けたデータばかりに注目してきた。しかしすでに見たように、ダークデータはそのほかの形でも発生する。DDタイプ10「測定誤差と不確かさ」、DDタイプ9「データの要約」、DDタイプ7「ときの経過とともに変化する」だ。それらに目を向けることで、高次の視点からダークデータを捉えられ、ダークデータに対処するには予防、発見、修正という3ステップが基本になることがわかる。

予防

データの誤りを「予防」するには、どういう種類の誤りが生じるかに気を配り、データの収集時にその発生を防げる仕組みを取り入れればいい。もちろん、「どういう種類の誤りが生じるかに気を配れる」のは、それらの誤りを以前に経験しているからか、あるいはもっとよいのは、他人の失敗を見ているからだ（会社を辞めるとき、上司に次のような捨て台詞を残していった人がいた。「感謝しています。失敗をたくさん見せていただいたおかげで、多くのことを学べました」）

データベースに直接データを入力するなら、単純に、入力時にデータをチェックすればいい。例えば、誕生日のデータを入力する場合、機械でデータが正しいかどうかをチェックするのはわけないことだ。しかしそれでもいくらかは注意が要る。例えば、誕生日のデータセットで「1911年11月11日」が突出して多くなった事例がある。そのデータは6桁の数字（日／月／年）で入力することになっていて、誕生日を入力したくない人が00/00/00と入力するであろうことは、プログラマーも予測していた。そこで0が6個入力された場合には、その日付を拒んで、再入力を求める設定にした。ところがそれでも誕生日を入力したくない人たちは、あきらめてほんとうの誕生日を入力する代わりに、次に思いついた単純な数字を打ち込んだ。それが6個の1、つまり1911年11月11日だった。

データの冗長性も、誤りの一般的な予防策として利用できる。2通り以上の方法でデータを入力することがその基本になる。医療の臨床研究をはじめ、広く使われているのは、「二重データ入力法」だ。この手法では、ふたりの人間の手で別々に値が転記される（例えば、データ収集フォームからコンピュータへ）。ふたりが同じ箇所で入力を誤る可能性は低いからだ。

冗長性の手法にはそのほかに、一連の数字といっしょにその総和も入力しておく手法もある。そうしておけば、コンピュータで一連の数字の総和を計算して、入力された総和と比較することで、入力の誤りをチェックできる。もし一連の数字の入力にミスがあれば、それらの2つの総和の値は一致しない（ただし、まれに2つ以上のミスによって、ずれが相殺されることもある）。「検査数字」と呼ばれるこの手法には高度に洗練された手法もいくつかある。

発見

1911年11月11日の事例や、データ入力段階での誤りを防ぐための検査数字の利用のすぐ隣には、誤りの「発見」がある。データの誤りは、データがほかのデータや想定と食い違うときに発見されやすい。人間の身長のデータベースに10フィート5インチ（317センチ）という値があったら、疑わしく思うだろう。おそらく5フィート10インチ（177センチ）の間違いではないのか、と（ただし思い込むのは禁物だ。可能な限り、もとのデータを確認したい）。

論理的な矛盾からも、誤りは発見される。例えば、もし記録されているある家族の子どもの数と、その家族の年齢構成のリストとが一致しなかったら、どこかに誤りがあるはずだ。しかし統計的な矛盾から誤りが発見されることもある。身長120センチで体重180キロというデータがあったら、身長120センチの人と体重180キロの人がそれぞれいたとしても、データの誤りを疑うだろう。

統計的なおかしさによる誤りの発見にはもっと高度な例もある。それは「ベンフォードの分布」（ベンフォードの法則とも呼ばれる）で生じる。この分布は1881年、米国の天文学者サイモン・ニューカムによって最初に記述されたようだ。ニューカムは研究で対数表を使っていた。対数表は大きな数の掛け算をすばやくできるようにする数字の表で、コンピュータ時代以前に広く使われていたものだった。ニューカムはあるとき、対数表の前のページが後ろのページよりもはるかに擦り減っていることに気づいた。この法則は、およそ60年後、物理学者フランク・ベンフォードによって再び発見された。ベンフォードは本格的な研究を行って、それと同じ現象がさまざまな数字のリストで起こることを証明した。

ではベンフォードの法則とはどういうものか。

いろいろな数値を集めたとき、その数値の最上位の桁に1から9までの数字が出現する率は均等であるように思えるだろう。つまり1から始まる数値の割合も、2から始まる数値の割合も、ほかのどの数字から始まる数値の割合も、すべて9分の1になるだろう、と。ところがおもしろいことに、自然界の多くの数値の集まりではそうなっていない。1の出現率は約30％、2の出現率は約18％と数が大きいほど出現率は低下し、9では約5％になる。この分布の精密な計算式もある。これがベンフォードの分布だ。

直感に反するこのふしぎな現象がなぜ生じるのかについては、きちんとした数学的な裏づけがあるが、ここではそれには立ち入らない。[11] わたしたちにとって重要なのは、もしデータがベンフォードの法則から逸脱していたら、おかしなことが起こっていないかどうか確かめたほうがいいということだ。実際、法廷会計学の専門家マーク・ニグリーニはベンフォードの法則にもとづいて、財務記録や会計帳簿の不正を発見する手法を開発した。これは一般的にも重要な点だ。誤りから生じたデータの異常を発見する手法は、不正から生じた異常がないかどうか、つまりほんとうの数字が意図的に隠されていないかどうかを調べるのに使える。第6章で、資金洗浄対策として、1万ドル以上の取引には当局への報告義務が課されているという話をした。犯罪者たちは送金額を小分けにすることで、この規制をかいくぐろうとしている。しかし9から始まる金額（9999ドルなど）が過度に多ければ、ベンフォードの法則からの逸脱として目に留まるだろう。

わたしはクレジットカードの不正利用を発見する手法の開発にかなり長く携わってきた。それらの手法の多くも、奇妙なデータ値を探すことを基本にしている。そういう値は単なる誤りかもしれないが、不正を示している可能性もある。

最後に、誤りの発見について重要なことを指摘しておきたい。それは、すべての誤りを発見し尽くしたとはいつまでもいえないということだ。残念ながら、誤りの存在は（ときに）証明できるが、誤りの不在は証明できない。前に見たように、データの誤りの種類は無数にあるいっぽうで、それをチェックする方法は限られている。それでもパレートの法則（80対20の法則）の類が当てはまることは間違いない。誤りの大半は比較的少ない労力で発見できるだろう。ただし同時に、収穫逓減の法則も働く。ある労力で誤りの50％を発見できたとしたら、残っている誤りのうち50％を発見するのにも、ふたたび同じ労力が必要になる。そのように誤りを発見しようとする労力の効果はしだいに低下していくが、いつまでも誤りのすべてを発見することはない。

修正

「修正」が予防と発見に続く、ダークデータへの対処の第3ステップになる。ある数値が間違っていることがわかったら、そのほんとうの値が何であるかを考えなくてはならない。どのように誤りを修正するかは、その値の本来の値についてわかっていることや、同種の誤りの一般的な知見によって決まる。第4章で取り上げた小数点の打ち間違いの例では、データについての一般的な知識や過去の誤りの経験から、ほんとうの値がどういうものであるべきかが明らかになることを見た。同じように、あるサイクリストが時速240キロで走ったという記録があった場合、そのデータ表のほかの値がすべて時速8キロから時速32キロの値に収まっていれば、そのサイクリストのほんとうの走行速度はおそらく24キロではないかと、文脈から想像されるだろう。しかしすぐにそうだと決めつけてはいけない。早合点にはじゅうぶん注意が必要だ。実際、2018年9月、米国人女性デニス・ミューラー＝コレネクが時速296キロという自転車の世界最速記録を樹立している。もとのデータを確かめたり、もう一度計測を行ったりしない限り、たとえ記録された値が間違いであることが確かであっても、そのほんとうの値が何であるかは決めつけられない。

最後にもうひとつ、データの誤りに関して重要なのは、コンピュータの力がまったく新しいデータの世界、まったく新しい理解の世界を開いたことだ。コンピュータのおかげで驚くほど大規模なデータセットが収集され、蓄積され、処理されるようになった。それらのデータベースは計り知れない可能性を秘めている。しかしコンピュータの力自体が根本的な不透明さをもたらしもする。コンピュータは肉眼では見分けられないデータを見ることを可能にするいっぽうで、わたしたちとデータのあいだに「媒介者」として介在せざるをえない。それによってわたしたちの目から隠されるデータの側面も生まれる。

第9章　ダークデータの活用——問いをリフレーミングする

データを隠す

ダークデータにはいいことはひとつもないように思われるかもしれない。現に、ダークデータに気をつけよというのが本書の主張でもある。しかし、自分が何をしようとしているかを理解し、じゅうぶんに注意を払うなら、ダークデータを利用することも可能だ。つまり、ダークデータのせいでわからないことが生まれるのを逆手にとって、理解を深めたり、予測の精度を高めたり、効果的な行動を選んだり、あるいはお金を節約したりできる手法がある。それは戦略的にデータの一部を無視することや、意図的にデータの一部を隠すことによって実行される。

本章ではそのような手法を検討するため、初めに、いくつかの一般的な統計手法を「リフレーミング」したい。つまりふつうとは違う角度からそれらの統計手法を捉え、情報やデータを積極的に隠すという観点から眺めてみたい。じつは、これから吟味する一般的な統計手法はどれも前に一度取り上げたものばかりだ。そして本章の後半では、もっと高度な統計の考え方や手法を取り上げて、斬新なダークデータの視点を紹介する。

ふつうとは違う角度から統計手法を捉えるとはどういうことだろうか。わかりやすいのは、有限母集団（データに限りがある母集団）から標本を抽出した場合だ。第2章で、アンケート調査の手法では、無回答というダークデータが弱点になることを見た。しかしアンケート調査にはダークデータを利用するための最も身近で、単純な方法も示されている。アンケート調査とは、母集団の中の（無作為に選ばれた）一部の値を使う手法だと説明される。それはもちろん正しい説明だ。しかし別の見方をすると、データを捨てて、無視し、ダークデータとして扱うために、標本を抽出するのが、アンケート調査だともいえる。母集団から10％の標本を抽出して、分析を加えるというのは、逆からいえば、90％の標本を抽出して、無視するのと同じことだからだ。なんらかのデータの標本を使うときにはいつでも、その標本を選んだと考えることも、母集団の残りのデータを捨てて、ダークデータにしたと考えることもできる。

ただし無作為抽出（または少なくとも確率抽出）であることがここでは肝心だ。それ以外の方法で抽出された場合には、本書でこれまでしつこく論じてきたようにさまざまな問題が起こる。無作為に抽出するということは、欠測値が「非従属データ」か「見える従属データ」になることを意味する。第8章で述べたように、それらのタイプのダークデータであれば対処が可能だ。

自分からデータを隠す――無作為化比較試験

このように分析のために標本を選ぶと同時に放棄のために標本を選ぶことが、ダークデータを利用する最も基本的な方法になる。もうひとつの重要な方法は、第2章で論じた無作為化比較試験を通じたものだ。例えば、新しい治療法が従来の治療法より効き目があるかどうかを調べたいとしよう。前に見たように、そのためには無作為に患者を2グループに分けて、いっぽうのグループの患者には従来の治療を施し、もういっぽうのグループの患者には新しい治療を施して、2グループの治療の結果を比較すればいい。

無作為とは、公平ということだ。無作為に分ければ、人為的な選択による振り分けを避けられる。選択のプロセスを操作できないものにし、故意または無意識のバイアスがかかるのを防げる。これは昔から尊重されてきた無作為のメリットだ。聖書にも次のようにある。「くじ引きは争いを止めさせ、強い者のあいだに解決をもたらす」(箴言18章18節)

無作為にどちらかの治療法を割り当てるという手法は、間違いなく信頼できる手法だ。両グループの結果にどんな差が出ても、それが治療法によるものであって、それ以外の要因によるものではないことを確信できる。あるいは、別のいい方をするなら、「因果関係を断てる」。つまり、どんな差の「原因」も、両グループのあいだにもとからあったものではないと断言できる。因果関係が断たれれば、いかなる結果の差も、年齢や性別といったグループに備わったいろいろな要素の違いではなく、それぞれが受けた治療の違いで説明しなくてはいけなくなる。

しかし単に無作為に分けるだけでは不十分かもしれない。もし研究者がどの患者がどの治療を受けるかを知っていたら、たとえ治療法の割り当てが無作為に行われたとしても、研究者の心には、手を加えたいという誘惑が芽生える可能性はある。例えば、偽薬を与えられる患者を気の毒に思い、それらの患者により注意を払うかもしれない。あるいは患者にある治療法を試していることを知っていたら、副作用が出たときの治療の中止基準をより厳密に解釈しようとするかもしれない。

このような危険を避けるためには、患者が振り分けられたグループがどちらの治療法を受けるグループであるかを隠せばいい。そうすれば、患者にも医師にも、どの患者がどちらの治療を受けているかはわからない。このようにグループのラベルを隠し、ダークデータにする手法は、盲検法と呼ばれる。

例えば、2種類の薬の比較試験では、その2種類の薬にそれぞれ違うコードを割り当て、医師にはどちらのコードがどちらの薬に割り当てられたかを知らせない。そうしておいて、コード以外、薬の外見を同一にすれば、医師にはどちらの薬を患者に投与しているかがわからない。したがって特定の薬を投与された患者を特別扱いすることもない（意識的にも無意識にも）。同じことは、データを分析する研究者にも適用される。研究者も、それぞれの患者がどちらのコードの薬を投与されたかはわかるが、その薬が2種類の薬のどちらかはわからない。

どちらの薬がどのコードだったかが明かされるのは、試験がすべて終了し、データがすべて分析されてからだ。その段階で初めて、どちらの薬の効果が高かったかを判定できる（ただし深刻な副作用が生じたときには、ただちにコードの割り当ては開示される）。

起こっていたかもしれないこと

このように無作為化比較試験の根幹部分には、被験者のグループ分けでダークデータを使うという考えがあることがわかった。このような考えは、反事実、つまり実際には起こらなかったが、条件が違えば「起こっていたかもしれないこと」を探求することへとつながる。起こっていたかもしれないことを調べる方法のひとつは、「シミュレーション」だ。シミュレーションでは、まずメカニズムやシステムやプロセスのモデルが作られ、そのモデルから生まれた合成データを使って、そのメカニズムやシステムやプロセスが異なる環境や条件下でどのように働くかが調べられる。その合成データは、存在するが観測されていないという意味ではダークデータではない。しかし、観測されていないが条件が違えば観測されていたという意味ではダークデータといえる。例えば、未婚の人の配偶者の収入とか、がん以外の原因で死んだ末期がん患者ががんで死ぬまでの生存期間とか、ランダム誤差で生じうる別の値とかの場合のようにだ。

シミュレーションはとてつもなく強力な手法であり、現在、金融システムから核兵器政策、環境汚染や人間活動の影響まで、きわめて幅広い分野で使われている。それどころか、科学哲学者の一部には、新しい科学の方法だと持ち上げる声もある。しかしここではもっと穏健に紹介することにし、まずはいくつか単純な例を見てみよう。

心臓外科医サメル・ナシェフの著書『裸の外科医（*The Naked Surgeon*）』に、医療のシミュレーションの例が描かれている。ナシェフの研究の動機は、英国史上最も有名な連続殺人犯ハロルド・シップマンの事例にあった。医師だったシップマンは、患者15人の殺害で有罪判決を受けたが、実際には25年間で250人以上の患者を殺したといわれている。医師は、きびしく監視されている現在の国民保健サービス（NHS）の病院で、同様のことが起こりうるかどうかを検証したいと考えた。そこで、同僚の医師ふたりの実際の記録を入手して、無作為に治療の成功と失敗の結果を入れ替え、患者の死亡率をシップマンの例と同程度まで高めた。つまりダークデータを生み出すことによって、NHSの病院にシップマンのような人物がいた場合に起こりうる状況を作り出したのだ。ナシェフの研究はこの手法がきわめて有効であることを示している。「すばらしい結果が得られた。［……］ハロルド・シップマン医師の犯罪が暴かれるまでには25年を要した。［……］われわれの実験では、ジョン（麻酔医）の悪事は10カ月で発覚し、スティーヴ（外科医）の悪事はさらに早く、8カ月で発覚した」

おそらくみなさんにもっと馴染みがあるシミュレーションの事例は、フライトシミュレーターだろう。

パイロットの訓練に使われるフライトシミュレーターでは、本物の飛行機を墜落させるリスクを冒さずに、過酷な状況や不測の事態を体験できる。この人工的な状況もまた、ありうるデータを示すものだ。

ではこの手法をさらに詳しく考察するため、簡単に計算ができるコイントスの例でシミュレーションを見てみよう。

コインを10回投げたとき、表が出る回数が4回以下になる確率を、わたしは初歩的な統計学を使って計算できる。すなわち、表が4回出る確率足す、表が3回出る確率足す、表が2回出る確率足す、表が1回出る確率足す、表が1回も出ない確率で、37・7%だ。これでまったく問題ないのだが、この計算のためには統計学の二項分布の知識が必要になる。しかしこの確率を推定する方法はほかにもある。実際にコインを10回投げて、表が出る回数を数えてみればいいのだ。もちろん一度そうするだけでは足りない。それでは4回以下になるか、ならないかのどちらかだけであり、したがって4回以下になる確率ではなく、「なった」か「ならなかった」かの結果しか得られない。10回のコイントスを複数回繰り返すことで初めて、表が4回出る割合がわかる。実際、正確な推定のためには、何度も何度も繰り返す必要があるだろう（第2章で紹介した「大数の法則」でいわれているとおり、その回数は多いほどよい）。とはいえ、退屈せずにそんなことを延々と続けられるものではない。そこで、コンピュータで10回のコイントスをシミュレーションするため、0か1かどちらかの値を無作為に10個、2分の1確率で表示させる（例えば0が裏、1が表を意味することにする）。これを何度も何度も、無数に繰り返して、表が4回以下出る割合を調べる。

わたしはこのシミュレーションを100万回行った。その100万回のうち、表が4回以下出た割合はほんとうの確率とさほど違わない37・6%だった。ここで注目したいのは、「100万回」という回数だ。

シミュレーションは現代のコンピュータの力を借りることでいっそうその真価を発揮するようになった。

これはいたって単純なシミュレーションの例だ。ノートパソコンがあればできてしまうし、わたしは初めからその正しい答えも知っていた。この対極には、膨大なデータセットにもとづいて、世界最高の処理能力を誇るコンピュータで行われる天気や気候のシミュレーションがある。このシミュレーションでは、気候に影響する連動プロセスのきわめて高度なモデルが使われる。大気のモデル、海流のモデル、太陽放射のモデル、火山活動のモデル、汚染のモデルなどだ。それらのシステムにはそれぞれに反応特性があり、そのことが問題を特にむずかしくしている。球を押せば、球がころころと転がって遠ざかっていくだけだが、複雑なシステムを押すと、予期せぬ反応が起こる。その反応はそもそも予測不可能なものであることもめずらしくない。科学で使われる「カオス」という言葉は、気象システムの根本的な予測不可能さに深く関係している。カオス理論などもそうだ。そのような複雑さを記述した方程式を解いても、明快な答えが得られることは少ない。そこにはつねに不確実さがつきまとうからだ。そこで、シミュレーションの出番となる。シミュレーションではモデルを使って、繰り返しデータを生み出すことで、天気や気象がどのように振る舞うかが示される。それらの結果からは、洪水やハリケーンや旱魃《かんばつ》のような異常気象がどの程度の頻度で発生するかなど、気象の振る舞いの幅がどれぐらいになるかを見積もれる。そのようにシミュレーションを行うと、発生しえたが実際には発生しなかったデータを算出できる。それはダークデータと見なされるデータだ。

同じ手法は経済や金融でも使われている。想像がつくとおり、現代経済のモデルはかなり複雑だ。何百万人、何千万人という人たちが相互に作用し合い、それぞれに思い思いの方向に進み、ありとあらゆる社会的な構造を築き、外的な力にも影響されている。そんなシステムがときとともにどう変化するかを予測できる数式を書いたり、解いたりするのは、気が遠くなるほどたいへんだ。シミュレーションでは、そういう社会で発生しうるデータを作り出すことで、そのような人間の大群がいかに進化し、関税の引き上げとか、戦争の勃発とか、天候の悪化とかのさまざまな変化にどう反応するかを探れる。

シミュレーションは現代のデータ分析で、もっと見えにくい形でも役立てられている。特に、本章でのちほど説明するベイズ統計学では、しばしば複雑きわまりない数式が出てくる。そのような数式の解を見つけるのは至難の業《わざ》だ。そこでシミュレーションにもとづいた別の手法が開発された。つまり、気象の例と同じように、まず数式をひとつのモデルと考えて、もしモデルが正しかったら発生するであろうデータを算出する。次に、やはり気象の例と同じように、それを何度も何度も繰り返して、いくつものデータセットを作る。それぞれのデータセットには発生しうるデータが詰まっている。そうすればあとは比較的簡単にそれらのデータセットを要約できる。つまり平均値でも、変動の幅でも、なんでも好きな記述統計を計算で割り出せる。それらの情報からは、結果にはどのような特徴が備わるかや、結果がどのように生まれるかがわかる。このようなシミュレーションの手法が開発されたことで、ベイズ統計学は興味深い理論的な手法から、実際に役立つ便利なツールへと変わった。今や機械学習や人工知能の研究を支えるツールのひとつでもある。

しかし忘れてならないのは、シミュレーションのデータはあくまで仮説モデルから得られたものであることだ。それらは合成されたデータ（DDタイプ14「データの捏造または合成」）であり、現実のプロセスから生じたものではない。したがって、モデルが間違っていれば――現実を正しく再現していなければ――シミュレーションのデータには、起こったかもしれないことが正しく描き出されていない可能性がある。とはいえ、これもまた一般的な真理に属することだろう。理解が足りないときには、判断を誤りうるということだ。

複製されたデータ

これまで本書で何度も見てきたように、わたしたちはいろいろな場面で、観察されていない値や、直接は観察できそうにない値を推定したいと考える。例えば、2種類の病気のうちどちらにかかっているかを症状だけから判断したいとか、来年のニューヨークの地下鉄の利用者数を、今年の利用者数と翌年の米国の経済予想にもとづいて予測したいとか、融資の申請者が債務不履行に陥るかどうかを予測したいとか、ある学生が将来、どこまで伸びるかや、ある人物に仕事が務まるかどうかを見きわめたいとかいうようにだ。

そのような場面に共通するのは、過去の事例のデータ（その病気にかかったことがある人のデータ、前年の地下鉄の利用者のデータ、以前に融資を行った人のデータなど）があるということだ。また、それらの過去の事例については、結果（どちらの病気だったか、利用者数は何人だったか、債務不履行になったか）も、記述的な特徴（症状、移動パターン、申請書に記入された内容）もわかっている。これらの過去の事例を使って、記述的な特徴と結果の関係をモデル化することができる。そうすれば、そのモデルを使って、記述的な特徴のパターンだけにもとづいて、ほかのケースの結果を予測できる。

この基本的な構造――まず、特徴と結果のわかっている過去の事例を収集し、次に、その収集した事例を使って、特徴と結果を関連づけるモデルを作り、そのモデルで新しいケースの結果を予測する――は、あらゆる場面に当てはまる。このモデルは「予測モデル」と呼ばれる。ただし、ここでいう「予測」には、先ほどの病気の診断（どちらの病気にかかっているかなど）のような例も含まれる。将来の予測（来年の地下鉄の利用容数など）に限られるものではない。このような予測が求められる状況は世の中にあふれているので、研究も盛んだ。モデルを作るためのさまざまな手法が考案されており、それぞれの問題に適した数々の手法がある。

しかしこういうことがダークデータとどう関係があるのか。それをこれから単純な例と最も基本的な予測手法を使って見ていこう。年齢というひとつの変数だけから収入を予測するとしよう。その予測モデルを作るには、まず標本を抽出し、年齢と収入がペアになったデータを収集する。そうすると、年齢がわかっている人の収入を、とても単純な方法で予測できる。ほかの同年齢の人の収入を使うという方法だ。例えば、26歳の人の収入を予測したいとき、標本に26歳の人がひとりだけ含まれているなら、その人の収入をそのまま予測に使えばいい。もし標本に26歳の人が何人か含まれていたら、それらの全員のデータを使いたいので、それらの平均値を計算することになる。一般に、平均値を使うほうが、不規則変動の影響を受けにくいぶん、より正確に予測はできる。ということは、25歳と27歳の収入を含めるのもひとつの手だといえる。それらの年齢の人の収入は26歳の人の収入に近いと考えられるからだ。そうすれば標本サイズを大きくできる。さらに24歳と28歳というように、含める範囲を広げていってもいいかもしれない。ただし26歳から離れるほど、重みは低下する。またこの手法を使えば、標本の中に26歳の人のデータがまったくなくても、予測ができる。

では、なぜここにダークデータが含まれていると考えられるのか。この手法を別の角度から見ると、次のような作業をしていることだといえる。26歳の人の年収を予測するため、既存の標本の中から無作為に選んだ値をいくつも複製することで、新しいデータセットを作る。数多くの26歳のデータの複製と、それより少ない25歳と27歳のデータの複製、さらにそれより少ない24歳と28歳のデータの複製からなるデータセットを作る。そうするとまるで、もとからはるかに大きな標本があったかのようになる。このデータの平均を算出することで、26歳の人の収入が正しく推定できる。

この推定自体に問題はまったくないが、現実はふつうもっと複雑だ。記述的な特徴（この例では年齢）はたいていひとつではなく、複数ある。もしくはたくさんある。例えば、患者の場合なら、年齢、身長、体重、性別、最高血圧、最低血圧、安静時脈拍数、数々の症状、検査結果といった特徴に注目し、それらの値を使って、新しい患者の回復の確率を推定するだろう。前の例と同じことをするなら、新しいデータセットを作るため、調べたい患者ととてもよく似た特徴を持つ患者のデータを数多く複製し、その患者ほどは似ていない患者のデータをそれよりは少なく複製する。調べたい患者とまったく違う患者（女性ではなく男性だとか、高齢者ではなく若者だとか、今、回復の確率を予測したいと思っている患者とはまったく症状が違うとか）のデータはいっさい複製しない。それらの複製データがすべて揃ったら、それらの患者の中で回復した人の割合を計算すれば、その割合が推定される回復の確率になる。

戦略的にデータを複製して、より大きな、より意味のあるデータセットを作るというこの基本的な手法は、ほかの形でも使われている。ここでもふたたび、先ほどの診断の例（2種類の病気のどちらであるかを見きわめる）やローンの融資審査の例（債務不履行に陥るかどうかを判断する）のように、対象物をクラス分けする機械学習のアルゴリズムを見てみよう。そのようなアルゴリズムの精度を高めるために、この手法がどのように使われているかを考えてみたい。

診断などの分類を行うアルゴリズムにはどうしても誤りが伴う。病気の症状はたいていあいまいなものだし、融資の申請者が若者だったら、金融取引の履歴も短いからだ。そのようなアルゴリズムを改良するためには、いうまでもなく、分類を間違えた事例を見直して、どういう修正ないし調整を施せば、予測を改善できるか、それらの分類をもっと正確に行えるかを探るという方法が考えられる。そしてそのためには、架空のデータを作ることがひとつの方法になる。それは次のように行う。まず、予想を間違えた患者や融資申請者を特定し、それらの事例のコピーを、場合によってはとても大量に、もとのデータにつけ加える。次に、この拡大されたデータセットを分類するモデルのパラメータないし構造を微調整し、前に分類を間違えた事例により注意が向くようにする。どういうことかというと、前に分類を間違えた事例を99件複製したという極端な場合を想像してみよう。そうすると、その事例と、同一のコピーが計100件できる。前にこの事例の分類を間違えたときには、間違いは1件だけだった。しかし今は、同一の事例が100件あるので、間違いも100件になる。このケース——とその99のコピー——の分類が正しく行われるように修正を施せば、分類手法の精度は格段に向上するだろう。

要するに、このような新しいデータセット——もとのデータセットに、前に分類を間違えた事例のコピーを大量につけ加えたもの——を使ってアルゴリズムを修正し、前に分類を間違えたデータの分類をもっと正確に行えるようにするということだ。ポイントは、アルゴリズムの「注意」を必要な部分に向けることにある。これは本書の言葉では、ありえたデータを使うことだといえる。

この手法は、「ブースティング」と呼ばれる。登場時は革命的だったが、今では機械学習に広く用いられている。実際、カグル（kaggle）などの団体が開催する機械学習コンテストでも、近年、優勝候補の常連になっているのはブースティングの変種だ（例えば、「エクストリーム勾配ブースティング」と呼ばれる変種は際立った性能を誇る）。

ブースティングは前に分類を間違えた事例に焦点を合わせる手法だが、架空のデータセットを使って推定精度を高める手法はほかにも考案されている。米国の統計学者ブラッド・エフロンによって発明された「ブートストラップ法」がそうだ。

ではブートストラップ法がどういうものかを次に説明しよう。

わたしたちがめざすのは、たいていは母集団の全体的な要約をすること（例えば、平均値を算出するなど）だが、個々の数字を知ることが事実上、不可能なときがある。例えば、国民の平均年齢を知りたい場合、国民全員に年齢を尋ねることは、あまりに人数が多すぎて、現実的ではない。前に見たように、「可能な計測をすべて」行うという考えはばかげていることすらある。例えば、岩の重さを知りたいからといって、無限にその計測を繰り返すことはできないだろう。そこで解決策となるのが、やはり前に述べたとおり、標本を抽出し（一部の人にだけ年齢を尋ねる、一定の回数だけ岩の重さを計測する）、その標本の平均値を推定値として使うという方法だ。

ただ、標本の平均値が役に立つことは確かだが（それによって全体の値がだいたいどういうものであるかはわかる）、それが厳密に正しい数字だと期待するのは非現実的だ。そもそも、別の標本を選んだら（ほかの人に年齢を尋ねたり、岩の重さを同じ回数だけまた測り直したりしたら）、おそらく得られる平均値は変わるだろう。さほど大きく違わないことは期待できるが、まったく同一というわけにはいかない。これはつまり、平均値に加え、正確さを測定する手段も必要であることを意味している。別の標本を抽出した場合に、得られる平均値にどれぐらいのばらつきが現れるかや、標本の平均値が真値からどれほど離れているかを知る手段が必要ということだ。

平均値に関しては、そのようなばらつきを計測する手段を見つけるのはむずかしくない。よく知られた統計理論を使えばいい。しかし、ほかのデータの記述や要約に関しては、特に、単なる平均値の算出よりはるかに複雑なことをする場合には、一筋縄ではいかない。しかしここでも合成データが助けになる。たくさんの標本を抽出できるなら(例えば、10回のコイントスの場合のように)、問題はないだろう。単に標本を抽出して、モデルを作り(例えば、平均値を算出する、またはもっと複雑な計算をする)、結果にどれぐらいのばらつきがあるかを見ればいい。しかし標本がひとつしかない場合、どうすればいいか。

ブラッド・エフロンはその単一の標本を母集団全体だと見なせばいいと考えた。そうすると、母集団から標本を抽出するのと同じ要領で、標本から「副標本」を抽出できる(どの値も複数回抽出でき、各標本はもとの標本と同じ大きさ)。実際、母集団から(理論上は)たくさんの標本を抽出できるのと同じように、標本からもたくさんの副標本を抽出できる。違いは、実際にたくさんの標本を抽出できる点だ。それらの副標本でモデルを作れば(例えば、各副標本の平均値を推定する)、それらの平均値のあいだにどれぐらいのばらつきがあるかがわかる。これは基本的には、標本と副標本の関係によって、母集団と実際の標本との関係をモデル化するという考えだ。いわば標本の架空の複製を作るかのように、あるいは今まで隠されていた大量のデータを明らかにするかのように。「ブートストラップ(ブーツのつまみ革)」という呼び名は、母集団から標本を抽出するように標本から副標本を抽出することが、「自分のブートストラップをつまんで、自分で自分を引き上げる」ことにたとえられることに由来する。

シミュレーションのデータがどのように推論や予測の補助として使えるかに関して、これらの例からひとつはっきりといえるのは、どれも膨大な手間がかかるということだ。近い値のコピーを作るのも、分類を間違えた事例を複製するのも、多数の副標本を抽出するのも、気軽に引き受けられる仕事ではない。あるいは、少なくとも手作業でしなければならないとしたらそうだ。しかし幸い、今の世界にはコンピュータがある。コンピュータを使えば、同じ計算の繰り返しがあっという間に終わる。だからこそ、コイントススの実験では１００万回も試行を繰り返せた。ここで紹介しているダークデータを利用する手法はどれも、コンピュータ時代の申し子だ。前に「革命的」という言葉をわたしは使ったが、けっして誇張ではない。

想像上のデータ――事前確率

ここまで見てきたシミュレーションの事例では、データが生まれる構造や、プロセスや、メカニズムを、わたしたちが正しく理解していると仮定されていた。しかしそのような仮定にどこまで自信を持てるかはまた別の問題だ。プロセスについてなんらかの理解はしているとしても、すべてを完全に理解していることはまれだろう。とりわけ、構造を特徴づけているデータの厳密な値まではなかなかわからない。

例えば、英国人男性の身長が「正規分布」と呼ばれる分布になっていると、わたしが考えているとしよう。つまり平均身長前後の身長の人がいちばん多く、とても高い人やとても低い人は少ないという分布だ。しかしその平均身長の値まではわからない。１８０センチ以下であることにはほぼ確信が持てるし、１８２・５センチ以下であることにはもっと確信が持てるだろう。１８５センチ以下であることにはさらに強い確信を持てる。そのように確信の度合いは強まっていき、２１０センチ以下であることには絶対の確信が持てるはずだ。同じように、１６５センチ以上であることにはほぼ確信が持て、１６０センチ以上であることにはさらに強い確信が持て、１５５センチ以上であることには絶対に近い確信が持てるだろう。わたしが今ここに描き出したのは、平均身長の予想値についてのわたしの確信の度合いの分布だ。平均身長がどの範囲に収まるとわたしが考えているかがそこには示されている。

この確信の分布にはその出どころがどこかにあるはずだが、具体的にそれがどこかをいうのはむずかしい。わたしが以前に会った人たちの身長の組み合わせかもしれないし、過去に読んだ文献のかすかな記憶かもしれないし、遠い昔に人から聞いた話かもしれないし、ほかのことかもしれない。いずれにしても、それが過去のデータセットに相当するものであることは確かだ。ただ、それらのデータを突き止めて、その値を示すのはまず不可能だろう。それらはダークデータと化している。

国民の平均身長についてのわたしたちの確信が何に由来しているかは、根本的に主観的で、不確かなものであることを考えるなら、自分が思っている平均値にもとづいて、意見をいったり、判断を下したりするのはためらわれるだろう。それよりも、データを集めて、なんらかの客観的な根拠を得たい。じつはそれが統計というものに対するベイズ統計学のアプローチなのだ。ベイズ統計学は、平均身長がどれぐらいかについて最初に抱いている考え(「事前信念」と呼ぶ)から出発し、次にその考えを、新たに得た実際のデータで修正する。その修正された考えを「事後信念」と呼ぶ。例えば、無作為に抽出した100人の英国人の身長を測り、その100件のデータを使って、英国人全体の平均身長についての最初の信念を修正ないし更新する。そうすると、平均身長の可能値の新しい分布ができる。当初の信念の分布がその分布では、実際に観測された値のほうへ移動している。大量に標本を抽出すれば、ほぼそれらの標本とぴったり一致するぐらいまで分布は移動するだろう。最初の主観的な考えの影響はほとんどなくなる。この更新または修正は、確率の基礎的な定理である「ベイズの定理」にもとづいて行われる。ベイズの定理とは、本書の言葉を使うなら、未観測のダークデータと実際の観測データとを組み合わせて、平均身長の可能値の新しい分布を作り出すものだといえる(関心のあるかたのためにつけ加えておくと、英国統計局によれば、英国人男性の平均身長は175センチと推定されるようだ)。

また別の例を見てみよう。研究者たちが光の速度を解き明かそうとし始めたのは、17世紀にまで遡る。

1638年、ガリレオは光の速さは音の速さの10倍以上になると見積もり、1728年、ジェイムズ・ブラッドリーは秒速30万1000キロと推定し、1862年、レオン・フーコーは秒速29万9796キロと推定した。これらの値やほかの推定値を要約すれば、さまざまな可能値についてのわたしたちの確信の度合いの分布を割り出せる。実験結果の詳細は失われていても（ダークデータと化していても）、信念の分布にはそこに含まれていた必要な情報が捉えられている。19世紀末には、天文学者で数学者のカナダ系米国人、サイモン・ニューカム（ベンフォードの分布のところで紹介した人物だ）が、さらなる実験を行った。1882年7月24日から9月5日にかけて計測された記録は、1891年、米国航海暦局発行の学術誌『天文学論文』に発表されている。[1] このニューカムの詳しい計測結果と、前の時代の実験から得られた信念の分布のダークデータとを組み合わせれば、信念の分布を修正できる。現在、光の速度の最も精密な推定値は、真空で秒速29万9792・458キロとされる。

ベイズ統計学は近年、きわめて重要になっており、統計的な推測の2大（または3大）学派のひとつとされている。

プライバシーと機密保護

本章ではここまで既存の統計学的な手続きや思想について、観測されたデータではなく、ダークデータの観点から吟味してきた。そういう見方によって新しい洞察が得られることは多い。しかし、ダークデータの利用方法はほかにもある。じつは、これから見ていくように、現代の社会が円滑に機能するためには、データを隠すことが欠かせない。わたしたちの日常的な活動の多くは、データを隠すことなくしては成り立たない。

第6章で、また第7章でもいくらか、詐欺師がいかに情報を隠すかを見た。起こっていることの印象を歪めるのがその手口だった。例えば、実際には損をするのに、得をするように見せかけるとか、実験の結果に関する事実を隠すとかというように。スパイがすることも同じだ。スパイたちの真の目的や、ほんとうの身分や、実際の活動は、相手(政府や企業など)には隠されている。敵の政府に自分たちの狙いを悟られたくないスパイは、自分たちの行動を隠すためにあらゆる手を尽くす。そのいっぽうで、相手が知られたくないと思っているデータを発見し、持ち出そうとする。相手は相手でそのデータをスパイに奪われないよう守ろうとしている。それだけでも状況はじゅうぶん込み入っているが、一段高い次元から見れば、政府が隠そうとしているデータが漏れることがその政府に有利に働くこともある。敵がその国のほんとうの実力を知って、警戒心を解くことがあるからだ。加えて、二重スパイもいる。その場合には、どちらから何を隠しているのかもはっきりしない。そうなるともはや複雑すぎて、頭を抱えたくなる。

しかし何かを隠そうとするのは詐欺師やスパイばかりではない。一般の人も、自分の病歴だとか、経済状態だとかが世間の目に触れるのは望まないだろう。自分の生活のなんらかの面が世の中のみんなに知られるとしたら、困惑するのではないだろうか。そこにプライバシーの本質がある。世界人権宣言の第12条にも「誰ひとりとして、プライバシーを侵害されてはならない」と記されている。

プライバシーの定義はさまざまだ。放っておかれる権利、誰にもじゃまされない権利とも、政府の干渉から身を守る権利とも、世の中に知られることを自分で決める権利とも定義される。これらの高次元の定義はどれももっともなものだが、プライバシーや秘密はもっと実際の次元でも問題になる。例えば誰しも、秘密のパスワードを使って、銀行口座や、ソーシャルメディアのアカウントや、携帯電話や、ノートパソコンなどを守っている。これはつまり、アカウントのデータを知られたくない相手から守るため、ダークデータにしていることを意味する。また適切なパスワードの作り方を知ることもそこではたいせつになる。

いまだに「password」とか、「123456」とか、「admin」とか、初期設定のパスワードをそのまま使い続けている人が驚くほどおおぜいいる（こんな古いジョークがある。この前、パスワードを全部「incorrect（間違い）」に変えたんだ。なぜって？　そうすれば、パスワードを忘れたとき、システムにパスワードを通知してもらえるだろ。「あなたのパスワードは incorrect です」って）。装置を導入したときなどに最初に設定されているパスワードは、装置の導入後、すみやかに変更しなくてはいけない。ハッカーはたいてい最初にそういう初期設定のパスワードを調べるからだ。パスワードを破る一般的な手口にはほかに、単純に何十億通りもの文字の組み合わせを試すという方法もある。コンピュータを使えば、それも1秒間に50万通りというスピードで行える。もし狙っているパスワードについてなんらかの情報を得ていたら（例えば、すべて数字だとか）、パスワードを突き止めるまでの時間はいっきに短縮される。だから、パスワードには数字だけでなく、大文字や小文字や特殊な記号などを含めることが推奨されている。それらの文字も含めれば、使われる文字の種類が大幅に増えるので、ハッカーが探さなくてはいけない範囲も大幅に広がる。数字だけを使った8文字のパスワードの場合、可能な文字の組み合わせは10の8乗、つまり1億通りになる。これは1秒間に50万通りというスピードで試せば、たった２００秒ですべて試せてしまう。およそ3分だ。いっぽう、数字に加え、大文字と小文字のアルファベット、それに12種類の特殊文字を使った8文字のパスワードの場合には、可能な文字の組み合わせは、74の８乗、およそ９×10の14乗通りになる。これは1秒間に50万通りのスピードで試しても、すべて試すまでになんと２８５０万年かかる。これなら安心だろう。

スパイ行為やパスワードと切っても切れない関係にあるものに、暗号や暗号化技術がある。それらは二者のあいだで情報をやりとりすると同時に、第三者にはそれを読み取られないようにする、つまりダークデータにする手法であり、スパイ行為以外にも広く使われている。例えば、営利組織であれば秘密裏に情報を交換したい場面は多い。銀行は何者かに通信内容を傍受されたり、変更されたり、転送されたりしていないことに確信を持てる必要がある。あるいはわたしたちの日常のメールなどのやりとりでも、自分が送ったメッセージが本来の受信者だけでなく、システムに侵入できるほかの人物にも読まれている可能性があるというのは避けたいだろう。

暗号化技術は今では高度な数学を駆使する分野になっている。最近の手法では、「公開鍵暗号」が土台に使われることが多い。公開鍵暗号とは、メッセージを暗号化する数字と、暗号化されたメッセージを解読する数字という2つの数字（「鍵」）を使う数学的な技術だ。第1の数字は公開されていて、誰でもメッセージを暗号化できる。第2の数字は秘密にされ、特定の人しか知らない。その数字の鍵を知っている人だけが、暗号化されたメッセージを解読できる。

暗号化技術にまつわる公共や社会や倫理の問題はなかなか厄介だ。多くの合法的な取引のセキュリティが暗号化によって支えられているいっぽうで、犯罪者やテロリストの通信など、非合法の取引も暗号化によって守られることがある。アップルは米国の司法機関から再三、ロックされたｉＰｈｏｎｅの情報を明かすよう求められている。あるケースでは、14人が犠牲になった２０１５年12月のカリフォルニア州サンバーナーディーノ銃乱射事件の犯人が持っていたｉＰｈｏｎｅのロックを解除するよう、ＦＢＩから要請された。しかしそのような要請は、個人のプライバシーはどこまで不可侵なのかというもっと大きな問題について、論争を巻き起こした。そのケースでは、アップルが拒否し、公聴会の開催が予定されたが、公聴会前にＦＢＩがそのｉＰｈｏｎｅのロックを解除できる人物を見つけ、要請は取り下げられた。携帯電話のダークデータをめぐるプライバシーや、秘密や、アクセスの物語はこの先もまだまだ長く続くだろう。

国家統計局は国民全体からデータを収集して、整理するとともに、効果的な社会・公共政策の立案のため、国民に関するデータを分析する統計機関だ。そのような機関は個人的な事柄（ミクロデータ）を秘密情報として扱うことを求められるいっぽうで、それらの統計的な要約を発表することは許されている。例えば、国家統計局によってあなたの給与や病歴が公にされる心配はないが、給与の分布や各疾患の罹患者数は発表される。このような方針は微妙なプライバシーの問題を引き起こすことがある。特に、少数の集団に関する情報が公表されたときには、個人が特定される可能性が出てくる。例えば、特定の郵便番号の区域に住む50歳から55歳の男性についての情報を発表すれば、当てはまる人の範囲はだいぶ狭くなるだろう。ひどい場合には、集団の定義がすべて当てはまる人が1人しかいないこともありうる。

このような微妙な問題があることから、国家統計局やそれに似た団体では、個人のプライバシーを犠牲にすることなく国民についての情報を公開できるよう、データをダークデータにしておく手法が開発されている。例えば、複数の分類基準を設けたことで（例えば、ある町に住む人で、年収が１００万ポンド以上の人）、当てはまる人の集団が小さくなった場合、その集団にそれに類似した集団（例えば、近隣の町に住む人で、年収が10万ポンド以上の人）が組み合わされる。

国家統計局がデータの詳細を隠すために使っている手法にはほかに、データを無作為に「歪める」または「かき乱す」方法がある。例えば、各表の合計値に、無作為に選んだ小さな数値を足し合わせることで、実際の数値を隠しながら、描き出されるデータの全体像を保つという方法がある。やり方によっては、構成値をすべてかき乱し、なおかつ全体像（例えば、全体の平均値とか、異なる集団の数値の分布とか）をそっくりそのまま保つことができる。

3つめとしては、まずほんとうのデータの分布や特徴をモデル化し、次にそのモデルを使って、ほんとうのデータと同じ性質を備えた合成データを作り出すという方法がある。これはちょうどシミュレーションで論じたのと同じ方法だ。例えば、まず、母集団の平均年齢と年齢の範囲、それに年齢分布の全体的な形を計算し、次に、平均値、範囲、分布の形が同じ人工的なデータを作る。そうするとほんとうのデータは完全に姿を消すが、（ある程度までは）ほんとうのデータと同じ要約を合成データから割り出せる。

データを「匿名化」するという方法もある。つまり個人を特定できる情報の消去だ。例えば、氏名、住所、社会保障番号は取り除かれるだろう。匿名化の欠点は、各記録が誰のものであるかを再特定できる「可能性」がなくなってしまうことだ。例えば、医療の臨床試験では、氏名や住所などの情報を取り払うことで匿名性は確保されるかもしれないが、万一、深刻な病気にかかっている恐れのある人が被験者の中にいることがあとでわかったときには、それが誰であるかを再特定できる必要がある。また多くのビジネスでも、個人を特定できる記録を保管しておくことは業務上欠かせない。

そのような場合には、「仮名化」と呼ばれる手法が使える。個人を特定できる情報を単純に消去する代わりに、コードで置き換えるという手法だ。例えば、氏名が無作為に選ばれた整数で置き換えられたりする（「デイヴィッド・ハンド」は「665347」というように）。識別子とコードをマッチさせるファイルをどこかに保管しておけば、必要に応じて、個人を特定できる。

統計局で使われている匿名化の公的な定義には、ふつう、「常識的に考えられる手段で再特定されないよう」個人を守るのが匿名化だということが書かれている。というのも、第4章で論じたように、データセットはほかのデータセットと連携していることがあり、完璧な匿名化は保証できないからだ。前に見たようにデータの連携には、わたしたちの生活を大きく改善できる可能性が秘められている。例えば、食品の購買パターンと健康のデータを連携させれば、貴重な疫学的な知見が得られるだろう。学校で蓄積された教育のデータと、税務署にある雇用や所得のデータとを連携させれば、公共政策の立案にとても役に立つ情報が得られるだろう。このようにデータを連携させる試みは、単なる理論ではなく、世界じゅうのさまざまな機関にどんどん広がっている。しかしそのような試みが成果を上げるためには、それらのデータベースに含まれる人々に、プライバシーや守秘に関して不安を与えないことが肝心だ。第4章で触れた英国の行政データ研究ネットワーク（ＡＤＲＮ）では、プライバシーや守秘の問題を克服するため、データの連携に「信頼できる第三者」の手法が使われている。1人のデータの保管者が識別子（ＩＤ）と連携データの両方を持てないようにする手法だ[2]。以下に、2つのデータセットを扱う場合を例にその仕組みを見てみよう。

1. 各データベース管理者がそれぞれのデータセットの各要素にユニークＩＤをつける。
2. それらのＩＤと個人識別情報（氏名など）が「信頼できる第三者」に送られる。ほかのデータは送られない。「信頼できる第三者」は個人識別情報を使って、ＩＤを要素とマッチさせる。
3. そうすると各要素の連携ＩＤが作られる。
4. 各要素の連携ＩＤとユニークＩＤを記載したファイルが各データベース保管者に送り返される。
5. 各データベース保管者はそれぞれのデータセットの要素にその連携ＩＤをつけ足す。

6．最後に、各データベース管理者は個人識別情報（氏名など）を取り除いて、要素と連携IDを研究者へ送る。研究者は連携IDを使うことで、各要素の個人情報を知ることなく、データセットを連携させることができる。

とても複雑な手続きのように思えるが、効果は抜群だ。このような手続きを経ることで、2つのデータセットの要素を連携させるときには個人情報を隠し、連携されたデータセットからは個人情報を消せる。ただそれでも、データの連携が社会にとってきわめて有益であるいっぽうで、データの連携にはつねに個人が特定される危険がつきまとう。とりわけ、データが未来の「外部」のデータセットと連携される場合には、危険が劇的に増す（ADRNではそういう連携はできず、すべての分析がほかのデータソースから遮断された安全な環境で行われた）。このジレンマをありありと示している有名な事例を紹介しよう。

1997年、マサチューセッツ・グループ・インシュアランス・コミッション（GIC）が医療計画の向上につながる研究に役立ててもらおうと、研究者に病院のデータを公開した。マサチューセッツ州知事ウィリアム・ウェルド（当時）は公開にあたり、プライバシーの保護についての州民の懸念を払拭するため、GICでは個人情報がすべてデータから消去されていることを強調した。

しかしデータ連携の可能性には触れなかった。当時MITの大学院生だったラタニア・スウィーニーは、データを隠す手法を研究するコンピュータ科学の一部門、「コンピュータ開示制御」を学んでいた。スウィーニーには、ウェルドがいっていることに反し、GICのデータに含まれる個人は特定される可能性があるように思えた。そこで、ウェルドのデータを取り出せるかどうかを探ってみることにした。ウェルドがマサチューセッツ州ケンブリッジに住んでいることは公表されていた。郵便番号がわずか7種類、住民数が5万4000人の都市だ。スウィーニーはまずこの情報と、ケンブリッジの選挙人名簿（わずか20ドルで買える）のデータとを照らし合わせた。次に、公にされているウェルドのほかの情報（誕生日や性別など）を使って、選挙人名簿の記録と病院の記録とを照らし合わせると、思ったとおり、ウェルドの医療記録を特定できた。最後の締めくくりには、本人にその医療記録のコピーを送りつけた。

じつは、この事例には特殊な部分がある。どんなデータセットにも、なんらかの点で標準からかけ離れた個人が含まれており、そういう個人は容易に特定できるが、だからといって大多数の人が特定できることにはならない。今の例では、ウェルドは公人であり、世間に多くの個人情報を知られている特別な人物だった。加えて、ウェルドを再特定できるかどうかは、選挙人名簿の正確さしだいでもあった。ダニエル・バース＝ジョーンズがこのケースを詳しく調べて、特殊な例であることを明らかにしている(3)。とはいえ、気がかりな事例であることは間違いない。現に、最近、このような再特定をしにくくするための法改正がなされてもいる。

別の事例では、2006年、ポータルサイトを運営するインターネットサービスプロバイダー、AOLがウェブ検索のデータを公開した一件も有名だ。AOLは匿名性を確保するため、検索した人のIPアドレスを除去するとともに、そのユーザー名を仮名化して、そのつど無作為に選ばれた識別子と入れ替えた。この事例で匿名性を破ってみせたのは大学院生ではなく、ふたりのジャーナリストだった。ふたりはすぐに「4417749」という識別子と、ジョージア州リルバーンの寡婦テルマ・アーノルドとが一致することを突き止めた。可能性のある対象を絞り込んでいくのに使われたのは、その女性の検索履歴に含まれる情報だった。アーノルドという姓の人がかかった病気を検索していることや、犬に関連するものを検索していることなどが手がかりになった。

さらに、悪名をはせた２００６年の「ネットフリックス・プライズ」の例もある。ネットフリックス・プライズとは、ネットフリックスの映画のリコメンド機能に使われている従来のアルゴリズムより、10％以上精度が高いアルゴリズムを開発した人に１００万ドルの賞金を授与するというコンテストだった。データベースにはネットフリックス契約者50万人の映画の好みの情報（映画につけた評価）が保存されていたが、ここでもやはり、個人情報はすべて取り除かれていたし、識別子は無作為のコードに置き換えられていた。このときにはテキサス大学のふたりの研究者、アーヴィンド・ナラヤナンとヴィタリー・シュマティコフが匿名性を突き破った。ふたりは次のように書いている。「わたしたちが明らかにしたのは、個々のネットフリックス契約者に関するごくわずかな情報を知っているだけで、データセット内の契約者の記録が誰のものであるかを特定できるということだ。わたしたちはインターネット・ムービー・データベース（ＩＭＤｂ）を予備知識の情報源として使うことで、既知のユーザーのデータを特定することに成功し、個人の政治的な好みなど、センシティブな情報を取り出した(4)」

以上の例はどれも、匿名化されたデータが暴かれ始めた頃の事例だ。その後は、そのような事例をきっかけに新たな法律が施行されたり、法案が可決されたりし、データセットの安全性が高められ、匿名を暴こうとする行為は処罰の対象になった。とはいえ、データは完全に真っ暗なダークデータと化していて、まったく役に立たないか、あるいはどこかに明かりが漏れるひびが入っているかのどちらかであるというのが、わたしたちが向き合わなくてはならない現実だ。

暗がりでデータを集める

データセットがほかのデータセットと連携されているときには、個人を特定できる情報を匿名化するという方法があることを見た。しかしさらなる奥の手もある。じつは、データを収集するときにも、計算に使うときにも、データをダークデータのままにしておくことが可能だ（つまり、実際のデータをそもそもいっさい見ない）。そのようなデータを使って、発見をしたり、値を導き出したりすることができる。以下にいくつかその方法を紹介しよう。

ひとつめは、センシティブな個人の情報（性や悪事に関することなど）を集めるときに古くから使われている「ランダム回答法」だ。例えば、母集団の何割の人が過去にものを盗んだことがあるかを知りたいとしよう。直接そういう質問をしたら、なかなか正直な回答は返ってこない。おそらく多くの人がうそをつくか、回答を拒むかするだろう。そこでそうはせず、こちらからは見えないところで、コインを投げてもらう。その際、次のような教示をする。もしコインの表が出たら、「これまでにものを盗んだことがあるか？」という質問に「はい」か「いいえ」で正直に答えてください。もし裏が出たら、「はい」と答えてください、と。ある回答者が「はい」と答えた場合、こちらにはそれが盗みを働いたことがあるという意味なのか、単にコインが裏だったからなのかはわからない。しかし全体についてはわかることがある。コインの表が出る確率は2分の1なので、「いいえ」と答えた人の総数は、ほんとうにものを盗んだことがない人のちょうど半分になる。したがって、その数を2倍にすれば、ほんとうにものを盗んだことがない人の数がわかる。さらに全体の回答者の数からその数を引けば、ものを盗んだことがある人の数が判明する。

英イースト・アングリア大学のデイヴィッド・ヒュー＝ジョーンズはこの手法の変形版を使って、15の国で人間の誠実さを調べている。(5) それは被験者にコインを投げてもらい（実験者はその結果を見ない）、もし表が出たら、被験者に5ドルの報酬を支払うという実験だった。もし全員がほんとうのことをいえば、およそ半分の人が表が出たと報告するはずだ。もし表が出たという人が半分より多かったら、うそをついている人がいると考えられる。ヒュー＝ジョーンズはこれを誠実さの尺度に用いた。

ランダム回答法は、データが隠された状態でデータを集める方法のひとつだった。データが隠された状態で計算を行う方法もある。「秘密計算技術」は、集団のメンバーが互いのデータをいっさい知ることなく、集団全員の情報を総計する方法だ。単純な例を見てみよう。わたしが近所の人たちの平均給与を知りたいとする。しかし誰も自分の稼ぎを隣人に知られたくない。そのような場合、ひとりひとりに自分の給与の額を、足し合わせると給与額になるaとbに2分割してもらう。つまり、2万ポンドを稼いでいる人なら、1万9000ポンドと1000ポンドと分けてもいいし、1万351ポンドと9649ポンドとか、2ポンドと1万9998ポンドと分けてもいい。もしくは3万ポンドとマイナス1万ポンドでもいい。合計が給与額と同じになる限り、どう分けてもかまわない。次にaのデータをすべて誰かに送り、それらをすべて足し合わせてもらう。その合計がAになる。bのデータも同じように誰かに送って（ただしaを送った相手以外）、同じようにすべて足し合わせてもらう。その合計がBになる。最後に、AとBを足して、近所の人の数で割れば、平均給与が算出される。ここで注目したいのは、この作業では誰も他人の給与を知ることがないことだ。データを足し合わせた人ですら、受け取っていないほう（aまたはb）の数字が何かは知りようがない。

秘密計算技術では、ある集団のデータを要約する際、集団のメンバーの誰にも、あるいは世の中の誰にも、各個人の値を知られることがない。しかしじつはこれをさらに徹底させた方法もある。「準同型暗号」と呼ばれる方法だ。その方法では、まず自分でデータを暗号化し、見えなくしたうえで、ほかの人にその暗号化されたデータを分析して、暗号化された結果を算出してもらう。その人にはそのデータや分析結果が何を意味するかはわからない。最後に、自分でその結果を解読する。暗号化された値を解読する方法は自分しか知らない。この手法が広まったのは２００９年頃からで、ＩＢＭワトソン研究所のクレイグ・ジェントリーの論文がきっかけだが、考え方そのものは１９７０年代まで遡る(6)。

つまらない人工的な例だが、次のような場合を考えるとわかりやすいだろう（実際にはこれよりもはるかに高度な手法が使われる）。

クラブのメンバーの平均年齢を知りたいとする。しかし誰もそれを計算できるだけの高性能コンピュータを持っていない。高性能コンピュータを持っている人にその計算を依頼したいが、その人に自分たちの年齢を知られたくない。そこでまず、自分たちのそれぞれの年齢に、無作為に選んだ数を足して、年齢を「暗号化」する。同時に、それらの足した数の平均値も割り出す。そのうえで計算を依頼する相手に、暗号化された数値のデータを送る。やがて暗号化された数値の平均値が計算され、送り返されてきたら、どうするかはもうわかるだろう。無作為に選んだ数の平均値を、送り返されてきた平均値から引けばいい。そうすれば、クラブのメンバーの平均値が算出される。

もちろんこれはきわめて簡単な例だ。ふつうは平均値の算出よりもっとめんどうなことをするのに使われる。

本章では、データの収集者に見られずにデータを集められることや、データの分析者にはその分析が何を意味するかがわからない状態で、データが分析できることを紹介した。もっと一般化していうなら、ダークデータという概念をひっくり返したということだ。ふつう、ダークデータは問題の元凶とされる。わたしたちから知りたい情報を隠し、歪んだ分析や誤った考えを招くものだ、と。しかし本章で描き出したように、ダークデータの価値はその使い方しだいで大きく変わる。方法を知っていれば、あえてデータを隠すことで、推定の精度を高め、よりよい判断を下し、さらには犯罪からも身を守れる。

第10章　ダークデータを分類する――迷路を抜けるルート

ダークデータの分類法

本書では数々のダークデータの例を紹介し、なぜダークデータが生じるか、ダークデータはいかなる結果をもたらすか、ダークデータによって引き起こされる問題にどう対処したらいいかを見た。しかし個々の状況は複雑なことが多い。ダークデータはさまざまな理由で生じるからだ。以下にひとつ例を紹介しよう。

英国政府の「行動洞察チーム」はメディアから「ナッジ・ユニット」と呼ばれる。大きな行動の変化を引き起こせる小さな政策の変更（すなわちナッジ〔行動を促す〝突き〟〕）を研究する部門だ。最近のナッジ・ユニットの報告書に次のように書かれている。「各種の報告やメディアの記事で指摘されているとおり、英国人の摂取カロリーは過去40年間で大幅に減少したことが、公式の統計データに示されている。同時に、同じ40年間で体重は増加した。食べる量が減って、なぜ体重が増えるのか。〔……〕一説には、身体活動量の減少で、消費エネルギーが減ったせいだといわれる[1]」

確かに、少し意外ではあるが、ありえることだろう。つまり、わたしたちは昔より食べなくなったが、それ以上に体を動かさなくなり、そのせいで体重が増えたということだ。しかしこの報告書は、そういう可能性は考えにくいと結論づけて、次のように指摘している。「報告されている摂取カロリー量は少なすぎ、たとえ身体活動量が最低限のレベルであっても、現在の体重を維持できない」。また次のように述べている。「これらの摂取カロリーの推定量は、一般的な1日の推奨摂取カロリー量、男性で2500キロカロリー、女性で2000キロカロリーを下回っている」。この報告書が示唆しているのは、これがダークデータの問題であるということだ。

食品の購入状況は「生活費及び食品調査（LCFS）」から推定され、摂取カロリーは「全国栄養食事及び健康調査（NDN－SHS）」から推定されている。これらの調査では食品の購入と摂取カロリーが実際よりも少なく見積もられているというのが、ナッジ・ユニットの報告書の見解だ。LCFSに関して、同報告書は、「LCFSの調査で捉えられていない経済活動の割合は、1992年に2％だったものが2008年には16％前後にまで増えている」と指摘している。ナッジ・ユニットがそのことを考慮して、LCFSの結果を調整したところ、食品の消費量は1990年代以降増えていることがわかった。またNDN－SHSの数値に関しては、「エネルギー消費計測の王道の方法」といわれる二重標識水法を使って、値が調整された。調整の結果からは、「国全体で見ると、摂取カロリーは公式の統計データより30％から50％多い」ことが示唆された。

これらはすべて古典的なダークデータの事例といえる。摂取カロリーは実際には減っておらず、欠けたデータや誤ったデータのせいでそう見えているだけだった。ナッジ・ユニットの報告書では、そのような過少報告の理由が5つあげられている。そこにはさまざまな種類のダークデータが見られる。

・肥満率が高まった（肥満の人ほど、食事量を実際より少なく報告する傾向があるから。DDタイプ11「フィードバックループとつけ入り」）。
・減量願望が強まった（減量願望と過少報告の増加とは関連しているから。DDタイプ11「フィードバックループとつけ入り」）。
・間食や外食が増えた（DDタイプ2「欠けていることがわかっていないデータ」）。
・調査の回答率が低下した（DDタイプ1「欠けていることがわかっているデータ」、DDタイプ4「自己選別」）。
・参照データ（カロリー計算に使われる）と、実際の1人前の分量や食物エネルギーの密度との差が大きくなった（測定誤差によって真値が隠される。DDタイプ10「測定誤差と不確かさ」）。

ナッジ・ユニットの報告ではダークデータが生じた原因がいくつも明確にされているが、原因はそんなにはっきりしないことが多い。加えて、適切なダークデータ対策を講じられるよう、複雑に絡み合った原因を解きほぐすのは、たいていはとてもむずかしい。

ダークデータ対策に欠かせない最初のステップは、ダークデータがあるかもしれないことに注意することだ。むしろデータを見たら、不完全ではないか、不正確ではないかとまずは疑ってかかったほうがいい。わたしが本書で最も伝えたいのは「データを鵜呑みにするな」ということに尽きる。少なくともデータが適切で正確であることが確かめられるまでは、むやみに信じてはいけない。

また、ダークデータの問題が起こりやすい状況や、収集した情報が見えないダークデータで歪められていることを示す具体的な兆候、危険が潜んでいる一般的な状況には気づく必要がある。本書は2通りの方法で、その一助になろうとしてきた。

第1には、ダークデータがどのように生じるかを示す数々の例を紹介することによって。それらの例からは具体的にどういう状況に気をつければいいかがわかるだろう。もちろん、世の中にはそのほかにもさまざまな状況が無数にあるが、ここで取り上げた例をひとつの取っ掛かりにしていただければと思う。

第2には、特にリスクの高い状況に気づく手がかりとして、DDタイプというダークデータの分類を第1章から折々に紹介してきた。実際の個々の状況がどの分類に当てはまるかを見分けやすくするため、あらためてひとつずつ、どういうダークデータであるかを以下に簡潔にまとめておこう。

これらのDDタイプには、ダークデータの「種類」の範囲が示されている。ちょうど縦軸と横軸が2次元平面グラフの範囲を示しているようにだ。ただし、グラフの縦軸と横軸と違って、DDタイプではダークデータの全範囲がカバーされているわけではない。第1に、ここで取り上げられていない欠けた値や不適切な値の原因は、ほかにも必ずあるだろう。第2に、新しいタイプのデータがたえず登場しており、それに伴って新しいタイプのダークデータも現れている（この点については最終節で論じる）。とはいえ、DDタイプというリストの目的は、危険に関する部分的なチェックリストを示すとともに、どんなデータセットを見るときにも、どんなデータを分析するときにも気をつけなくてはならない種々の一般的な問題を明らかにすることにある。しかしひとつ忘れてならないのは、あるDDタイプのダークデータがうまく見つかったからといって、それで安心してはいけないということだ。場合によっては、複数のDDタイプのダークデータが隠れていることもある。

DDタイプ1「欠けていることがわかっているデータ」

ラムズフェルドのいう「既知の未知」だ。計測できたはずの値がなく、データに欠落があることがわかっているときに生じる。表1（本書59頁）のマーケティングデータの表のように、表の中に値の欠けている欄がある場合や、回答者リストに載っている人に、面接による調査を拒まれる場合などがそうだ。後者の場合、面接を拒んだ回答者についてわかっているのは、身元に関する情報だけになるだろう。

DDタイプ2「欠けていることがわかっていないデータ」

これはラムズフェルドのいう「未知の未知」だ。データが欠けていること自体がわかっていない。例えば、回答者リストがないウェブ調査で生じる。そのようなウェブ調査では、回答が得られなくても、そもそも回答者リストがないので、誰の回答が得られていないのかがわからない。スペースシャトル、チャレンジャー号の事故では、このタイプのダークデータが見落とされた。電話会議の出席者たちはあるデータが欠けていることに気づいていなかった（本書第1章）。

DDタイプ3「一部の例だけを選ぶ」

何を標本に含めるかについての基準の選び方がまずかったり、基準がよくてもその適用の仕方がまずかったりすると、標本に歪みが生まれる。研究者が比較的元気な患者を選んでしまうこともあれば、調査員が、調査対象の企業に愛着がある人を選んでしまうこともある。とりわけ影響が大きいのは、たくさんの事例の中から「いちばんいい」事例を選ぶときだ。そういう場合、やがて平均への回帰が生じたときに失望することになる。同じように、p値ハッキングや、補正されていない多重検定からは、再現性のない研究結果がもたらされる。

DDタイプ4「自己選別」

DDタイプ4は、DDタイプ3「一部の例だけを選ぶ」の変種だ。データベースに何を含めるかを自分で選べるときに生じる。例えば、回答者自身が質問に答えるかどうかを決められる調査での無回答や、患者自身が自分のデータを加えるかどうかを決められる患者のデータベース（オプトイン、オプトアウト）や、もっと一般的なところでは、顧客によるサービスの選択（例えば、銀行やスーパーマーケットで）などがそうだ。これらの例ではすべて、データベースに含まれる人と含まれない人のあいだに、たいていなんらかの系統だった違いが見いだせる。

DDタイプ5「重要なことを見落とす」

肝心な側面がすっかり見逃されていることがある。そこからは誤った因果関係が導き出される。例えば、アイスクリームの売上が増えたあと、草が枯れたというようなときにだ。いうまでもなくそこでは、因果関係のネットワークに天候のデータが欠けている。しかし何が欠けているかは、いつもそれほどはっきりしているわけではない。厄介なのは、全体の値が上がるいっぽうで、個々の値はすべて下がる「シンプソンのパラドクス」現象（本書94頁）が起こるときだ。

DDタイプ6「あったかもしれないデータ」

反事実のデータ。つまり、別の行動を取ったり、違う条件や環境下で起こることを観測したりしていたら、得られたであろうデータ。例えば、医療の臨床試験で、ある患者がある1種類の治療だけを受けた場合、いったん患者の病気が治ってしまえば、時間を遡って、別の治療法を施していたらどうなっていたかを調べることはできない。ほかには、結婚していない人の配偶者の年齢も、このダークデータに含まれる。

DDタイプ7「ときの経過とともに変化する」

時間はいろいろな形でデータを隠す。例えば、データが古びて、今の世界の状況にもはやそぐわなくなることもあれば、観測期間終了後に起こったせいで観測されないとか、データの性質が変わったせいで消失するとかいうこともある。診断後の生存期間の調査で、患者の死亡前に観測期間が終了してしまうときや、20年前の国民の状況に関するデータが、今の政策立案には役に立たなくなっているときなどがそうだ。

DDタイプ8「データの定義」

定義に一貫性がなかったり、定義がときとともに目的や用途に応じて変化したりすることがある。そのような場合、データが収集されなくなるせいで、経済などの時系列データに問題が起こる。もっと一般的には、ある概念の定義が人によって違えば、導き出される結論も人によって違ってくる。英国の犯罪統計がその例（本書85頁）だ。警察の記録にもとづくものと、被害者調査にもとづくものとがあり、両者で犯罪の定義が違うせいで、異なる統計結果が出ている。

DDタイプ9「データの要約」

データを要約するとはつまり、データを切り捨てることだ。単に平均値を報告するだけでは、データの範囲や分布の偏りについては何も明らかにできない。むしろ平均値によって、ほかとは著しく違う値があるという事実が隠されてしまう。あるいは逆に、すべての値が同一であることも隠されてしまう。

DDタイプ10「測定誤差と不確かさ」

測定誤差は真の値を不確かにする。このことは測定誤差の範囲が真の値の範囲よりも広い状況を想像してみれば、いちばんわかりやすいだろう。端数処理、天井効果、床効果（本書121頁）などによってデータは不確かになり、正確な値が不明瞭になる。データの不確かさや不正確さを招くもうひとつの要因は、データの連携だ。データベースによって識別情報が違うスタイルで管理されていると、それぞれのデータどうしがぴったりと嚙み合わなくなる。

DDタイプ11「フィードバックループとつけ入り」

このタイプのダークデータが生じるのは、収集されたデータの値が収集の過程そのものに影響を与えるときだ。例えば、成績インフレや株価バブルでそのような現象は起こる。そういうデータには現実が歪められた形で映し出されることになる。場合によっては、データの値はときの経過とともにどんどん実態からかけ離れていく。

DDタイプ12「情報の非対称性」

どういうデータセットを持っているかは人によって違う。いっぽうが知っていて、いっぽうが知らないことがあるとき、情報の非対称性は生じる。インサイダー取引や、アカロフのレモン市場（本書140

頁）や、敵国の能力についての情報不足からもたらされる国際緊張などがその例だ。

DDタイプ13「意図的なダークデータ化」

特定の事例だけを選ぶこのダークデータはとりわけたちが悪い。相手をだますために故意にデータを隠したり、操作したりするときに生じる。つまり、詐欺のことだ。数多くの事例を紹介したとおり、さまざまな文脈で、さまざまな形で生じうる。

DDタイプ14「データの捏造または合成」

作られたデータの中には、詐欺の場合のように、相手をだます意図で作られるものもある。しかしシミュレーションでもデータは作られる。研究の対象になっているプロセスから発生しえたと考えられるデータセットが作り出されるのが、シミュレーションだ。また、ブートストラップ（本書２８４頁）や、ブースティング（本書２８３頁）や、平滑化などの手法でデータを複製するときにも、データは作られる。現代の統計手法ではそのようなデータの複製が広く使われている。ただし、複製の仕方がまずければ、誤った結論が導き出される。

DDタイプ15「データ外の外挿」

データセットには必ず限りがある。つまり最大値と最小値があって、その先は未知の領域になる。データセットの最大値より上や最小値より下の可能な値について、なんらかのことをいうためには、仮説を立てるか、または外から情報を取り入れる必要がある。チャレンジャー号の悲劇的な事故では、過去に経験したことのない環境温度で打ち上げが実施され、機体が爆発した。

わからないことを明らかに

ここ数世紀、文明の発展とデータサイエンスの進歩は軌を一にしているといって過言ではないだろう。「データ」という語はほとんど「証拠」と同義だ。過去数百年の経済成長や社会発展を支えてきた技術の進歩や啓蒙の中心にはいつもデータがあった。

工業開発が化石燃料をエネルギー源にしてきたのになぞらえ、データは「新しい石油」だといわれる。石油の場合と同じように、データを支配し、巧みに操った者が巨万の富を獲得してきた。もっと重要なのは、データを役立つものにするには、石油と同じように精製——不純物の除去と前処理——が不可欠ということだ。ダークデータという汚れに対処することは、そのような精製の作業のひとつになる。

しかしこのたとえにはいささか無理もある。誰でも利用でき、万人にとって価値がある石油と違い、データが価値を持つかどうかは、何を知りたいかに左右される。さらにまた石油とは違い、データは自分の手元に残したまま、売ったり、譲ったりできる。しかも、いくらでも好きなだけ複製できる。そして、いうまでもなく、データはダークデータにもなる。自分が持っていないデータによって、自分が持っているデータの価値が限られたものになることもある。さらに、プライバシーや守秘の問題がつきまとうことも、石油とは事情が異なる。データは単なる商品ではない。だからこそ政府があれほどデータの管理や倫理の問題に手を焼いているのだ。

これまでデータ革命では、「観察データ」が大きな原動力になってきた。観察データとは、第2章で見たように、対象に働きかけをせず、対象の自然な変化を記述したデータだ。観察データからは、やはり前に見たように、ダークデータが生じやすい。観察データと好対照をなすのは、さまざまな要素がコントロールされている実験データだ。また現代においては、自動データ収集システムによって、さまざまな運営業務の副産物としても、大量の観察データ（その多くは以前は得られなかった新しい種類のデータだ）が生み出されている。

ビリオン・プライシズ・プロジェクトは新しい種類のデータからもたらされた知見の代表例だ。プロジェクトの創設者、スローン経営大学院のアルベルト・カヴァロとロベルト・リゴボンはインターネット上から膨大な数のオンライン価格を集めて、それをもとにインフレ指標を組み立てた。そのようなデータ源を使っても、ブラジル、チリ、コロンビア、ベネズエラのインフレの度合いや変動を見積もれることが、そのインフレ指標からは明らかになった。ところがふたりはさらにあることに気づいた。「アルゼンチンでは、ほかの国と違って、オンラインのインフレ率と公式のインフレ率のあいだに説明のつかない大きな差があった[2]」のだ。集めたデータの種類からも、分析の仕方からも、この差は簡単には説明がつきそうになかった。カヴァロは次のように結論づけている。「アルゼンチンの結果は、政府が公式のインフレ率を操作していることを裏づけるものだ。オンラインのインフレが公式の推定値から大きく離れている国はアルゼンチンしかない」

カヴァロたちのデータの収集の仕方は、従来のインフレ指標のデータの集め方を完全に避けたものだった。第3章で見たように、インフレ指標のデータは従来、調査員を何人も雇って、小売り店に派遣し、商品の値段をひとつひとつ記入させることで集められていた。この方法では費用がかさむだけでなく、時間も長くかかった。いっぽう、ビリオン・プライシズ・プロジェクトなら、毎日、指標の値を更新できる。

これはビッグデータの大成功例といって間違いないだろう。しかしそれでも、第一印象ほどことは単純ではない。カヴァロとリゴボンは次のように述べている。「われわれはマルチチャンネルの大規模な小売り業者に調査の対象をほぼ絞っており、オンラインのみの小売り業者（アマゾンなど）はおおむね無視した」(3)。ここでふたりが注意を促しているのは、オンライン価格でカバーされる小売り業者や商品カテゴリーの範囲は、従来のインフレ指標の手法でカバーされる範囲よりだいぶ小さいことだ。また、どのウェブサイトからデータを集めるかを決める必要があることも指摘されている。いうまでもなくそこには小規模なウェブサイトのデータが消えて、ダークデータと化す恐れがある。しかも、オンライン価格はあくまで表示価格であり、実際にその商品がいくらで売れたかはわからない。

ここでわたしがいいたいのは、それらが致命的な欠点だということではない。むしろ、そのように気づいていれば、それらの欠点に関しては改善を図れるだろう。わたしがいいたいのは、それらがダークデータの発生を示唆するということだ。したがってビリオン・プライシズ・プロジェクトによるインフレの概念は、従来の定義によるインフレの概念とは微妙に違うのではないかと考えられる。

ウェブサイトから集められたデータセットにはさらに深刻なダークデータの問題が伴う可能性もある。例えば、グーグルの検索アルゴリズムはたえず改良のため更新されているが、変更の詳細は、改良に深く関わった一部の人間を除くと、ふつう誰にもわからない。最近の変更点には、順位づけにおけるウェブページの品質スコアの導入、作為的と見なされるサイトの順位下降措置、検索の意図をより正しく理解する自然言語処理、モバイル端末でのモバイルフレンドリーなサイトの順位上昇措置、グーグルのガイドラインに違反しているサイトの洗い出しが含まれる。どれも妥当で有益に思える変更だが、問題はそれによってデータの収集の性質も変わることにある。つまり、変更前に収集されたデータと変更後に収集されたデータの比較がむずかしくなるのだ（DDタイプ7「ときの経過とともに変化する」）。とりわけ、経済指標や社会指標の値の変化が、現実が変化したせいではなく、収集されたデータが変化したせいで起こってしまう。そのような変化の根底にはダークデータが横たわっている。

本書では、出どころの違うデータセットを連携させることで、さまざまな分野で大きな成果が上がっていることを紹介した。そのような取り組みに大きな力が秘められていることは間違いない。データ源が異なれば、研究対象について別の側面の情報が得られるからだ。ふつう研究対象にされるのは人間であり、そのような試みが人々の健康や社会福祉の研究や増進に大いに役立つことは論をまたない。しかし、データ連携にはつねにダークデータのリスクがつきまとうことも紛れもない事実だ。それらのデータベースの母集団どうしはぴったりと一致しないことが多いし（いっぽうにはある事例が含まれ、もういっぽうにはその事例が含まれていない）、データの保存の仕方が違うせいでミスマッチも頻繁に生じる（ジョン・スミスと、ジョン・W・スミスやJ・W・スミスは同一人物なのか？）。また記録の重複も起こる。

本書の主題は、ダークデータによって人間がいかに欺かれるか（そして、それにどう対処すればいいか）だった。しかしじつは機械もダークデータに欺かれうる。機械学習や人工知能がこれからますます普及するにつれ、機械がダークデータにだまされたという報告が増えるだろう。それは失敗だけではなく、事故の原因にもなりうる。事実、機械学習やコンピュータビジョンには、「賢い馬ハンス」にちなんで「ホース（馬）」と名づけられた概念がある。

賢い馬ハンスは、教師ヴィルヘルム・フォン・オステンに飼われていた馬で、なんと数の計算ができるようだった。足し算、引き算、掛け算、割り算のほか、時間を告げるというような芸当までしてみせた。さらにドイツ語まで解するようだった。フォン・オステンがハンスに文字や口頭で質問すると、ハンスは蹄《ひづめ》で地面を蹴る回数で答えた（さすがに話したり、書いたりできるほどは賢くなかった）。

1907年、生物学者で心理学者のオスカー・プフングストが真相を明らかにすべく、ハンスの能力を調べた。その結果、次のような結論が下された。いんちきはどこにもないが、ハンスは計算をしているわけではない、と。じつはハンスは飼い主の微妙な体の動きを見て、それを答えの手がかりにしていたのだ。ふしぎにも、飼い主は自分がそんな動きをしているとは気づいていなかった。体の動きはまったくの無意識によるものだった。これはポーカーのプレーヤーにも見られる現象だ。

ここで重要なのは、ハンスが反応していたものが、見物客が思っていたのとは違うものだったことだ。これと同じことが機械でも起こりうる。機械による分析なり分類なり判断なりは、もしかしたら、入力されたデータの想定外の側面、あるいは未知の側面にもとづいているかもしれない。「正しく分類されていた入力画像に、人間の目には見えない小さな乱れが生じると、その入力画像は正しく分類されなくなる」(4)。カーネギーメロン大学の研究者たちはこの自動アルゴリズムの弱点を使って、人間の目にはふつうのめがねのフレームに見えるが、機械にはめがねの装着者を誤認させる、特殊な模様のめがねのフレームを開発している(5)。それらの研究者たちが発見したのは、誤認は特定のニューラルネットワークアルゴリズムに限られたものではなく、そのような種類のアルゴリズム全般に見られる問題であることだった。つまり機械はわたしたちとは違うものを見ているということ、しかも、わたしたちが知りたいと思っているのとは別の側面を見ているということだ。

これまで何度も述べてきたように、ダークデータはいろいろな形で生じる。その種類には際限がない。偶然のこともあるが、意図的に作り出される場合もある。ある情報をなんらかの方法で提示し、真実を隠そうとする場合だ。警戒していれば、それに気づくことは不可能ではない。一般的に役に立つのは、別の角度からデータを見るという手法だ。例えば、ある食品が「無脂肪分90％」と謳っていたら、つい手にとってみたくなるかもしれない。しかし同じことを反対からいえば「脂肪分10％」だ。そういう表示の食品があっても、興味は引かれないだろう。同じように、ある病気にかかるリスクが半減するといわれている予防法や生活習慣があっても、じつはその半減が2％から1％になることだったら、興味を引かれないだろう。2％でも1％でも大差はない。どちらも取るに足らない数字と感じるだろう。このことはこの数字を反対から見てみれば、なおさらはっきりする。病気を避けられる確率が98％から99％に高まるといわれても、きっとぴんと来ないに違いない。

未来は最大のダークデータの源だ。占い師や、千里眼や、予言者がなんといおうと、未来はわからない。想定外の出来事のせいで、やろうと思っていたことが途中でできなくなるということはいつでも起こりうる。無数の企業の失敗例がその動かぬ証拠だ。1998年、すでに窮地に陥っていたヘッジファンド、ロングターム・キャピタル・マネジメント（LTCM）は、ロシアによる突然の短期国債の債務不履行宣言によって決定的な打撃を受けた。LTCMが倒産すれば、連鎖反応によって金融市場全体が大混乱に陥ることが予想されたことから、LTCMに対し未曾有の規模の救済融資が行われた。同じように、スイス航空は、それまでは優良企業の代表格と見なされていたが、1990年代後半、「借り入れによる攻撃的な買収戦略」を始めた結果、2001年、ニューヨークでテロ事件が発生すると、たちまち経営難に陥り、資金繰りができなくなった。

最後にもうひとつ、文字どおりの意味でのダークデータの事例を紹介しよう。これも事業の失敗につながった事例だ。

1970年代後半から80年代にかけて、ビデオレコーダーの規格をめぐって、ソニーのベータマックスとJVCのVHSのあいだでいわゆる「ビデオ戦争」が繰り広げられた。理論的には、高解像度・高画質のベータマックスのほうが優れた技術だったが、勝ったのはVHSだった。ベータマックスは技術的に優れていても、それ以上にコストが高かった。加えて、少なくとも当初は、1時間しか録画できなかった。いっぽうのVHSは2時間録画できた。勝敗の決め手になったのは、ハリウッド映画の時間がたいていは1時間以上だったことだ。録画時間が1時間では、肝心のクライマックスのデータが消えてしまう！ ソニーはのちに録画時間を延ばせる技術を開発して、この弱点を克服したが、そのときにはもう遅すぎた。すでにVHSが市場で圧倒的なシェアを獲得していた。

これからすばらしい新世界が始まろうとしている。データにもとづいて理解を深め、確かな予測をすることで、わたしたちはこの世の中をどこまでも改善していけるだろう。そこには想像力の限界以外に限界はない。しかし慎重に歩を進める必要がある。どの一歩にもリスクは伴うからだ。どこに落とし穴が隠れているかはわからない。本書の冒頭で述べたように、わたしたちは自分たちが分析しているデータについて、そのデータがどのように集められたかについて、どこからもたらされたかについて、すべてを知っているわけではないし、また知ることもできない。悪い場合、何を知らないかを知らないこともある。肝心なことを知らない可能性があるということは、ひとつの誤りから間違った理解や間違った予測が生まれうるということだ。それは健康や富、幸せを大きく損ねるような結果を招きかねない。データサイエンスへの関心が高まっているのはいいことだが、盲信は禁物だ。どういうリスクがあるかを理解し、たえず警戒を怠ってはならない。

こんな古いジョークがある。酔っ払いが夜、街灯の下で鍵を探していたのは、そこで鍵を落としたからではなく、そこがいちばん明るくて探しやすい場所だったから。この古いジョークはダークデータのリスクとはどういうものであるかを見事に捉えている。研究者であれ、アナリストであれ、そのほかの誰であれ、データから意味を引き出そうとするとき、手持ちのデータに縛られるなら、この酔っ払いと同じだ。データがどのように発生するか、どういうデータが欠けている可能性があるかを理解していなければ、答えがある場所ではなく、自分が見ることができる場所ばかりを探すことになりかねない。しかしわたしたちは本書を通じて、ダークデータとはありえたが記録されなかったデータであるという単純な考えの先にまで進んだ。また、既知の未知と未知の未知の区別をもはるかに超えた。ダークデータはそれらすべてでありうるが、存在しえなかったデータでもありうるし、作り出されたデータでもありうる。ダークデータという観点を持つことで、ものごとをふつうの見方とは逆から見られる。そうすると、観察されたデータがダークデータを含んだ広い文脈のなかに組み込まれているとき、データを読み解きやすくなり、理解を深められる。

本書ではダークデータを含んだ数々の状況を考察した。それらを通じて、さまざまなリスクや、注意すべき点や、ダークデータを見抜き、修正する手法——街灯の周りにまで光が当たる範囲を広げるための方法——に、関心を抱いていただけたのではないだろうか。また、どういう状況のとき、あえてデータを隠すことで、理解が深まり、わからないことを明らかにできるかも、見きわめられるようになっていただけたのではないだろうか。

訳者あとがき

「得られたデータだけにもとづいた判断は、誤っている可能性が高い」（本書73頁）

本書は『「偶然」の統計学』（早川書房、２０１５年）で好評を博した英国の統計学者、デイヴィッド・J・ハンドの最新作 *Dark Data: Why What You Don't Know Matters* (Princeton University Press, 2020) の全訳である。著者は王立統計学会の会長を2期務めたほか、本書でも触れられているとおり、金融機関の融資審査で使われる統計モデルの構築に携わったりするなど、長年、理論と実践の両面でデータと向き合ってきた豊富な経験を持つ。データを扱うことにかけてはまさにプロ中のプロといえるだろう。

『「偶然」の統計学』では、数々のおもしろい事例を紹介しながら（例えば、英国の俳優アンソニー・ホプキンスが若い頃、出演作の原作を買おうとロンドンに行った。あいにく、どの大きな書店に行っても見つからなかったが、帰る途中、地下鉄のホームでベンチに座ると、そこに捨て置かれている本があり、それがなんと自分が探していた本だった。しかも後日、原作者と会ったとき、その話をすると、それは原作者が以前、友人に貸したときになくされてしまった当の本であることが、中の書き込みからわかった）、「到底起こりそうにない出来事」がじつは「次々起こ」っていることを示し、なぜそんなことが起こるのか、なぜ頻繁に起こるのかが、統計学の知識を駆使して解き明かされた。

本書では、やはり興味深い事例をいくつもあげながら、「隠れたデータ」がわたしたちの身の回りのありとあらゆるところにあって、しばしばわたしたちがそのせいでだまされたり、判断を誤ったりしていることを浮き彫りにし、いかに「隠れたデータ」の罠を回避すればいいかが懇切丁寧に説かれている。

著者はこの「隠れたデータ」を「ダークデータ」と呼ぶ。宇宙に遍在していながら直接は観測できないとされる、あの未知の物質「ダークマター」にちなんだ造語だ。

考えてみれば当たり前だが、日常の買い物とか人とのつき合いとかから、仕事や人生の重大事にいたるまで、どんな場面においても、わたしたちはすべてを知ったうえで判断を下しているわけではない。いいかえるなら、つねに限られたデータ（数値ばかりではなく、情報や知識も含め）にもとづいて、判断し、行動している。つまりたえずダークデータの影響下にあるということだ。しかしともするとわたしたちはそのことを忘れてしまう。その結果、思わぬ落とし穴にはまったりする。

著者によれば「文明の発展とデータサイエンスの進歩は軌を一にして」（311頁）おり、「『データ』という語はほとんど『証拠』と同義」（同上）に使われている。「過去数百年の経済成長や社会発展を支えてきた技術の進歩や啓蒙の中心にはいつもデータがあった」（同上）という。この傾向は今後、ますます強まるだろう。

しかし著者は「ダークデータの危険を免れている領域はひとつもない」（10頁）、「得られたデータだけにもとづいた判断は、誤っている可能性が高い」（73頁）と、どきっとする指摘をし、「だから、わたしたちはたえず注意を怠らず、『欠けているデータはないか』と問わなくてはいけない」（34頁）と警告を発している。

とはいえダークデータに気づくのは容易ではない。わたしたちの目（や意識）から隠されているデータをいかに見つけたらいいか。そこで役に立つのが、ダークデータを分類したＤＤタイプ（ＤＤはDark Data の略）だ。ＤＤタイプを手がかりにすることで、どのようなところを探れば、ダークデータが見つかりやすいかがわかる。

本書で紹介されているＤＤタイプは15種類ある（37頁参照）。15種類すべてをいつも頭に入れておくのは、初めはいささかたいへんそうに感じられるが、慣れれば案外できる。実際、著者はこれらのＤＤタイプを使いこなし、日頃からダークデータに目を光らせているようだ。訳者も本書を通じてダークデータを意識するくせがついたし、日常生活の中でときどき「ここにはＤＤタイプ○○がありそうだな」と思いつくようになった。

奇しくも近年、日本のＩＴビジネスでも本書における造語と同じ「ダークデータ」という語が注目され始めている。こちらは企業内で死蔵されているビッグデータのことを指すようだ。これは本書の分類でいえばまさにＤＤタイプ１にほかならない。このような偶然の一致も、「隠れたデータ」の重要性が高まってきたことの表れだろう。

これから本書を読まれるかたは「まえがき」と第１章を読んだあと、ＤＤタイプの15種類のひとつひとつについて簡潔にまとめてある第10章を読んで、各タイプの例を自分なりに思い浮かべてみるというエクササイズをしてから、あらためて第２章に戻り、本文を読み進めるというのもいい。そうするとＤＤタイプにぐっとなじみやすくなるだろう。

「本書で最も伝えたいのは『データを鵜呑みにするな』ということに尽きる」（３０４頁）と、著者は多年にわたるデータとのつき合いにもとづいていう。「少なくともデータが適切で正確であることが確かめられるまでは、むやみに信じてはいけない」と。

ダークデータへの「用心」（２３５頁）はデータサイエンス時代の「無知の知」といえるかもしれない。これからさまざまな場面でデータの活用がいっそう進むだろう。そのような世の中で、仕事でも私生活でもよりよい判断を下そうとするとき、ダークデータという視点（あるいは「技法」といってもいい）は欠かせないものになるのではないだろうか。

本書の翻訳にあたっては、河出書房新社編集部の渡辺和貴氏にたいへんお世話になった。記して感謝の意を表したい。

２０２１年１月

黒輪篤嗣

索引

さ行

た行

な行

は行

ま行

や行

ら・わ行

アルファベット

原註

第１章　ダークデータ

(1)　https://blog.uvahealth.com/2019/01/30/measles-outbreaks/（2019 年 4 月 16 日閲覧）
(2)　http://outbreaknewstoday.com/measles-outbreak-ukraine-21000-cases-2019/（2019 年 4 月 16 日閲覧）
(3)　https://www.theglobeandmail.com/canada/article-canada-could-see-large-amount-of-measles-outbreaks-health-experts/（2019 年 4 月 16 日閲覧）
(4)　E. M. Mirkes, T. J. Coats, J. Levesley, and A. N. Gorban, "Handling missing data in large healthcare dataset: A case study of unknown trauma outcomes," *Computers in Biology and Medicine* **75** (2016): 203–16.
(5)　https://www.livescience.com/24380-hurricane-sandy-status-data.html
(6)　D. Rumsfeld, Department of Defense News Briefing, 12 February 2002.
(7)　http://archive.defense.gov/Transcripts/Transcript.aspx?TranscriptID=2636（2018 年 7 月 31 日閲覧）
(8)　https://er.jsc.nasa.gov/seh/explode.html
(9)　https://xkcd.com/552/; チャレンジャー号爆発事故に関するロジャース委員会の報告書は以下のサイトで閲覧できる。https://forum.nasaspaceflight.com/index.php?topic=8535.0
(10)　R. Pattinson, *Arctic Ale: History by the Glass,* issue 66 (July 2012), https://www.beeradvocate.com/articles/6920/arctic-ale/（2018 年 7 月 31 日閲覧）

第２章　ダークデータを見つける

(1)　D. J. Hand, F. Daly, A. D. Lunn, K. J. McConway, and E. Ostrowski, *A Handbook of Small Data Sets* (London: Chapman and Hall, 1994).
(2)　D. J. Hand, "Statistical challenges of administrative and transaction data (with discussion)," *Journal of the Royal Statistical Society, Series A* **181** (2018): 555–605.
(3)　https://www.quora.com/How-many-credit-and-debit-card-transactions-are-there-every-year（2018 年 8 月 24 日閲覧）
(4)　M. E. Kho, M. Duffett., D. J. Willison, D. J. Cook, and M. C. Brouwers, "Written informed consent and selection bias in observational studies using medical records: Systematic review," *BMJ* (Clinical Research ed.) **338** (2009): b866.

(5) S. Dilley and G. Greenwood, "Abandoned 999 calls to police more than double," 19 September 2017, http://www.bbc.co.uk/news/uk-41173745（2017 年 12 月 10 日閲覧）

(6) M. Johnston, The Online Photographer, 17 February 2017, http://theonlinephotographer.typepad.com/the_online_photographer/2017/02/i-find-this-a-particularly-poignant-picture-its-preserved-in-the-george-grantham-bain-collection-at-the-library-of-congres.html（2017 年 12 月 28 日閲覧）

(7) A. L. Barrett and B. R. Brodeski, "Survivor bias and improper measurement: How the mutual fund industry inflates actively managed fund performance" (Rock ford, IL: Savant Capital Management, Inc., March 2006), http://www.google.co.uk/url?sa=t&rct=j&q=&esrc=s&source=web&cd=1&ved=0ahUKEwiavpGPz6zYAhWFJMAKHaKaBNQQFggpMAA&url=http%3A%2F%2Fwww.etf.com%2Fdocs%2Fsbiasstudy.pdf&usg=AOvVaw2nPmIjOOE1iWk2CByyeClw（2017 年 12 月 28 日閲覧）

(8) T. Schlanger and C. B. Philips, "The mutual fund graveyard: An analysis of dead funds," The Vanguard Group, January 2013.

(9) https://xkcd.com/1827/

(10) Knowledge Extraction Based on Evolutionary Learning, http://sci2s.ugr.es/keel/dataset.php?cod=163（2019 年 9 月 22 日閲覧）

(11) M. C. Bryson, "The *Literary Digest* poll: Making of a statistical myth," *The American Statistician* **30** (1976): 184–5.

(12) http://www.applied-survey-methods.com/nonresp.html（2018 年 11 月 4 日閲覧）

(13) Office for National Statistics, https://www.ons.gov.uk/employmentandlabourmarket/peopleinwork/employmentandemployeetypes/methodologies/labourforcesurveyperformanceandqualitymonitoringreports/labourforcesurveyperformanceandqualitymonitoringreportjulytoseptember2017

(14) R. Tourangeau and T. J. Plewes, eds., *Nonresponse in Social Science Surveys: A Research Agenda* (Washington, DC: National Academies Press, 2013).

(15) J. Leenheer and A. C. Scherpenzeel, "Does it pay off to include non-internet households in an internet panel?" *International Journal of Internet Science* **8** (2013), 17–29.

(16) Tourangeau and Plewes, *Nonresponse in Social Science Surveys.*

(17) H. Wainer, "Curbstoning IQ and the 2000 presidential election," *Chance* **17** (2004): 43–46.

(18) I. Chalmers, E. Dukan, S. Podolsky, and G. D. Smith, "The advent of fair treatment allocation schedules in clinical trials during the 19th and early 20th centuries," *Journal of the Royal Society of Medicine* **105** (2012): 221–7.

(19) J. B. Van Helmont, *Ortus Medicinae, The Dawn of Medicine* (Amsterdam: Apud Ludovicum Elzevirium, 1648), http://www.jameslindlibrary.org/van-helmont-jb-1648/ (2018年6月15日閲覧)

(20) W. W. Busse, P. Chervinsky, J. Condemi, W. R. Lumry, T. L. Petty, S. Rennard, and R. G. Townley, "Budesonide delivered by Turbuhaler is effective in a dose dependent fashion when used in the treatment of adult patients with chronic asthma," *Journal of Allergy and Clinical Immunology* **101** (1998): 457–63; J. R. Carpenter and M. Kenward, "Missing data in randomised controlled trials: A practical guide," November 21, 2007, http://citeseerx.ist.psu.edu/viewdoc/download?doi=10.1.1.468.9391&rep=rep1&type=pdf (2018年5月7日閲覧)

(21) P. K. Robins, "A comparison of the labor supply findings from the four negative income tax experiments," *Journal of Human Resources* **20** (1985): 567–82.

(22) A. Leigh, *Randomistas: How Radical Researchers Are Changing Our World* (New Haven, CT: Yale University Press, 2018).〔アンドリュー・リー『RCT大全――ランダム化比較試験は世界をどう変えたのか』、上原裕美子訳、みすず書房、2020年〕

(23) P. Quinton, "The impact of information about crime and policing on public perceptions," National Policing Improvement Agency, January 2011, http://whatworks.college.police.uk/Research/Documents/Full_Report_-_Crime_and_Policing_Information.pdf (2018年6月17日閲覧)

(24) J. E. Berecochea and D. R. Jaman, (1983) *Time Served in Prison and Parole Outcome: An Experimental Study: Report Number 2,* Research Division, California Department of Corrections.

(25) G. C. S. Smith and J. Pell, "Parachute use to prevent death and major trauma related to gravitational challenge: Systematic review of randomised controlled trials," *British Medical Journal* **327** (2003): 1459–61.

(26) "Test of 'dynamic pricing' angers Amazon customers," *Washington Post,* October 7, 2000, http://www.citi.columbia.edu/B8210/read10/Amazon%20Dynamic%20Pricing%20Angers%20Customers.pdf (2018年6月19日閲覧)

(27) BBC, "Facebook admits failings over emotion manipulation study," *BBC News,* 3 October 2014, https://www.bbc.co.uk/news/technology-29475019 (2018年6月19日閲覧)

第3章　定義とダークデータ

(1) http://www.bbc.co.uk/news/uk-politics-eu-referendum-35959949

(2) 移民数は以下のサイトより。https://www.ons.gov.uk/peoplepopulationandcommunity/

populationandmigration/internationalmigration/articles/noteonthedifferencebetweennationalinsurancenumberregistrationsandtheestimateoflongterminternationalmigration/2016（2018 年 1 月 2 日閲覧）

(3) Office for National Statistics, "Crime in England and Wales: year ending June 2017," https://www.ons.gov.uk/peoplepopulationandcommunity/crimeandjustice/bulletins/crimeinenglandandwales/june2017#quality-and-methodology（2018 年 1 月 4 日閲覧）

(4) J. Wright, "The real reasons autism rates are up in the U.S.," *Scientific American,* March 3, 2017, https://www.scientificamerican.com/article/the-real-reasons-autism-rates-are-up-in-the-u-s/（2018 年 7 月 3 日閲覧）

(5) N. Mukadam, G. Livingston, K. Rantell, and S. Rickman, "Diagnostic rates and treatment of dementia before and after launch of a national dementia policy: An observational study using English national databases," *BMJ Open* **4**, no. 1 (January 2014), http://bmjopen.bmj.com/content/bmjopen/4/1/e004119.full.pdf（2018 年 7 月 3 日閲覧）

(6) https://www.ons.gov.uk/businessindustryandtrade/retailindustry/timeseries/j4mc/drsi

(7) https://www.census.gov/retail/mrts/www/data/pdf/ec_current.pdf

(8) Titanic Disaster: Official Casualty Figures, 1997, http://www.anesi.com/titanic.htm（2018 年 10 月 2 日閲覧）

(9) A. Agresti, *Categorical Data Analysis,* 2d ed. (New York: Wiley, 2002), 48–51.

(10) W. S. Robinson, "Ecological correlations and the behavior of individuals," *American Sociological Review* **15** (1950): 351–7.

(11) G. Gigerenzer, *Risk Savvy: How to Make Good Decisions* (London: Penguin Books, 2014), 202.〔ゲルト・ギーゲレンツァー『賢く決めるリスク思考——ビジネス・投資から、恋愛・健康・買い物まで』、田沢恭子訳、インターシフト、合同出版（発売）、2015 年〕

(12) W. J. Krzanowski, *Principles of Multivariate Analysis,* rev. ed. (Oxford: Oxford University Press, 2000), 144.

第４章　意図せぬダークデータ

(1) S. de Lusignan, J. Belsey, N. Hague, and B. Dzregah, "End-digit preference in blood pressure recordings of patients with ischaemic heart disease in primary care," *Journal of Human Hypertension* **18** (2004): 261–5.

(2) L. E. Ramsay et al., "Guidelines for management of hypertension: Report of the third working party of the British Hypertension Society," *Journal of Human*

Hypertension **13** (1999): 569–92.
(3) J. M. Roberts Jr. and D. D. Brewer, "Measures and tests of heaping in discrete quantitative distributions," *Journal of Applied Statistics* **28** (2001): 887–96.
(4) https://www.healthline.com/health/mens-health/average-weight-for-men
(5) B. Kenber, P. Morgan-Bentley, and L. Goddard, "Drug prices: NHS wastes £30m a year paying too much for unlicensed drugs," *Times* (London), 26 May 2018, https://www.thetimes.co.uk/article/drug-prices-nhs-wastes-30m-a-year-paying-too-much-for-unlicensed-drugs-kv9kr5m8p?shareToken=0e41d3bbd6525068746b7db8f9852a24 (2018 年 5 月 26 日閲覧)
(6) H. Wainer, "Curbstoning IQ and the 2000 presidential election," *Chance* **17** (2004): 43–46.
(7) W. Kruskal, "Statistics in society: Problems unsolved and unformulated," *Journal of the American Statistical Association* **76** (1981): 505–15.
(8) この法則の最初の考案者は突き止められなかった。1979 年、当時、王立統計学会の会長だったクラウス・モーザーは同会の総会で、英国の中央統計局で考案されたものだと述べている ("Statistics and public policy," *Journal of the Royal Statistical Society, Series A* **143** (1980): 1–32)。アンドリュー・エーレンバーグの 1973 年の論文 ("The teaching of statistics: Corrections and comments," *Journal of the Royal Statistical Society, Series A* **138** (1975): 543–45.) にはすでに「トゥワイマンの法則」という語が出ているが、考案者に関する記述はない。
(9) T. C. Redman, "Bad data costs the U.S. $3 trillion per year," *Harvard Business Review,* 22 September 2016, https://hbr.org/2016/09/bad-data-costs-the-u-s-3-trillion-per-year (2018 年 8 月 17 日閲覧)
(10) ADRN, https://adrn.ac.uk/
(11) https://adrn.ac.uk/media/174470/homlessness.pdf (2018 年 8 月 24 日閲覧)

第５章　戦略的ダークデータ

(1) https://eur-lex.europa.eu/legal-content/EN/TXT/PDF/?uri=CELEX:32004L0113 (2019 年 2 月 18 日閲覧)
(2) M. Hurwitz and J. Lee, *Grade Inflation and the Role of Standardized Testing* (Baltimore, MD: Johns Hopkins University Press, forthcoming).
(3) R. Blundell, D. A. Green, and W. Jin, "Big historical increase in numbers did not reduce graduates' relative wages," Institute for Fiscal Studies, 18 August 2016, https://www.ifs.org.uk/publications/8426 (2018 年 11 月 23 日閲覧)
(4) D. Willetts, *A University Education* (Oxford: Oxford University Press, 2017).
(5) R. Sylvester, "Schools are cheating with their GCSE results," *Times* (London), 21

August 2018, https://www.thetimes.co.uk/article/schools-are-cheating-with-their-gcse-results-q83s909k6?shareToken=0ce9828e6183e9b37a1454f8f588eaa7（2018 年 8 月 23 日閲覧）
(6) "Ambulance service 'lied over response rates'," *Telegraph* (London), 28 February 2003, http://www.telegraph.co.uk/news/1423338/Ambulance-service-lied-over-response-rates.html（2018 年 10 月 6 日ダウンロード）
(7) https://sites.psu.edu/gershcivicissue/2017/03/15/unemployment-and-how-to-manipulate-with-statistics/（2018 年 10 月 6 日閲覧）
(8) https://www.heraldscotland.com/news/13147231.Former-police-officers-crime-figures-are-being-massaged-to-look-better/
(9) J. M. Keynes, *General Theory of Employment Interest and Money* (New York : Harcourt, Brace, 1936).〔ケインズ『雇用、利子および貨幣の一般理論』（上・下）、間宮陽介訳、岩波文庫、2008 年ほか〕
(10) BBC, 1 February 2011, https://www.bbc.co.uk/news/uk-12330078（2018 年 8 月 18 日閲覧）
(11) Direct Line Group, 2014, https://www.directlinegroup.com/media/news/brand/2014/11-07-2014b.aspx（2014 年 4 月 11 日閲覧）
(12) A. Reurink, "Financial fraud : A literature review," MPIfG Discussion Paper 16/5 (Cologne : Max Planck Institute for the Study of Societies, 2016).
(13) R. Caruana, Y. Lou, J. Gehrke, P. Koch, M. Sturm, and N. Elhahad, "Intelligible models for healthcare : predicting pneumonia risk and hospital 30-day readmission," *Proceedings of the 21st ACM SIGKDD International Conference on Knowledge Discovery and Data Mining,* KDD '15, Sydney, Australia, 10–13 August 2015, 1721–30.
(14) Board of Governors of the Federal Reserve System, *Report to the Congress on Credit Scoring and Its Effects on the Availability and Affordability of Credit,* August 2007, https://www.federalreserve.gov/boarddocs/RptCongress/creditscore/creditscore.pdf（2018 年 8 月 18 日閲覧）
(15) E. Wall, "How car insurance costs have changed," *Telegraph* (London), 21 January 2013, http://www.telegraph.co.uk/finance/personalfinance/insurance/motorinsurance/9815330/How-car-insurance-costs-have-changed-EU-gender-impact.html（2018 年 8 月 19 日閲覧）

第６章　意図的なダークデータ

(1) V. van Vlasselaer, T. Eliassi-Rad, L. Akoglu, M. Snoeck, and B. Baesens, "Gotcha! Network-based fraud detection for social security fraud," *Management Science* **63** (14 July 2016) : 3090–3110.

(2) B. Baesens, V. van Vlasselaer, and W. Verbet, *Fraud Analytics: Using Descriptive, Predictive, and Social Network Techniques: A Guide to Data Science for Fraud Detection* (Hoboken, NJ: Wiley, 2015), 19.

(3) "Crime in England and Wales: Year Ending June 2017," https://www.ons.gov.uk/peoplepopulationandcommunity/crimeandjustice/bulletins/crimeinenglandandwales/june2017 (2017 年 12 月 31 日閲覧)

(4) D. J. Hand and G. Blunt, "Estimating the iceberg: How much fraud is there in the UK?" *Journal of Financial Transformation* **25**, part 1(2009): 19–29, http://www.capco.com/?q=content/journal-detail&sid=1094

(5) "Rates of fraud, identity theft and scams across the 50 states: FTC data," *Journalist's Resource,* 4 March 2015, https://journalistsresource.org/studies/government/criminal-justice/united-states-rates-fraud-identity-theft-federal-trade-commission (2018 年 8 月 19 日閲覧)

(6) B. Whitaker, "Never too young to have your identity stolen," *New York Times,* 27 July 2007, http://www.nytimes.com/2007/07/21/business/21idtheft.html (2018 年 2 月 3 日閲覧)

(7) Javelin, 1 February 2017, https://www.javelinstrategy.com/coverage-area/2017-identity-fraud (2018 年 2 月 3 日閲覧)

(8) III, "Facts+Statistics: Identity theft and cybercrime," 2016, https://www.iii.org/fact-statistic/facts-statistics-identity-theft-and-cybercrime# (2018 年 2 月 3 日閲覧)

(9) DataShield, 14 March 2013, http://datashieldcorp.com/2013/03/14/5-worst-cases-of-identity-theft-ever/ (2018 年 2 月 3 日閲覧)

(10) A. Reurink, Chapter 5, Note 12.

(11) https://www.sec.gov/news/pressrelease/2015-213.html (2018 年 9 月 30 日閲覧)

(12) "Accounting scandals: The dozy watchdogs," *Economist,* 11 December 2014, https://www.economist.com/news/briefing/21635978-some-13-years-after-enron-auditors-still-cant-stop-managers-cooking-books-time-some (2018 年 4 月 7 日閲覧)

(13) E. Greenwood, *Playing Dead: A Journey through the World of Death Fraud* (New York: Simon and Schuster, 2017). 〔エリザベス・グリーンウッド『偽装死で別の人生を生きる』、赤根洋子訳、文藝春秋、2017 年〕

(14) *CBS This Morning,* "Playing a risky game: People who fake death for big money," https://www.cbsnews.com/news/playing-a-risky-game-people-who-fake-death-for-big-money/ (2018 年 4 月 6 日閲覧)

(15) M. Evans, "British woman who 'faked death in Zanzibar in £140k insurance fraud bid' arrested along with teenage son," *Telegraph* (London), 15 February 2017, https://www.telegraph.co.uk/news/2017/02/15/british-woman-faked-death-zanzibar-140k-

insurance-fraud-bid/（2018 年 4 月 6 日閲覧）
（16） S. Hickey, "Insurance cheats discover social media is the real pain in the neck," *Guardian* (London), 18 July 2016, https://www.theguardian.com/money/2016/jul/18/insurance-cheats-social-media-whiplash-false-claimants（2018 年 4 月 4 日閲覧）
（17） P. Kerr, "'Ghost Riders' are target of an insurance sting," *New York Times,* 18 August 1993, https://www.nytimes.com/1993/08/18/us/ghost-riders-are-target-of-an-insurance-sting.html（2018 年 4 月 6 日閲覧）
（18） FBI (N. A.), "Insurance Fraud," https://www.fbi.gov/stats-services/publications/insurance-fraud（2018 年 4 月 6 日閲覧）
（19） E. Crooks, "More than 100 jailed for fake BP oil spill claims," *Financial Times* (London), 15 January 2017, https://www.ft.com/content/6428c082-db1c-11e6-9d7c-be108f1c1dce（2018 年 4 月 6 日閲覧）
（20） ABI, "The con's not on-Insurers thwart 2,400 fraudulent insurance claims valued at £25 million every week," Association of British Insurers, 7 July 2017, https://www.abi.org.uk/news/news-articles/2017/07/the-cons-not-on-insurers-thwart-2400-fraudulent-insurance-claims-valued-at-25-million-every-week/（2018 年 4 月 4 日閲覧）
（21） "PwC Global Economic Crime Survey: 2016; Adjusting the lens on economic crime," 18 February 2016, https://www.pwc.com/gx/en/economic-crime-survey/pdf/GlobalEconomicCrimeSurvey2016.pdf（2018 年 4 月 8 日閲覧）

第７章　科学とダークデータ

（1） J. M. Masson, ed., *The Complete Letters of Sigmund Freud to Wilhelm Fliess* (Cambridge, MA: Belknap Press, 1985), 398.
（2） "Frontal lobotomy," *Journal of the American Medical Association* **117** (16 August 1941): 534–35.
（3） N. Weiner, *Cybernetics* (Cambridge, MA: MIT Press, 1948).〔ウィーナー『サイバネティックス――動物と機械における制御と通信』、池原止戈夫ほか訳、岩波文庫、2011 年〕
（4） J. B. Moseley et al., "A controlled trial of arthroscopic surgery for osteoarthritis of the knee," *New England Journal of Medicine* **347**, no. 2 (2002): 81–88.
（5） J. Kim et al., Association of multivitamin and mineral supplementation and risk of cardiovascular disease: A systematic review and meta-analysis, *Circulation: Cardiovascular Quality and Outcomes* **11** (July 2018), http://circoutcomes.ahajournals.org/content/11/7/e004224（2018 年 7 月 14 日閲覧）
（6） J. Byrne, MD, "Medical practices not supported by science," *Skeptical Medicine,*

https://sites.google.com/site/skepticalmedicine/medical-practices-unsupported-by-science（2018 年 7 月 14 日閲覧）
(7) T. Kuhn, *The Structure of Scientific Revolutions,* 2d ed. (Chicago: University of Chicago Press, 1970), 52.〔トーマス・クーン『科学革命の構造』、中山茂訳、みすず書房、1971 年〕
(8) J. P. A. Ioannidis, "Why most published research findings are false," *PLOS Medicine* **2**, no. 8 (2005): 696–701.
(9) L. Osherovich, "Hedging against academic risk," *Science-Business eXchange,* 14 April 2011, https://www.gwern.net/docs/statistics/bias/2011-osherovich.pdf（2018 年 7 月 12 日閲覧）
(10) M. Baker, "1,500 scientists lift the lid on reproducibility," *Nature* **533** (July 2016): 452–54, https://www.nature.com/news/1-500-scientists-lift-the-lid-on-reproducibility-1.19970（2018 年 7 月 12 日閲覧）
(11) C. G. Begley and L. M. Ellis, "Raise standards for preclinical cancer research," *Nature-Comment* **483** (March 2012): 531–33.
(12) L. P. Freedman, I. M. Cockburn, and T. S. Simcoe, "The economics of reproducibility in preclinical research," *PLOS Biology,* 9 June 2015, http://journals.plos.org/plosbiology/article?id=10.1371/journal.pbio.1002165（2018 年 7 月 12 日閲覧）
(13) B. Nosek et al., "Estimating the reproducibility of psychological science," *Science* **349**, no. 6251 (August 2015): 943–52.
(14) https://cirt.gcu.edu/research/publication_presentation/gcujournals/nonsignificant
(15) http://jir.com/index.html
(16) F. C. Fang, R. G. Steen, and A. Casadevall, "Misconduct accounts for the majority of retracted scientific publications," *PNAS* **109** (October 2012): 17028–33.
(17) D. G. Smith, J. Clemens, W. Crede, M. Harvey, and E. J. Gracely, "Impact of multiple comparisons in randomized clinical trials," *American Journal of Medicine* **83** (September 1987): 545–50.
(18) C. M. Bennett, A. A. Baird, M. B. Miller, and G. L. Wolford, "Neural correlates of interspecies perspective taking in the post-mortem Atlantic Salmon: An argument for proper multiple comparisons correction," *Journal of Serendipitous and Unexpected Results* **1**, no. 1 (2009): 1–5, http://docplayer.net/5469627-Journal-of-serendipitous-and-unexpected-results.html（2018 年 8 月 16 日閲覧）
(19) S. Della Sala and R. Cubelli, "Alleged 'sonic attack' supported by poor neuropsychology," *Cortex* **103** (2018): 387–88.
(20) R. L. Swanson et al., "Neurological manifestations among U. S. Government personnel reporting directional audible and sensory phenomena in Havana, Cuba,"

JAMA **319** (20 March 2018): 1125–33.
(21) F. Miele, *Intelligence, Race, and Genetics: Conversations with Arthur R. Jensen* (Oxford: Westview Press, 2002), 99–103.
(22) C. Babbage, *Reflections on the Decline of Science in England, and on Some of Its Causes* (London: B. Fellowes, 1830).
(23) A. D. Sokal, "Transgressing the boundaries: Toward a transformative hermeneutics of quantum gravity," *Social Text* **46/47** (Spring/Summer 1996): 217–52.
(24) https://read.dukeupress.edu/social-text（2019 年 1 月 23 日閲覧）
(25) A. Sokal and J. Bricmont, *Intellectual Impostures: Postmodern Philosophers' Abuse of Science* (London: Profile Books, 1998).〔アラン・ソーカル、ジャン・ブリクモン『「知」の欺瞞――ポストモダン思想における科学の濫用』、田崎晴明、大野克嗣、堀茂樹訳、岩波現代文庫、2012 年〕
(26) http://science.sciencemag.org/content/342/6154/60/tab-pdf
(27) http://www.scs.stanford.edu/~dm/home/papers/remove.pdf
(28) https://j4mb.org.uk/2019/01/09/peter-boghossian-professor-faces-sack-over-hoax-that-fooled-academic-journals/
(29) C. Dawson and A. Smith Woodward, "On a bone implement from Piltdown (Sussex)," *Geological Magazine* **Decade 6**, no. 2 (1915): 1–5, http://www.boneandstone.com/articles_classics/dawson_04.pdf（2018 年 7 月 7 日閲覧）
(30) M. Russell, *Piltdown Man: The Secret Life of Charles Dawson* (Stroud, UK: Tempus, 2003); M. Russell, *The Piltdown Man Hoax: Case Closed* (Stroud, UK: The History Press, 2012).
(31) J. Scott, "At UC San Diego: Unraveling a research fraud case," *Los Angeles Times,* 30 April 1987, http://articles.latimes.com/1987-04-30/news/mn-2837_1_uc-san-diego（2018 年 7 月 4 日閲覧）
(32) B. Grant, "Peer-review fraud scheme uncovered in China," *Scientist,* 31 July 2017, https://www.the-scientist.com/the-nutshell/peer-review-fraud-scheme-uncovered-in-china-31152（2018 年 7 月 4 日閲覧）
(33) https://ori.hhs.gov/about-ori（2018 年 10 月 14 日閲覧）
(34) R. A. Millikan, "On the elementary electric charge and the Avogrado constant," *Physical Review* **2**, no. 2 (August 1913): 109–43.
(35) W. Broad and N. Wade, *Betrayers of the Truth: Fraud and Deceit in the Halls of Science* (New York: Touchstone, 1982).〔ウイリアム・ブロード、ニコラス・ウェイド『背信の科学者たち――論文捏造はなぜ繰り返されるのか？』、牧野賢治訳、講談社、2014 年〕
(36) D. Goodstein, "In defense of Robert Andrews Millikan," *American Scientist* **89**,

no. 1 (January-February 2001) : 54–60.

(37) R. G. Steen, A. Casadevall, and F. C. Fang, "Why has the number of scientific retractions increased?" *PLOS ONE* **8**, no. 7 (8 July 2013), http://journals.plos.org/plosone/article?id=10.1371/journal.pone.0068397（2018 年 7 月 9 日閲覧）

(38) D. J. Hand, "Deception and dishonesty with data: Fraud in science," *Significance* **4**, no.1 (2007) : 22–25 ; D. J. Hand, *Information Generation: How Data Rule Our World* (London: Oneworld Publications, 2007) ; H. F. Judson, *The Great Betrayal: Fraud in Science* (Orlando, FL: Harcourt, 2004).

(39) D. J. Hand, "Who told you that?: Data provenance, false facts, and separating the liars from the truth-tellers," *Significance* (August 2018) : 8–9.

(40) LGTC (2015), https://assets.publishing.service.gov.uk/government/uploads/system/uploads/attachment_data/file/408386/150227_PUBLICATION_Final_LGTC_2015.pdf（2018 年 4 月 17 日閲覧）

(41) Tameside, https://www.tameside.gov.uk/Legal/Transparency-in-Local-Government（2018 年 4 月 17 日閲覧）

第８章　ダークデータに対処する

(1) 例えば、以下を参照。D. Rubin, "Inference and missing data," *Biometrika,* **63**, no. 3 (December 1976) : 581–92.

(2) C. Marsh, *Exploring Data* (Cambridge: Cambridge University Press, 1988).

(3) X.-L. Meng, "Statistical paradises and paradoxes in big data (I) : Law of large populations, big data paradox, and the 2016 U. S. presidential election," *Annals of Applied Statistics* **12** (June 2018) : 685–726.

(4) R. J. A. Little, "A test of missing completely at random for multivariate data with missing values," *Journal of the American Statistical Association* **83**, no. 404 (December 1988) : 1198–1202.

(5) E. L. Kaplan and P. Meier, "Nonparametric estimation from incomplete observations," *Journal of the American Statistical Association* **53**, no. 282 (June 1958) : 457–81.

(6) G. Dvorsky, "What are the most cited research papers of all time?" 30 October 2014, https://io9.gizmodo.com/what-are-the-most-cited-research-papers-of-all-time-1652707091（2018 年 4 月 22 日閲覧）

(7) F. J. Molnar, B. Hutton, and D. Fergusson, "Does analysis using 'last observation carried forward' introduce bias in dementia research?" *Canadian Medical Association Journal* **179**, no. 8 (October 2008) : 751–53.

(8) J. M. Lachin, "Fallacies of last observation carried forward," *Clinical Trials* **13**, no. 2

(April 2016): 161–68.
(9) A. Karahalios, L. Baglietto, J. B. Carlin, D. R. English, and J. A. Simpson, "A review of the reporting and handling of missing data in cohort studies with repeated assessment of exposure measures," *BMC Medical Research Methodology* **12** (11 July 2012): 96, https://bmcmedresmethodol.biomedcentral.com/track/pdf/10.1186/1471-2288-12-96.
(10) S. J. W. Shoop, "Should we ban the use of 'last observation carried forward' analysis in epidemiological studies?" *SM Journal of Public Health and Epidemiology* **1**, no. 1 (June 2015): 1004.
(11) S. J. Miller, ed., *Benford's Law: Theory and Applications* (Princeton, NJ: Princeton University Press, 2015).

第９章　ダークデータの活用

(1) S. Newcomb, "Measures of the velocity of light made under the direction of the Secretary of the Navy during the years 1880–1882," *Astronomical Papers* **2** (1891): 107–230 (Washington, DC : U. S. Nautical Almanac Office).
(2) ADRN, https://adrn.ac.uk/
(3) D. C. Barth-Jones, "The 're-identification' of Governor William Weld's medical information: A critical re-examination of health data identification risks and privacy protections, then and now," 3 September 2015, https://papers.ssrn.com/sol3/papers.cfm?abstract_id=2076397（2018 年 6 月 24 日閲覧）
(4) A. Narayanan and V. Shmatikov, "How to break the anonymity of the Netflix Prize dataset," 22 November 2007, https://arxiv.org/abs/cs/0610105（2018 年 3 月 25 日閲覧）; A. Narayanan and V. Shmatikov, Robust de-anonymization of large sparse datasets (how to break the anonymity of the Netflix Prize dataset), 5 February 2008, https://arxiv.org/pdf/cs/0610105.pdf（2018 年 6 月 24 日閲覧）
(5) D. Hugh-Jones, "Honesty and beliefs about honesty in 15 countries," 29 October 2015, https://www.uea.ac.uk/documents/3154295/7054672/Honesty+paper/41fecf09-235e-45c1-afc2-b872ea0ac882（2018 年 6 月 26 日閲覧）
(6) C. Gentry, "Computing arbitrary functions of encrypted data," *Communications of the ACM* **53**, no. 3 (March 2010): 97–105.

第 10 章　ダークデータを分類する

(1) https://www.behaviouralinsights.co.uk/wp-content/uploads/2016/08/16-07-12-Counting-Calories-Final.pdf（2018 年 10 月 27 日閲覧）
(2) A. Cavallo, "Online and official price indexes: Measuring Argentina's inflation,"

Journal of Monetary Economics **60**, no. 2 (2013): 152–65.

(3)　A. Cavallo and R. Rigobon, "The billion prices project: Using online prices for measurement and research," *Journal of Economic Perspectives* **30**, no. 2 (Spring 2016): 151–78.

(4)　C. Szegedy et al., "Intriguing properties of neural networks," https://arxiv.org/pdf/1312.6199.pdf, 19 February 2014（2018 年 8 月 23 日閲覧）

(5)　M. Sharif, S. Bhagavatula, L. Bauer, and M. K. Reiter, "Accessorize to a crime: Real and stealthy attacks on state-of-the-art face recognition," October 2016, https://www.cs.cmu.edu/~sbhagava/papers/face-rec-ccs16.pdf（2018 年 8 月 23 日閲覧）

デイヴィッド・J・ハンド（David J. Hand）
イギリスの統計学者。インペリアル・カレッジ・ロンドン数学名誉教授および上席研究員。王立統計学会の元会長。イギリス学士院フェロー。英ヘッジファンドのウィントン・キャピタル・マネジメント社の主任科学アドバイザーなども務める。著書に『統計学』（丸善出版）、『「偶然」の統計学』（早川書房）など。

黒輪篤嗣（くろわ・あつし）
翻訳家。上智大学文学部哲学科卒。おもな訳書に、クリスチャン・ダベンポート『宇宙の覇者 ベゾス vs マスク』（新潮社）、ジュリアン・バジーニ『哲学の技法』（河出書房新社）、ハル・グレガーセン『問いこそが答えだ！』（光文社）、野中郁次郎・竹内弘高『ワイズカンパニー』（東洋経済新報社）など。

ダークデータ
——隠《かく》れたデータこそが最強《さいきよう》の武器《ぶき》になる

2021年2月18日　初版印刷
2021年2月28日　初版発行

著　者　デイヴィッド・J・ハンド
訳　者　黒輪篤嗣
装　幀　松田行正
発行者　小野寺優
発行所　株式会社河出書房新社
〒151-0051　東京都渋谷区千駄ヶ谷2-32-2
電話 03-3404-1201［営業］　03-3404-8611［編集］
http://www.kawade.co.jp/
印刷所　株式会社亨有堂印刷所
製本所　大口製本印刷株式会社
Printed in Japan
ISBN978-4-309-25420-3